Jules Verne

Le Tour du monde en 80 jours (1872)

Texte intégral

LE DOSSIER
Un roman d'aventures pour la jeunesse

L'ENQUÊTE
La révolution des transports au XIXᵉ siècle

Notes et dossier
Isabelle Cristofari
professeur de lettres modernes

Collection dirigée par
Bertrand Louët

Sommaire

OUVERTURE

La locomotive de Crampton (1852).

© Hatier, Paris, 2011
ISBN : 978-2-218-93970-9

Le Tour du monde en 80 jours 10

Tous les mots suivis d'un * sont expliqués dans le lexique p. 350.

Qui sont les personnages ?

Les personnages principaux

PHILEAS FOGG

Le héros de l'histoire est
un gentleman anglais, âgé de quarante ans. De cet
homme, on sait peu de choses au début du roman,
sinon qu'il est riche, qu'il aime lire les journaux
et jouer au whist. Sa vie paraît organisée avec une
précision d'automate. Mais l'histoire va révéler un
homme à la fois courageux, généreux et amoureux.

PASSEPARTOUT

Le serviteur de Phileas Fogg est un Français
d'une trentaine d'années. Il a exercé de
nombreux métiers avant de devenir valet.
Il est ouvert, bavard, débrouillard, et d'un
dévouement total à l'égard de son maître.

FIX

Inspecteur de police anglais, Fix s'est lancé sur les traces de Phileas Fogg, qu'il prend pour le voleur de la Banque d'Angleterre. Il fait obstacle à son entreprise.

MRS. AOUDA

Cette jeune et belle Indienne apparaît dans le cortège funèbre de son époux, promise au sacrifice. Sauvée par les héros, elle les accompagne dans leur voyage, pleine de reconnaissance pour Phileas Fogg.

Les personnages secondaires

LE COLONEL STAMP W. PROCTOR

C'est un Américain violent et grossier, que les personnages principaux rencontrent lorsqu'ils sont aux États-Unis. Sa brutalité et ses mauvaises manières font obstacle au projet de Fogg. Un duel est décidé entre le colonel et le héros.

LES MEMBRES DU REFORM CLUB

Ce sont des hommes riches et puissants, banquiers, hommes d'affaires. Ils ont parié que Fogg ne parviendrait pas à faire le tour du monde en 80 jours.

SIR FRANCIS CROMARTY

Il est Anglais, grand, blond, âgé de cinquante ans environ. Il vit depuis toujours en Inde, pays qu'il connaît bien, et il s'est distingué pendant la dernière révolte des cipayes. C'est un homme qui éclaire les personnages sur les coutumes de l'Inde et qui aide le héros à mener à bien son projet.

Quelle est l'histoire ?

Les circonstances

Le Tour du monde en 80 jours paraît en 1872 sous forme de feuilleton dans *Le Temps*. Publié ensuite en 1873, le roman est un triomphe ! J. Verne l'adapte alors pour le théâtre avec, sur scène, des éléphants vivants et des décors somptueux. L'histoire se passe en 1872 et débute à Londres : après avoir choisi un nouveau domestique, Phileas Fogg, notre héros, se rend au Reform Club où il converse avec les membres du club...

L'action

1. Au Reform Club, Phileas Fogg apprend qu'un vol a été commis à la Banque d'Angleterre. De là, s'engage une discussion sur le temps de réalisation d'un tour du monde. Phileas Fogg parie la moitié de sa fortune qu'il fera le tour du monde en quatre-vingts jours !

2. Accompagné de Passepartout, il quitte Londres pour une extraordinaire course contre la montre, en ayant recours à des moyens de transport variés. Mais l'inspecteur Fix est persuadé que Fogg est le voleur de la Banque d'Angleterre : il met donc tout en œuvre pour l'arrêter !

 Couverture de Cinq semaines en ballon, collection Hetzel.

Le but

Jules Verne, avec son *Tour du monde en 80 jours*, veut instruire et divertir le lecteur, en mêlant l'information scientifique et l'aventure, le lyrisme et l'humour.

3. Outre les manœuvres de Fix, nombreux sont les obstacles et périls qui attendent les deux voyageurs. Ils risquent ainsi plusieurs fois leur vie : par exemple, en arrachant la belle Mrs. Aouda aux mains d'Indiens fanatiques ou en affrontant une attaque de Sioux !

4. À Londres, les parieurs du Reform Club attendent le retour de Phileas Fogg : aura-t-il réussi à tenir son pari ?

Qui est l'auteur ?

Jules Verne (1828-1905)

● UN ENFANT RÊVEUR...

Jules Verne naît le 8 février 1828 près de Nantes, port maritime qui accueille voyageurs et bateaux partant pour le monde entier. L'enfant, rêvant d'aventures et fasciné par les récits de voyage, dévore des romans comme le *Robinson suisse* ou *Le Dernier des Mohicans*.

● UN PROVINCIAL À PARIS

À Paris, où il est venu faire des études de droit, il se passionne pour la littérature et le théâtre, rencontre Hugo et Dumas, écrit des poèmes et des pièces. Il passe sa thèse en 1847 mais refuse de faire carrière dans le droit. En 1856, il épouse Honorine, dont il a un fils, Michel. En 1860, il décide de se consacrer à l'écriture et dès 1862, il présente le manuscrit de *Cinq semaines en ballon* à l'éditeur Hetzel, qui signe avec lui un contrat l'engageant pour vingt ans. Le roman a un immense succès en France et à l'étranger.

● VOYAGES, SUCCÈS PUIS CHUTE

En 1867, il accompagne son frère Paul pour un voyage en Amérique, en bateau. Ses *Voyages extraordinaires* connaissent un grand succès, ce qui lui permet de vivre aisément et d'acheter plusieurs bateaux pour quitter la terre ferme quand bon lui semble.

Au début de 1886, plusieurs événements assombrissent sa vie : ses droits d'auteur baissent régulièrement, son fils Michel fait faillite de sorte qu'il vend son dernier bateau pour lui porter secours, et son neveu, devenu fou, lui tire dessus, ce qui le laisse boiteux. Il écrit encore une dizaine de romans, puis meurt le 24 mars 1905 d'une crise de diabète.

	1828	1847-1848	1862	1863
VIE DE JULES VERNE	Naissance à Nantes	Études de droit	Rencontre avec l'éditeur Hetzel	*Cinq semaines en ballon*

	1851	1870-1871	1871	1876
HISTOIRE	Coup d'État de Louis-Napoléon Bonaparte	Début de la IIIᵉ République. La Commune de Paris	Invention de la dynamo par Gramme	La reine Victoria prend le titre d'impératrice des Indes

Que se passe-t-il à l'époque ?

Sur le plan politique

● L'AVÈNEMENT DE LA DÉMOCRATIE
En 1870-1871, la IIIe République est proclamée, pourtant cela n'empêche pas l'insurrection de la Commune, mouvement d'inspiration patriotique et sociale.

● LE CAPITALISME INDUSTRIEL
L'essor du capitalisme a lieu grâce au rôle croissant de l'industrie dans l'économie, au développement de la métallurgie, à la révolution des transports, à l'ascension sociale de la bourgeoisie et à la formation d'une classe ouvrière. La révolution industrielle permet l'élévation du niveau de vie moyen mais développe aussi une réelle misère sociale : travail d'enfants, ouvriers mal payés et sans protection sociale...

● L'EXPANSION COLONIALE
Au XIXe siècle, l'Inde devient une pièce maîtresse du royaume victorien et aux États-Unis, la conquête de l'Ouest se poursuit.

Dans le domaine des lettres

● LE MARCHÉ DE LA CULTURE
La presse se développe et le nombre de lecteurs de romans augmente : femmes, jeunes enfants, paysans aisés forment une « cible » particulière pour les éditeurs.

● LA QUESTION SOCIALE
De nombreux artistes prennent pour héros le peuple : Hugo dans *Quatre-Vingt-Treize*, Zola dans *Germinal*, mais également des peintres comme Monet avec *Les Déchargeurs de charbon* ou Degas avec *Les Repasseuses*.

● CONTESTATIONS ARTISTIQUES
Plusieurs mouvements artistiques veulent rompre avec l'académisme. En 1872, Monet peint *Impression soleil levant*, et en 1874 la première exposition des impressionnistes a lieu. En poésie, *Une saison en enfer* (1873) et *Illuminations* (1886) témoignent du désir de Rimbaud d'en finir avec la poésie classique.

1872-1873	1874	1874-1886	1886	1905
Le Tour du monde en 80 jours	Première de la pièce *Le Tour du monde en 80 jours*	*L'Île mystérieuse, Michel Strogoff...*	Attentat de son neveu Gaston. Mort de Hetzel	Mort de l'écrivain

1876	1881-1882	1884	1885	1894
Little Big Horn (les Indiens affrontent la cavalerie américaine)	Lois Jules Ferry sur l'école laïque, gratuite et obligatoire	Reconnaissance du droit syndical en France	Guerres coloniales en Afrique et en Asie	Début de l'affaire Dreyfus

Shangaï

Hong-kong

Singapour

Calcutta

Le Tour du monde en 80 jours

I

En l'année 1872, la maison portant le numéro 7 de Saville Row, Burlington Gardens – maison dans laquelle Sheridan[1] mourut en 1814 –, était habitée par Phileas Fogg, *esq.*[2], l'un des membres les plus singuliers et les plus remarqués du Reform Club de Londres[•],
5 bien qu'il semblât prendre à tâche de ne rien faire qui pût attirer l'attention.

À l'un des plus grands orateurs qui honorent l'Angleterre, succédait donc ce Phileas Fogg, personnage énigmatique, dont on ne savait rien, sinon que c'était un fort galant homme et l'un des plus
10 beaux gentlemen de la haute société anglaise.

On disait qu'il ressemblait à Byron[3] – par la tête, car il était irréprochable quant aux pieds –, mais un Byron à moustaches et à favoris, un Byron impassible, qui aurait vécu mille ans sans vieillir.

15 Anglais, à coup sûr, Phileas Fogg n'était peut-être pas *Londonner*[4]. On ne l'avait jamais vu ni à la Bourse, ni à la Banque, ni dans aucun

---

1. **Sheridan** : écrivain et homme politique britannique.
2. **Esq.** : abréviation de « *esquire* », titre honorifique anglais.
3. **Lord Byron** : poète anglais (1788-1824), emblème du mal de vivre et de la révolte. Il était affligé d'un pied bot.
4. **Londonner** : londonien.

● Les clubs anglais représentent une institution qui maintient l'*establishment*, c'est-à-dire la bonne éducation, le respect de la tradition, en bref, tout ce qui exprime la grandeur historique de l'Angleterre.

des comptoirs de la Cité[1]. Ni les bassins ni les docks de Londres n'avaient jamais reçu un navire ayant pour armateur[2] Phileas Fogg. Ce gentleman[3] ne figurait dans aucun comité d'administration. Son nom n'avait jamais retenti dans un collège d'avocats, ni au Temple, ni à Lincoln's Inn, ni à Gray's Inn[4]. Jamais il ne plaida ni à la Cour du chancelier, ni au Banc de la Reine, ni à l'Échiquier, ni en Cour ecclésiastique[5]. Il n'était ni industriel, ni négociant, ni marchand, ni agriculteur. Il ne faisait partie ni de l'Institution royale de la Grande-Bretagne, ni de l'Institution de Londres, ni de l'Institution des Artisans, ni de l'Institution Russell, ni de l'Institution littéraire de l'Ouest, ni de l'Institution du Droit, ni de cette Institution des Arts et des Sciences réunis, qui est placée sous le patronage direct de Sa Gracieuse Majesté. Il n'appartenait enfin à aucune des nombreuses sociétés qui pullulent dans la capitale de l'Angleterre, depuis la Société de l'Armonica jusqu'à la Société entomologique[6], fondée principalement dans le but de détruire les insectes nuisibles.

Phileas Fogg était membre du Reform Club, et voilà tout.

À qui s'étonnerait de ce qu'un gentleman aussi mystérieux comptât parmi les membres de cette honorable association, on répondra qu'il passa sur la recommandation de MM. Baring frères, chez lesquels il avait un crédit ouvert. De là une certaine « surface »,

---

1. La Cité : l'État.
2. Armateur : personne qui se livre à l'exploitation commerciale d'un navire.
3. Gentleman : homme distingué, d'une parfaite éducation.
4. Lincoln's Inn, Gray's Inn : écoles de droit anglaises.
5. Cour du chancelier, Banc de la Reine, Échiquier, Cour ecclésiastique : tribunaux anglais.
6. Entomologique : en rapport avec l'étude des insectes.

due à ce que ses chèques étaient régulièrement payés à vue par le
40 débit de son compte courant invariablement créditeur.

Ce Phileas Fogg était-il riche ? Incontestablement. Mais comment
il avait fait fortune, c'est ce que les mieux informés ne pouvaient
dire, et Mr. Fogg était le dernier auquel il convînt de s'adresser
pour l'apprendre. En tout cas, il n'était prodigue[1] de rien, mais
45 non avare, car partout où il manquait un appoint pour une chose
noble, utile ou généreuse, il l'apportait silencieusement et même
anonymement.

En somme, rien de moins communicatif que ce gentleman. Il
parlait aussi peu que possible, et semblait d'autant plus mystérieux
50 qu'il était silencieux. Cependant sa vie était à jour, mais ce qu'il
faisait était si mathématiquement toujours la même chose, que
l'imagination, mécontente, cherchait au-delà.

Avait-il voyagé ? C'était probable, car personne ne possédait
mieux que lui la carte du monde. Il n'était endroit si reculé dont
55 il ne parût avoir une connaissance spéciale. Quelquefois, mais
en peu de mots, brefs et clairs, il redressait les mille propos qui
circulaient dans le club au sujet des voyageurs perdus ou égarés ;
il indiquait les vraies probabilités, et ses paroles s'étaient trouvées
souvent comme inspirées par une seconde vue, tant l'événement
60 finissait toujours par les justifier. C'était un homme qui avait dû
voyager partout – en esprit, tout au moins.

Ce qui était certain toutefois, c'est que, depuis de longues
années, Phileas Fogg n'avait pas quitté Londres. Ceux qui avaient
l'honneur de le connaître un peu plus que les autres attestaient
65 que – si ce n'est sur ce chemin direct qu'il parcourait chaque jour

1. **Prodigue** : dépensier.

pour venir de sa maison au club – personne ne pouvait prétendre l'avoir jamais vu ailleurs. Son seul passe-temps était de lire les journaux et de jouer au whist[1]. À ce jeu du silence, si bien approprié à sa nature, il gagnait souvent, mais ses gains n'entraient
70 jamais dans sa bourse et figuraient pour une somme importante à son budget de charité. D'ailleurs, il faut le remarquer, Mr. Fogg jouait évidemment pour jouer, non pour gagner. Le jeu était pour lui un combat, une lutte contre une difficulté, mais une lutte sans mouvement, sans déplacement, sans fatigue, et cela allait à son
75 caractère.

On ne connaissait à Phileas Fogg ni femme ni enfants, ce qui peut arriver aux gens les plus honnêtes, ni parents ni amis, ce qui est plus rare en vérité. Phileas Fogg vivait seul dans sa maison de Saville Row, où personne ne pénétrait. De son intérieur,
80 jamais il n'était question. Un seul domestique suffisait à le servir. Déjeunant, dînant au club à des heures chronométriquement déterminées, dans la même salle, à la même table, ne traitant point ses collègues, n'invitant aucun étranger, il ne rentrait chez lui que pour se coucher, à minuit précis, sans jamais user de ces
85 chambres confortables que le Reform Club tient à la disposition des membres du cercle. Sur vingt-quatre heures, il en passait dix à son domicile, soit qu'il dormît, soit qu'il s'occupât de sa toilette. S'il se promenait, c'était invariablement, d'un pas égal, dans la salle d'entrée parquetée en marqueterie, ou sur la galerie circu-
90 laire, au-dessus de laquelle s'arrondit un dôme à vitraux bleus, que supportent vingt colonnes ioniques[2] en porphyre rouge.

1. **Whist** : jeu de cartes.
2. **Ionique** : style architectural de la Grèce antique. **Porphyre** :
   pierre utilisée pour les constructions prestigieuses.

S'il dînait ou déjeunait, c'étaient les cuisines, le garde-manger, l'office[1], la poissonnerie, la laiterie du club, qui fournissaient à sa table leurs succulentes réserves ; c'étaient les domestiques du
95   club, graves personnages en habit noir, chaussés de souliers à semelles de molleton, qui le servaient dans une porcelaine spéciale et sur un admirable linge en toile de Saxe ; c'étaient les cristaux à moule perdu[2] du club qui contenaient son sherry, son porto ou son *claret*[3] mélangé de cannelle, de capillaire et de cinnamome ;
100   c'était enfin la glace du club – glace venue à grands frais des lacs d'Amérique – qui entretenait ses boissons dans un satisfaisant état de fraîcheur.

Si vivre dans ces conditions, c'est être un excentrique, il faut convenir que l'excentricité a du bon !

105   La maison de Saville Row, sans être somptueuse, se recommandait par un extrême confort. D'ailleurs, avec les habitudes invariables du locataire, le service s'y réduisait à peu. Toutefois, Phileas Fogg exigeait de son unique domestique une ponctualité, une régularité extraordinaires. Ce jour-là même, 2 octobre,
110   Phileas Fogg avait donné son congé à James Forster – ce garçon s'étant rendu coupable de lui avoir apporté pour sa barbe de l'eau à quatre-vingt-quatre degrés Fahrenheit[4] au lieu de quatre-vingt-six –, et il attendait son successeur, qui devait se présenter entre onze heures et onze heures et demie.

115   Phileas Fogg, carrément assis dans son fauteuil, les deux pieds rapprochés comme ceux d'un soldat à la parade, les mains

---

1. **Office** : arrière-cuisine.
2. **À moule perdu** : dont on a brisé le moule après usage.
3. **Sherry...** *claret* : vins cuits.
4. **Fahrenheit** : échelle de température. 84 °F = 29 °C.

appuyées sur les genoux, le corps droit, la tête haute, regardait marcher l'aiguille de la pendule, appareil compliqué qui indiquait les heures, les minutes, les secondes, les jours, les quantièmes[1] et l'année. À onze heures et demie sonnant, Mr. Fogg devait, suivant sa quotidienne habitude, quitter la maison et se rendre au Reform Club.

En ce moment, on frappa à la porte du petit salon dans lequel se tenait Phileas Fogg.

James Forster, le congédié, apparut.

« Le nouveau domestique », dit-il.

Un garçon âgé d'une trentaine d'années se montra et salua.

« Vous êtes français et vous vous nommez John ? lui demanda Phileas Fogg.

— Jean, n'en déplaise à monsieur, répondit le nouveau venu, Jean Passepartout, un surnom qui m'est resté, et que justifiait mon aptitude naturelle à me tirer d'affaire. Je crois être un honnête garçon, monsieur, mais, pour être franc, j'ai fait plusieurs métiers. J'ai été chanteur ambulant, écuyer dans un cirque, faisant de la voltige comme Léotard, et dansant sur la corde comme Blondin[2] ; puis je suis devenu professeur de gymnastique, afin de rendre mes talents plus utiles, et, en dernier lieu, j'étais sergent de pompiers, à Paris. J'ai même dans mon dossier des incendies remarquables. Mais voilà cinq ans que j'ai quitté la France et que, voulant goûter de la vie de famille, je suis valet de chambre en Angleterre. Or, me trouvant sans place et ayant appris que Mr. Phileas Fogg était

---

1. **Quantièmes** : numéros des jours d'un mois.
2. **Léotard, Blondin** : artistes de cirque du XIXᵉ siècle. Léotard inventa le trapèze volant. Blondin devint célèbre en traversant les chutes du Niagara sur un fil. On raconte qu'il s'arrêta au milieu de sa course pour se faire une omelette !

l'homme le plus exact et le plus sédentaire du Royaume-Uni, je me suis présenté chez monsieur avec l'espérance d'y vivre tranquille et d'oublier jusqu'à ce nom de Passepartout...

145 — Passepartout me convient, répondit le gentleman. Vous m'êtes recommandé. J'ai de bons renseignements sur votre compte. Vous connaissez mes conditions ?

— Oui, monsieur.

— Bien. Quelle heure avez-vous ?

150 — Onze heures vingt-deux, répondit Passepartout, en tirant des profondeurs de son gousset une énorme montre d'argent.

— Vous retardez, dit Mr. Fogg.

— Que monsieur me pardonne, mais c'est impossible.

— Vous retardez de quatre minutes•. N'importe. Il suffit de
155 constater l'écart. Donc, à partir de ce moment, onze heures vingt-neuf du matin, ce mercredi 2 octobre 1872, vous êtes à mon service. »

Cela dit, Phileas Fogg se leva, prit son chapeau de la main gauche, le plaça sur sa tête avec un mouvement d'automate et
160 disparut sans ajouter une parole.

Passepartout entendit la porte de la rue se fermer une première fois : c'était son nouveau maître qui sortait ; puis une seconde fois : c'était son prédécesseur, James Forster, qui s'en allait à son tour.

Passepartout demeura seul dans la maison de Saville Row.

● La montre de Passepartout est réglée sur le méridien de Paris, et marque un écart de quatre minutes sur celle de Fogg, réglée sur le méridien de Greenwich.

Où Passepartout est convaincu qu'il a enfin trouvé son idéal

165 « Sur ma foi, se dit Passepartout, un peu ahuri tout d'abord, j'ai connu chez Mme Tussaud[1] des bonshommes aussi vivants que mon nouveau maître ! »

Il convient de dire ici que les « bonshommes » de Mme Tussaud sont des figures de cire, fort visitées à Londres, et auxquelles il ne 170 manque vraiment que la parole.

Pendant les quelques instants qu'il venait d'entrevoir Phileas Fogg, Passepartout avait rapidement, mais soigneusement examiné son futur maître. C'était un homme qui pouvait avoir quarante ans, de figure noble et belle, haut de taille, que ne dépa- 175 rait pas un léger embonpoint, blond de cheveux et de favoris, front uni sans apparences de rides aux tempes, figure plutôt pâle que colorée, dents magnifiques. Il paraissait posséder au plus haut degré ce que les physionomistes appellent « le repos dans l'action », faculté commune à tous ceux qui font plus de besogne que 180 de bruit. Calme, flegmatique, l'œil pur, la paupière immobile, c'était le type achevé de ces Anglais à sang-froid qui se rencontrent assez fréquemment dans le Royaume-Uni, et dont Angelica Kauffmann[2] a merveilleusement rendu sous son pinceau l'attitude

---

1. Mme Tussaud : musée de cire, comme le musée Grévin.
2. A. Kauffmann (1741-1807) : peintre suisse.

Le flegme est un comportement calme, non émotif. Il est de tradition, lorsqu'on profère des lieux communs sur les peuples, d'attribuer ce tempérament aux Anglais.

un peu académique. Vu dans les divers actes de son existence, ce
185 gentleman donnait l'idée d'un être bien équilibré dans toutes ses
parties, justement pondéré, aussi parfait qu'un chronomètre de
Leroy ou de Earnshaw[1]. C'est qu'en effet, Phileas Fogg était l'exactitude personnifiée, ce qui se voyait clairement à « l'expression de
ses pieds et de ses mains », car chez l'homme, aussi bien que chez
190 les animaux, les membres eux-mêmes sont des organes expressifs
des passions.

Phileas Fogg était de ces gens mathématiquement exacts, qui,
jamais pressés et toujours prêts, sont économes de leurs pas et de
leurs mouvements. Il ne faisait pas une enjambée de trop, allant
195 toujours par le plus court. Il ne perdait pas un regard au plafond.
Il ne se permettait aucun geste superflu. On ne l'avait jamais vu
ému ni troublé. C'était l'homme le moins hâté du monde, mais
il arrivait toujours à temps. Toutefois, on comprendra qu'il vécût
seul et pour ainsi dire en dehors de toute relation sociale. Il savait
200 que dans la vie il faut faire la part des frottements, et comme les
frottements retardent, il ne se frottait à personne.

Quant à Jean, dit Passepartout, un vrai Parisien de Paris, depuis
cinq ans qu'il habitait l'Angleterre et y faisait à Londres le métier
de valet de chambre, il avait cherché vainement un maître auquel
205 il pût s'attacher.

Passepartout n'était point un de ces Frontins ou Mascarilles[2] qui,
les épaules hautes, le nez au vent, le regard assuré, l'œil sec, ne sont
que d'impudents drôles. Non. Passepartout était un brave garçon,
de physionomie aimable, aux lèvres un peu saillantes, toujours

1. **Leroy, Earnshaw** : horlogers du XIXᵉ siècle.
2. **Frontins ou Mascarilles** : valets de comédie.

210 prêtes à goûter ou à caresser, un être doux et serviable, avec une de ces bonnes têtes rondes que l'on aime à voir sur les épaules d'un ami. Il avait les yeux bleus, le teint animé, la figure assez grasse pour qu'il pût lui-même voir les pommettes de ses joues, la poitrine large, la taille forte, une musculature vigoureuse, et il
215 possédait une force herculéenne que les exercices de sa jeunesse avaient admirablement développée. Ses cheveux bruns étaient un peu rageurs. Si les sculpteurs de l'Antiquité connaissaient dix-huit façons d'arranger la chevelure de Minerve, Passepartout n'en connaissait qu'une pour disposer la sienne : trois coups de
220 démêloir, et il était coiffé.

De dire si le caractère expansif de ce garçon s'accorderait avec celui de Phileas Fogg, c'est ce que la prudence la plus élémentaire ne permet pas. Passepartout serait-il ce domestique foncièrement exact qu'il fallait à son maître ? On ne le verrait qu'à l'user. Après
225 avoir eu, on le sait, une jeunesse assez vagabonde, il aspirait au repos. Ayant entendu vanter le méthodisme anglais et la froideur proverbiale des gentlemen, il vint chercher fortune en Angleterre. Mais, jusqu'alors, le sort l'avait mal servi. Il n'avait pu prendre racine nulle part. Il avait fait dix maisons. Dans toutes, on était
230 fantasque[1], inégal, coureur d'aventures ou coureur de pays, ce qui ne pouvait plus convenir à Passepartout. Son dernier maître, le jeune lord Longsferry, membre du Parlement, après avoir passé ses nuits dans les *oysters-rooms*[2] d'Hay-Market, rentrait trop souvent au logis sur les épaules des *policemen*. Passepartout, voulant avant
235 tout pouvoir respecter son maître, risqua quelques respectueuses

---

1. **Fantasque** : qui est sujet à des sautes d'humeur ; dont on ne peut prévoir le comportement.
2. **Oyster-rooms** : bars malfamés.

observations qui furent mal reçues, et il rompit. Il apprit, sur les entrefaites, que Phileas Fogg, *esq.*, cherchait un domestique. Il prit des renseignements sur ce gentleman. Un personnage dont l'existence était si régulière, qui ne découchait pas, qui ne voyageait
240 pas, qui ne s'absentait jamais, pas même un jour, ne pouvait que lui convenir. Il se présenta et fut admis dans les circonstances que l'on sait.

Passepartout, onze heures et demie étant sonnées, se trouvait donc seul dans la maison de Saville Row. Aussitôt il en commença
245 l'inspection. Il la parcourut de la cave au grenier. Cette maison propre, rangée, sévère, puritaine[1], bien organisée pour le service, lui plut. Elle lui fit l'effet d'une belle coquille de colimaçon, mais d'une coquille éclairée et chauffée au gaz, car l'hydrogène carburé y suffisait à tous les besoins de lumière et de chaleur. Passepartout
250 trouva sans peine, au second étage, la chambre qui lui était destinée. Elle lui convint. Des timbres électriques[2] et des tuyaux acoustiques la mettaient en communication avec les appartements de l'entresol et du premier étage. Sur la cheminée, une pendule électrique correspondait avec la pendule de la chambre à coucher
255 de Phileas Fogg, et les deux appareils battaient au même instant la même seconde.

« Cela me va, cela me va ! » se dit Passepartout.

Il remarqua aussi, dans sa chambre, une notice affichée au-dessus de la pendule. C'était le programme du service quoti-
260 dien. Il comprenait – depuis huit heures du matin, heure réglementaire à laquelle se levait Phileas Fogg, jusqu'à onze heures et

---

1. **Puritaine** : qui affiche une pureté morale scrupuleuse,
   un respect rigoureux des principes.
2. **Timbres électriques** : sonneries.

demie, heure à laquelle il quittait sa maison pour aller déjeuner au Reform Club – tous les détails du service, le thé et les rôties[1] de huit heures vingt-trois, l'eau pour la barbe de neuf heures trente-
265 sept, la coiffure de dix heures moins vingt, etc. Puis de onze heures et demie du matin à minuit, heure à laquelle se couchait le méthodique gentleman, tout était noté, prévu, régularisé. Passepartout se fit une joie de méditer ce programme et d'en graver les divers articles dans son esprit.

270 Quant à la garde-robe de monsieur, elle était fort bien montée et merveilleusement comprise. Chaque pantalon, habit ou gilet portait un numéro d'ordre reproduit sur un registre d'entrée et de sortie, indiquant la date à laquelle, suivant la saison, ces vêtements devaient être tour à tour portés. Même réglementation pour les
275 chaussures.

En somme, dans cette maison de Saville Row qui devait être le temple du désordre à l'époque de l'illustre mais dissipé Sheridan –, ameublement confortable, annonçant une belle aisance. Pas de bibliothèque, pas de livres, qui eussent été sans utilité pour
280 Mr. Fogg, puisque le Reform Club mettait à sa disposition deux bibliothèques, l'une consacrée aux lettres, l'autre au droit et à la politique. Dans la chambre à coucher, un coffre-fort de moyenne grandeur, que sa construction défendait aussi bien de l'incendie que du vol. Point d'armes dans la maison, aucun ustensile de chasse
285 ou de guerre. Tout y dénotait les habitudes les plus pacifiques.

Après avoir examiné cette demeure en détail, Passepartout se frotta les mains, sa large figure s'épanouit, et il répéta joyeusement :

---

1. **Rôties** : toasts.

« Cela me va ! voilà mon affaire ! Nous nous entendrons parfaitement, Mr. Fogg et moi ! Un homme casanier[1] et régulier ! Une
290 véritable mécanique ! Eh bien, je ne suis pas fâché de servir une mécanique ! »

1. **Casanier** : qui aime à rester à la maison.

III

Phileas Fogg avait quitté sa maison de Saville Row à onze heures et demie, et, après avoir placé cinq cent soixante-quinze fois son pied droit devant son pied gauche et cinq cent soixante-seize fois son pied gauche devant son pied droit, il arriva au Reform Club, vaste édifice, élevé dans Pall Mall[1], qui n'a pas coûté moins de trois millions à bâtir.

Phileas Fogg se rendit aussitôt à la salle à manger, dont les neuf fenêtres s'ouvraient sur un beau jardin aux arbres déjà dorés par l'automne. Là, il prit place à la table habituelle où son couvert l'attendait. Son déjeuner se composait d'un hors-d'œuvre, d'un poisson bouilli relevé d'une *Reading sauce*[2] de premier choix, d'un *roastbeef* écarlate agrémenté de condiments *mushroom*[3], d'un gâteau farci de tiges de rhubarbe et de groseilles vertes, d'un morceau de chester[4], le tout arrosé de quelques tasses de cet excellent thé, spécialement recueilli pour l'office du Reform Club.

À midi quarante-sept, ce gentleman se leva et se dirigea vers le grand salon, somptueuse pièce, ornée de peintures richement

---

1. **Pall Mall** : quartier de Londres.
2. **Reading sauce** : sauce épicée.
3. **Mushroom** : aux champignons.
4. **Chester** : fromage anglais.

310 encadrées. Là, un domestique lui remit le *Times*● non coupé, dont Phileas Fogg opéra le laborieux dépliage avec une sûreté de main qui dénotait une grande habitude de cette difficile opération. La lecture de ce journal occupa Phileas Fogg jusqu'à trois heures quarante-cinq, et celle du *Standard*, qui lui succéda, dura jusqu'au
315 dîner. Ce repas s'accomplit dans les mêmes conditions que le déjeuner, avec adjonction de *Royal British sauce*.

À six heures moins vingt, le gentleman reparut dans le grand salon et s'absorba dans la lecture du *Morning Chronicle*.

Une demi-heure plus tard, divers membres du Reform Club
320 faisaient leur entrée et s'approchaient de la cheminée, où brûlait un feu de houille. C'étaient les partenaires habituels de Mr. Phileas Fogg, comme lui enragés joueurs de whist : l'ingénieur Andrew Stuart, les banquiers John Sullivan et Samuel Fallentin, le brasseur Thomas Flanagan, Gauthier Ralph, un des administra-
325 teurs de la Banque d'Angleterre, personnages riches et considérés, même dans ce club qui compte parmi ses membres les sommités de l'industrie et de la finance.

« Eh bien, Ralph, demanda Thomas Flanagan, où en est cette affaire de vol ?
330 — Eh bien, répondit Andrew Stuart, la Banque en sera pour son argent.

— J'espère, au contraire, dit Gauthier Ralph, que nous mettrons la main sur l'auteur du vol. Des inspecteurs de police, gens fort habiles, ont été envoyés en Amérique et en Europe, dans tous les

● *Times*, *Standard*, *Morning
Chronicle* : ce sont des titres
de journaux anglais.

335 principaux ports d'embarquement et de débarquement, et il sera difficile à ce monsieur de leur échapper.

– Mais on a donc le signalement du voleur ? demanda Andrew Stuart.

– D'abord, ce n'est pas un voleur, répondit sérieusement
340 Gauthier Ralph.

– Comment, ce n'est pas un voleur, cet individu qui a soustrait cinquante-cinq mille livres en *banknotes*[1] (1 million 375 000 francs) ?

– Non, répondit Gauthier Ralph.

345 – C'est donc un industriel ? dit John Sullivan.

– Le *Morning Chronicle* assure que c'est un gentleman. »

Celui qui fit cette réponse n'était autre que Phileas Fogg, dont la tête émergeait alors du flot de papier amassé autour de lui. En même temps, Phileas Fogg salua ses collègues, qui lui rendirent
350 son salut.

Le fait dont il était question, que les divers journaux du Royaume-Uni discutaient avec ardeur, s'était accompli trois jours auparavant, le 29 septembre. Une liasse de *banknotes*, formant l'énorme somme de cinquante-cinq mille livres, avait été prise sur
355 la tablette du caissier principal de la Banque d'Angleterre.

À qui s'étonnait qu'un tel vol eût pu s'accomplir aussi facilement, le sous-gouverneur Gauthier Ralph se bornait à répondre qu'à ce moment même, le caissier s'occupait d'enregistrer une

---

1. **Banknotes** : billets de banque.

recette de trois shillings six pence[1], et qu'on ne saurait avoir l'œil
360 à tout.

Mais il convient de faire observer ici – ce qui rend le fait plus
explicable – que cet admirable établissement de Bank of England ●
paraît se soucier extrêmement de la dignité du public. Point de
gardes, point d'invalides[2], point de grillages ! L'or, l'argent, les
365 billets sont exposés librement et pour ainsi dire à la merci du
premier venu. On ne saurait mettre en suspicion l'honorabilité
d'un passant quelconque. Un des meilleurs observateurs des
usages anglais raconte même ceci : dans une des salles de la
Banque où il se trouvait un jour, il eut la curiosité de voir de plus
370 près un lingot d'or pesant sept à huit livres, qui se trouvait exposé
sur la tablette du caissier ; il prit ce lingot, l'examina, le passa à
son voisin, celui-ci à un autre, si bien que le lingot, de main en
main, s'en alla jusqu'au fond d'un corridor obscur, et ne revint
qu'une demi-heure après reprendre sa place, sans que le caissier
375 eût seulement levé la tête.

Mais, le 29 septembre, les choses ne se passèrent pas tout à fait
ainsi. La liasse de *banknotes* ne revint pas, et quand la magnifique
horloge, posée au-dessus du *drawing-office*[3], sonna à cinq heures
la fermeture des bureaux, la Banque d'Angleterre n'avait plus
380 qu'à passer cinquante-cinq mille livres par le compte de profits
et pertes.

---

1. **Shilling** : unité monétaire anglaise valant un
vingtième de la livre. **Pence** : pluriel de « penny »,
valant un douzième du shilling.
2. **Invalides** : on employait autrefois les blessés
de guerre (invalides) comme gardiens dans les lieux
publics.
3. **Drawing-office** : guichet de banque.

● La Banque d'Angleterre a été créée par
W. Paterson en 1694. Au XVIIIe siècle,
Londres devient la première place
financière et commerciale au monde, en
partie grâce au retour d'une communauté
juive, autorisé par Cromwell en 1655, et à
l'arrivée des huguenots français.

Le vol bien et dûment reconnu, des agents, des « détectives »,
choisis parmi les plus habiles, furent envoyés dans les principaux
ports, à Liverpool, à Glasgow, au Havre, à Suez, à Brindisi[1], à
385 New York, etc., avec promesse, en cas de succès, d'une prime
de deux mille livres (50 000 F) et cinq pour cent de la somme
qui serait retrouvée. En attendant les renseignements que devait
fournir l'enquête immédiatement commencée, ces inspecteurs
avaient pour mission d'observer scrupuleusement tous les voya-
390 geurs en arrivée ou en partance.

Or, précisément, ainsi que le disait le *Morning Chronicle*, on avait
lieu de supposer que l'auteur du vol ne faisait partie d'aucune
des sociétés de voleurs d'Angleterre. Pendant cette journée du
29 septembre, un gentleman bien mis, de bonnes manières, l'air
395 distingué, avait été remarqué, qui allait et venait dans la salle
des paiements, théâtre du vol. L'enquête avait permis de refaire
assez exactement le signalement de ce gentleman, signalement
qui fut aussitôt adressé à tous les détectives du Royaume-Uni et
du continent. Quelques bons esprits – et Gauthier Ralph était
400 du nombre – se croyaient donc fondés à espérer que le voleur
n'échapperait pas.

Comme on le pense, ce fait était à l'ordre du jour à Londres et
dans toute l'Angleterre. On discutait, on se passionnait pour ou
contre les probabilités du succès de la police métropolitaine. On
405 ne s'étonnera donc pas d'entendre les membres du Reform Club
traiter la même question, d'autant plus que l'un des sous-
gouverneurs de la Banque se trouvait parmi eux.

---

1. **Suez et Brindisi** : ports situés respectivement en Égypte et en
Italie.

L'honorable Gauthier Ralph ne voulait pas douter du résultat des recherches, estimant que la prime offerte devrait singulièrement 410 aiguiser le zèle et l'intelligence des agents. Mais son collègue, Andrew Stuart, était loin de partager cette confiance. La discussion continua donc entre les gentlemen, qui s'étaient assis à une table de whist, Stuart devant Flanagan, Fallentin devant Phileas Fogg. Pendant le jeu, les joueurs ne parlaient pas, mais entre les robres[1], 415 la conversation interrompue reprenait de plus belle.

« Je soutiens, dit Andrew Stuart, que les chances sont en faveur du voleur, qui ne peut manquer d'être un habile homme !

– Allons donc ! répondit Ralph, il n'y a plus un seul pays dans lequel il puisse se réfugier.

420 – Par exemple !

– Où voulez-vous qu'il aille ?

– Je n'en sais rien, répondit Andrew Stuart, mais, après tout, la terre est assez vaste.

– Elle l'était autrefois... », dit à mi-voix Phileas Fogg. Puis : « À 425 vous de couper, monsieur », ajouta-t-il en présentant les cartes à Thomas Flanagan.

La discussion fut suspendue pendant le robre. Mais bientôt Andrew Stuart la reprenait, disant :

« Comment, autrefois ! Est-ce que la terre a diminué, par 430 hasard ?

– Sans doute, répondit Gauthier Ralph. Je suis de l'avis de Mr. Fogg. La terre a diminué, puisqu'on la parcourt maintenant dix fois plus vite qu'il y a cent ans. Et c'est ce qui, dans le cas dont nous nous occupons, rendra les recherches plus rapides.

1. **Robres** : tournois de cartes comprenant plusieurs manches.

₄₃₅   – Et rendra plus facile aussi la fuite du voleur !

– À vous de jouer, monsieur Stuart ! » dit Phileas Fogg.

Mais l'incrédule Stuart n'était pas convaincu, et, la partie achevée :

« Il faut avouer, monsieur Ralph, reprit-il, que vous avez trouvé ₄₄₀ là une manière plaisante de dire que la terre a diminué ! Ainsi parce qu'on en fait maintenant le tour en trois mois...

– En quatre-vingts jours seulement, dit Phileas Fogg.

– En effet, messieurs, ajouta John Sullivan, quatre-vingts jours, depuis que la section entre Rothal et Allahabad[1] a été ouverte sur ₄₄₅ le Great Indian Peninsular Railway, et voici le calcul établi par le *Morning Chronicle* :

De Londres à Suez par le Mont-Cenis[2] et Brindisi, *railways*[3] et paquebots	7 jours
De Suez à Bombay[4], paquebot	13
De Bombay à Calcutta, *railway*	3
De Calcutta à Hong-kong (Chine), paquebot	13
De Hong-kong à Yokohama (Japon), paquebot	6
De Yokohama à San Francisco, paquebot	22
De San Francisco à New York, *railroad*[5]	7
De New York à Londres, paquebot et *railway*	9
Total	80 jours

1. **Rothal et Allahabad** : villes indiennes.
2. **Mont-Cenis** : tunnel passant sous le massif des Alpes.
3. **Railway** : chemin de fer.
4. **Bombay, Calcutta** : villes indiennes.
5. **Railroad** : chemin de fer.

– Oui, quatre-vingts jours ! s'écria Andrew Stuart, qui par inattention, coupa une carte maîtresse, mais non compris le mauvais temps, les vents contraires, les naufrages, les déraillements, etc.

460 – Tout compris, répondit Phileas Fogg en continuant de jouer, car, cette fois, la discussion ne respectait plus le whist.

– Même si les Indous ou les Indiens● enlèvent les rails ! s'écria Andrew Stuart, s'ils arrêtent les trains, pillent les fourgons, scalpent les voyageurs !

465 – Tout compris », répondit Phileas Fogg, qui, abattant son jeu, ajouta : « Deux atouts maîtres. »

Andrew Stuart, à qui c'était le tour de « faire », ramassa les cartes en disant :

« Théoriquement, vous avez raison, monsieur Fogg, mais dans 470 la pratique...

– Dans la pratique aussi, monsieur Stuart.

– Je voudrais bien vous y voir.

– Il ne tient qu'à vous. Partons ensemble.

– Le Ciel m'en préserve ! s'écria Stuart, mais je parierais bien 475 quatre mille livres (100 000 F) qu'un tel voyage, fait dans ces conditions, est impossible.

– Très possible, au contraire, répondit Mr. Fogg.

– Eh bien, faites-le donc !

– Le tour du monde en quatre-vingts jours ?

480 – Oui.

● Au temps de Jules Verne, on appelait en général Hindous (Indous), les habitants de l'Inde. Aujourd'hui, on les appelle les Indiens et le terme « hindou » permet de qualifier le brahmanisme, religion traditionnelle de l'Inde.

– Je le veux bien.

– Quand ?

– Tout de suite.

– C'est de la folie ! s'écria Andrew Stuart, qui commençait à se
485 vexer de l'insistance de son partenaire. Tenez ! jouons plutôt.

– Refaites alors, répondit Phileas Fogg, car il y a maldonne. »

Andrew Stuart reprit les cartes d'une main fébrile ; puis, tout à
coup, les posant sur la table :

« Eh bien, oui, monsieur Fogg, dit-il, oui, je parie quatre mille
490 livres !...

– Mon cher Stuart, dit Fallentin, calmez-vous. Ce n'est pas
sérieux.

– Quand je dis : je parie, répondit Andrew Stuart, c'est toujours
sérieux.

495   – Soit ! » dit Mr. Fogg. Puis, se tournant vers ses collègues :

« J'ai vingt mille livres (500 000 F) déposées chez Baring frères. Je les risquerai volontiers...

– Vingt mille livres● ! s'écria John Sullivan. Vingt mille livres qu'un retard imprévu peut vous faire perdre !

500   – L'imprévu n'existe pas, répondit simplement Phileas Fogg.

– Mais, monsieur Fogg, ce laps de quatre-vingts jours n'est calculé que comme un minimum de temps !

– Un minimum bien employé suffit à tout.

– Mais pour ne pas le dépasser, il faut sauter mathématique-
505 ment des *railways* dans les paquebots, et des paquebots dans les chemins de fer !

– Je sauterai mathématiquement.

– C'est une plaisanterie !

– Un bon Anglais ne plaisante jamais, quand il s'agit d'une
510 chose aussi sérieuse qu'un pari, répondit Phileas Fogg. Je parie vingt mille livres contre qui voudra que je ferai le tour de la terre en quatre-vingts jours ou moins, soit dix-neuf cent vingt heures ou cent quinze mille deux cents minutes. Acceptez-vous ?

– Nous acceptons, répondirent MM. Stuart, Fallentin, Sullivan,
515 Flanagan et Ralph, après s'être entendus.

– Bien, dit Mr. Fogg. Le train de Douvres part à huit heures quarante-cinq. Je le prendrai.

– Ce soir même ? demanda Stuart.

● L'enjeu du pari – 500 000 francs –
est énorme. Songeons que l'éditeur
Hetzel payait chaque roman
6 000 F à Jules Verne, à raison
de deux romans par an...

– Ce soir même, répondit Phileas Fogg. Donc, ajouta-t-il en consultant un calendrier de poche, puisque c'est aujourd'hui mercredi 2 octobre, je devrai être de retour à Londres, dans ce salon même du Reform Club, le samedi 21 décembre, à huit heures quarante-cinq du soir, faute de quoi les vingt mille livres déposées actuellement à mon crédit chez Baring frères vous appartiendront de fait et de droit, messieurs. Voici un chèque de pareille somme. »

Un procès-verbal[1] du pari fut fait et signé sur-le-champ par les six co-intéressés. Phileas Fogg était demeuré froid. Il n'avait certainement pas parié pour gagner, et n'avait engagé ces vingt mille livres – la moitié de sa fortune – que parce qu'il prévoyait qu'il pourrait avoir à dépenser l'autre pour mener à bien ce difficile, pour ne pas dire inexécutable projet. Quant à ses adversaires, eux, ils paraissaient émus, non pas à cause de la valeur de l'enjeu, mais parce qu'ils se faisaient une sorte de scrupule de lutter dans ces conditions.

Sept heures sonnaient alors. On offrit à Mr. Fogg de suspendre le whist afin qu'il pût faire ses préparatifs de départ.

« Je suis toujours prêt ! » répondit cet impassible gentleman, et donnant les cartes :

« Je retourne carreau, dit-il. À vous de jouer, monsieur Stuart. »

---

1. **Procès verbal** : acte dressé par une autorité compétente, qui constate un fait qui entraîne des conséquences juridiques.

IV

À sept heures vingt-cinq, Phileas Fogg, après avoir gagné une vingtaine de guinées[1] au whist, prit congé de ses honorables collègues, et quitta le Reform Club. À sept heures cinquante, il ouvrait la porte de sa maison et rentrait chez lui.

Passepartout, qui avait consciencieusement étudié son programme, fut assez surpris en voyant Mr. Fogg, coupable d'inexactitude, apparaître à cette heure insolite. Suivant la notice, le locataire de Saville Row ne devait rentrer qu'à minuit précis.

Phileas Fogg était tout d'abord monté à sa chambre, puis il appela :

« Passepartout ! »

Passepartout ne répondit pas. Cet appel ne pouvait s'adresser à lui. Ce n'était pas l'heure.

« Passepartout », reprit Mr. Fogg sans élever la voix davantage.

Passepartout se montra.

« C'est la deuxième fois que je vous appelle, dit Mr. Fogg.

– Mais il n'est pas minuit, répondit Passepartout, sa montre à la main.

– Je le sais, reprit Phileas Fogg, et je ne vous fais pas de reproche. Nous partons dans dix minutes pour Douvres et Calais. »

---

1. **Guinée** : ancienne unité de monnaie anglaise valant un peu plus d'une livre.

CHAPITRE IV

Une sorte de grimace s'ébaucha sur la ronde face du Français. Il était évident qu'il avait mal entendu.

« Monsieur se déplace ? demanda-t-il.

565 – Oui, répondit Phileas Fogg. Nous allons faire le tour du monde. »

Passepartout, l'œil démesurément ouvert, la paupière et le sourcil surélevés, les bras détendus, le corps affaissé, présentait alors tous les symptômes de l'étonnement poussé jusqu'à la stupeur.

570 « Le tour du monde ! murmura-t-il.

– En quatre-vingts jours, répondit Mr. Fogg. Ainsi, nous n'avons pas un instant à perdre.

– Mais les malles ?... dit Passepartout, qui balançait inconsciemment sa tête de droite et de gauche.

575 – Pas de malles. Un sac de nuit seulement. Dedans, deux chemises de laine, trois paires de bas. Autant pour vous. Nous achèterons en route. Vous descendrez mon mackintosh[1] et ma couverture de voyage. Ayez de bonnes chaussures. D'ailleurs, nous marcherons peu ou pas. Allez. »

580 Passepartout aurait voulu répondre. Il ne put. Il quitta la chambre de Mr. Fogg, monta dans la sienne, tomba sur une chaise, et employant une phrase assez vulgaire de son pays :

« Ah ! bien, se dit-il, elle est forte, celle-là ! Moi qui voulais rester tranquille !... »

585 Et, machinalement, il fit ses préparatifs de départ. Le tour du monde en quatre-vingts jours ! Avait-il affaire à un fou ? Non... C'était une plaisanterie ? On allait à Douvres, bien. À Calais, soit. Après tout, cela ne pouvait notablement contrarier le brave garçon,

---

1. **Mackintosh** : imperméable.

qui, depuis cinq ans, n'avait pas foulé le sol de la patrie. Peut-être
590 même irait-on jusqu'à Paris, et, ma foi, il reverrait avec plaisir la
grande capitale. Mais, certainement, un gentleman aussi ménager
de ses pas s'arrêterait là... Oui, sans doute, mais il n'en était pas
moins vrai qu'il partait, qu'il se déplaçait, ce gentleman, si casanier
jusqu'alors !

595 À huit heures, Passepartout avait préparé le modeste sac qui
contenait sa garde-robe et celle de son maître ; puis, l'esprit encore
troublé, il quitta sa chambre, dont il ferma soigneusement la porte,
et il rejoignit Mr. Fogg.

Mr. Fogg était prêt. Il portait sous son bras le *Bradshaw's*
600 *Continental Railway Steam Transit and General Guide*[1], qui devait
lui fournir toutes les indications nécessaires à son voyage. Il prit le
sac des mains de Passepartout, l'ouvrit et y glissa une forte liasse
de ces belles *banknotes* qui ont cours dans tous les pays.

« Vous n'avez rien oublié ? demanda-t-il.
605 — Rien, monsieur.

— Mon mackintosh et ma couverture ?

— Les voici.

— Bien, prenez ce sac. »

Mr. Fogg remit le sac à Passepartout.
610 « Et ayez-en soin, ajouta-t-il. Il y a vingt mille livres dedans
(500 000 F). »

Le sac faillit s'échapper des mains de Passepartout, comme si les
vingt mille livres eussent été en or et pesé considérablement.

---

1. **Bradshaw** : guide de voyage anglais, contenant les horaires
des trains et des bateaux du monde entier.

Le maître et le domestique descendirent alors, et la porte de la
615 rue fut fermée à double tour.

Une station de voitures se trouvait à l'extrémité de Saville Row.
Phileas Fogg et son domestique montèrent dans un cab, qui se
dirigea rapidement vers la gare de Charing Cross, à laquelle aboutit
un des embranchements du South-Eastern Railway[1].

620 À huit heures vingt, le cab s'arrêta devant la grille de la gare.
Passepartout sauta à terre. Son maître le suivit et paya le cocher.

En ce moment, une pauvre mendiante, tenant un enfant à la
main, pieds nus dans la boue, coiffée d'un chapeau dépenaillé
auquel pendait une plume lamentable, un châle en loques sur ses
625 haillons, s'approcha de Mr. Fogg et lui demanda l'aumône.

Mr. Fogg tira de sa poche les vingt guinées qu'il venait de gagner
au whist, et, les présentant à la mendiante :

« Tenez, ma brave femme, dit-il, je suis content de vous avoir
rencontrée ! »

630 Puis il passa.

Passepartout eut comme une sensation d'humidité autour de la
prunelle. Son maître avait fait un pas dans son cœur.

Mr. Fogg et lui entrèrent aussitôt dans la grande salle de la gare.
Là, Phileas Fogg donna à Passepartout l'ordre de prendre deux
635 billets de première classe pour Paris. Puis, se retournant, il aperçut
ses cinq collègues du Reform Club.

« Messieurs, je pars, dit-il, et les divers visas apposés sur un
passeport que j'emporte à cet effet vous permettront, au retour,
de contrôler mon itinéraire.

---

1. **South-Eastern Railway** : ligne de train.

640   – Oh ! monsieur Fogg, répondit poliment Gauthier Ralph, c'est inutile. Nous nous en rapporterons à votre honneur de gentleman !

   – Cela vaut mieux ainsi, dit Mr. Fogg.

   – Vous n'oubliez pas que vous devez être revenu ?... fit observer
645 Andrew Stuart.

   – Dans quatre-vingts jours, répondit Mr. Fogg, le samedi 21 décembre 1872, à huit heures quarante-cinq minutes du soir. Au revoir, messieurs. »

À huit heures quarante, Phileas Fogg et son domestique prirent
650 place dans le même compartiment. À huit heures quarante-cinq, un coup de sifflet retentit, et le train se mit en marche.

La nuit était noire. Il tombait une pluie fine. Phileas Fogg, accoté dans son coin, ne parlait pas. Passepartout, encore abasourdi, pressait machinalement contre lui le sac aux *banknotes*.

655 Mais le train n'avait pas dépassé Sydenham, que Passepartout poussait un véritable cri de désespoir !

« Qu'avez-vous ? demanda Mr. Fogg.

   – Il y a... que... dans ma précipitation... mon trouble... j'ai oublié...

660   – Quoi ?

   – D'éteindre le bec de gaz[1] de ma chambre !

   – Eh bien, mon garçon, répondit froidement Mr. Fogg, il brûle à votre compte ! »

---

1. **Bec de gaz** : lampe qui fonctionnait au gaz.

V

Dans lequel une nouvelle valeur apparaît sur la place de Londres

Phileas Fogg, en quittant Londres, ne se doutait guère, sans
665 doute, du grand retentissement qu'allait provoquer son départ.
La nouvelle du pari se répandit d'abord dans le Reform Club, et
produisit une véritable émotion parmi les membres de l'honorable
cercle. Puis, du club, cette émotion passa aux journaux par la voie
des reporters, et des journaux au public de Londres et de tout le
670 Royaume-Uni.

Cette « question du tour du monde » fut commentée, discutée,
disséquée, avec autant de passion et d'ardeur que s'il se fût agi
d'une nouvelle affaire de l'*Alabama*[1]. Les uns prirent parti pour
Phileas Fogg, les autres – et ils formèrent bientôt une majorité
675 considérable – se prononcèrent contre lui. Ce tour du monde
à accomplir, autrement qu'en théorie et sur le papier, dans ce
minimum de temps, avec les moyens de communication actuellement en usage, ce n'était pas seulement impossible, c'était
insensé !

680 Le *Times*, le *Standard*, l'*Evening Star*, le *Morning Chronicle*, et
vingt autres journaux de grande publicité, se déclarèrent contre
Mr. Fogg. Seul le *Daily Telegraph* le soutint dans une certaine
mesure. Phileas Fogg fut généralement traité de maniaque, de fou,

---

1. **Une nouvelle affaire de l'Alabama** : l'*Alabama* était un navire
de guerre anglais qui fut coulé en 1864, et qui fut à l'origine
d'un différend entre la Grande-Bretagne et les États-Unis.

et ses collègues du Reform Club furent blâmés d'avoir tenu ce
685 pari, qui accusait un affaiblissement dans les facultés mentales
de son auteur.

Des articles extrêmement passionnés, mais logiques, parurent
sur la question. On sait l'intérêt que l'on porte en Angleterre à
tout ce qui touche à la géographie. Aussi n'était-il pas un lecteur,
690 à quelque classe qu'il appartînt, qui ne dévorât les colonnes consacrées au cas de Phileas Fogg.

Pendant les premiers jours, quelques esprits audacieux – les
femmes principalement – furent pour lui, surtout quand l'*Illustrated London News* eut publié son portrait d'après sa photogra-
695 phie déposée aux archives du Reform Club. Certains gentlemen
osaient dire : « Hé ! hé ! pourquoi pas, après tout ? On a vu des
choses plus extraordinaires ! » C'étaient surtout les lecteurs du
Daily Telegraph. Mais on sentit bientôt que ce journal lui-même
commençait à faiblir.

700 En effet, un long article parut le 7 octobre dans le bulletin de la
Société royale de géographie. Il traita la question à tous les points
de vue, et démontra clairement la folie de l'entreprise. D'après cet
article, tout était contre le voyageur, obstacles de l'homme, obstacles de la nature. Pour réussir dans ce projet, il fallait admettre une
705 concordance miraculeuse des heures de départ et d'arrivée, concordance qui n'existait pas, qui ne pouvait pas exister. À la rigueur, et
en Europe, où il s'agit de parcours d'une longueur relativement
médiocre, on peut compter sur l'arrivée des trains à heure fixe ;
mais quand ils emploient trois jours à traverser l'Inde, sept jours
710 à traverser les États-Unis, pouvait-on fonder sur leur exactitude
les éléments d'un tel problème ? Et les accidents de machine, les

déraillements, les rencontres, la mauvaise saison, l'accumulation des neiges, est-ce que tout n'était pas contre Phileas Fogg ? Sur les paquebots, ne se trouverait-il pas, pendant l'hiver, à la merci
715 des coups de vent ou des brouillards ? Est-il donc si rare que les meilleurs marcheurs[1] des lignes transocéaniennes éprouvent des retards de deux ou trois jours ? Or, il suffisait d'un retard, un seul, pour que la chaîne de communications fût irréparablement brisée. Si Phileas Fogg manquait, ne fût-ce que de quelques heures, le
720 départ d'un paquebot, il serait forcé d'attendre le paquebot suivant, et par cela même son voyage était compromis irrévocablement.

L'article fit grand bruit. Presque tous les journaux le reproduisirent, et les actions de Phileas Fogg baissèrent singulièrement.

Pendant les premiers jours qui suivirent le départ du gentleman,
725 d'importantes affaires s'étaient engagées sur « l'aléa[2] » de son entreprise. On sait ce qu'est le monde des parieurs en Angleterre, monde plus intelligent, plus relevé que celui des joueurs. Parier est dans le tempérament anglais. Aussi, non seulement les divers membres du Reform Club établirent-ils des paris considérables
730 pour ou contre Phileas Fogg, mais la masse du public entra dans le mouvement. Phileas Fogg fut inscrit comme un cheval de course, à une sorte de *studbook*[3]. On en fit aussi une valeur de bourse, qui fut immédiatement cotée sur la place de Londres. On demandait, on offrait du « Phileas Fogg » ferme ou à prime[4], et il se fit des
735 affaires énormes. Mais cinq jours après son départ, après l'article

---

1. **Marcheurs** : paquebots à vapeur.
2. **Aléa** : hasard favorable ou non.
3. **Studbook** : registre où sont inscrites la généalogie et les performances des chevaux de course.
4. **Ferme ou à prime** : mots qui indiquent un achat définitif ou non, en bourse.

du bulletin de la Société de géographie, les offres commencèrent à affluer. Le Phileas Fogg baissa. On l'offrit par paquets. Pris d'abord à cinq, puis à dix, on ne le prit plus qu'à vingt, à cinquante, à cent !

740   Un seul partisan lui resta. Ce fut le vieux paralytique lord Albermale. L'honorable gentleman, cloué sur son fauteuil, eût donné sa fortune pour pouvoir faire le tour du monde, même en dix ans ! Et il paria cinq mille livres (100 000 F) en faveur de Phileas Fogg. Et quand, en même temps que la sottise du projet,
745 on lui en démontrait l'inutilité, il se contentait de répondre : « Si la chose est faisable, il est bon que ce soit un Anglais qui le premier l'ait faite ! »

    Or, on en était là, les partisans de Phileas Fogg se raréfiaient de plus en plus ; tout le monde, et non sans raison, se mettait contre
750 lui ; on ne le prenait plus qu'à cent cinquante, à deux cents contre un, quand, sept jours après son départ, un incident, complètement inattendu, fit qu'on ne le prit plus du tout.

    En effet, pendant cette journée, à neuf heures du soir, le directeur de la police métropolitaine avait reçu une dépêche télégra-
755 phique[1] ainsi conçue :

Suez à Londres.

Rowan, directeur police, administration centrale, Scotland Place.

Je file voleur de Banque, Phileas Fogg. Envoyez sans retard
760 mandat d'arrestation à Bombay (Inde anglaise●).

Fix, détective.

---

1. **Dépêche télégraphique** : ancien moyen de communication, transformant les informations en signaux électriques.

● De 1772 à 1947, l'Inde a été sous colonisation anglaise.

L'effet de cette dépêche fut immédiat. L'honorable gentleman disparut pour faire place au voleur de *banknotes*. Sa photographie, déposée au Reform Club avec celles de tous ses collègues, fut 765 examinée. Elle reproduisait trait pour trait l'homme dont le signalement avait été fourni par l'enquête. On rappela ce que l'existence de Phileas Fogg avait de mystérieux, son isolement, son départ subit, et il parut évident que ce personnage, prétextant un voyage autour du monde et l'appuyant sur un pari insensé, n'avait eu 770 d'autre but que de dépister les agents de la police anglaise.

VI

Voici dans quelles circonstances avait été lancée cette dépêche concernant le sieur Phileas Fogg.

Le mercredi 9 octobre, on attendait pour onze heures du matin, à Suez, le paquebot *Mongolia*, de la Compagnie péninsulaire et orientale, steamer[1] en fer à hélice et à spardeck[2], jaugeant[3] deux mille huit cents tonnes et possédant une force nominale de cinq cents chevaux. Le *Mongolia* faisait régulièrement les voyages de Brindisi à Bombay par le canal de Suez. C'était un des plus rapides marcheurs de la Compagnie, et les vitesses réglementaires, soit dix milles à l'heure entre Brindisi et Suez, et neuf milles[4] cinquante-trois centièmes entre Suez et Bombay, il les avait toujours dépassées.

En attendant l'arrivée du *Mongolia*, deux hommes se promenaient sur le quai au milieu de la foule d'indigènes et d'étrangers qui affluent dans cette ville, naguère une bourgade, à laquelle la grande œuvre de M. de Lesseps assure un avenir considérable.

De ces deux hommes, l'un était l'agent consulaire[5] du Royaume-Uni, établi à Suez, qui, en dépit des fâcheux pronostics

---

1. **Steamer** : bateau à vapeur.
2. **Spardeck** : pont d'un navire.
3. **Jauger** : se dit pour les tonneaux d'un navire, c'est-à-dire que cela a un rapport avec la capacité de transport d'un navire.
4. **Mille** : unité de distance. En mer, il équivaut à 1 852 m.
5. **Agent consulaire** : employé dans un consulat.

du gouvernement britannique et des sinistres prédictions de
l'ingénieur Stephenson[1], voyait chaque jour des navires anglais
traverser ce canal, abrégeant ainsi de moitié l'ancienne route de
l'Angleterre aux Indes par le cap de Bonne-Espérance[2].

L'autre était un petit homme maigre, de figure assez intelligente,
nerveux, qui contractait avec une persistance remarquable ses
muscles sourciliers. À travers ses longs cils brillait un œil très
vif, mais dont il savait à volonté éteindre l'ardeur. En ce moment,
il donnait certaines marques d'impatience, allant, venant, ne
pouvant tenir en place.

Cet homme se nommait Fix, et c'était un de ces détectives ou
agents de police anglais, qui avaient été envoyés dans les divers
ports, après le vol commis à la Banque d'Angleterre. Ce Fix devait
surveiller avec le plus grand soin tous les voyageurs prenant la
route de Suez, et si l'un d'eux lui semblait suspect, le filer en
attendant un mandat d'arrestation.

Précisément, depuis deux jours, Fix avait reçu du directeur de la
police métropolitaine le signalement de l'auteur présumé du vol.
C'était celui de ce personnage distingué et bien mis que l'on avait
observé dans la salle des paiements de la Banque.

Le détective, très alléché évidemment par la forte prime promise
en cas de succès, attendait donc avec une impatience facile à
comprendre l'arrivée du *Mongolia*.

---

1. **Lesseps** (1805-1894) et **Stephenson** (1781-1848) : le premier
est diplomate et entrepreneur français. Il est surtout connu
pour avoir fait construire les canaux de Suez et de Panama.
Le second est un ingénieur anglais promoteur du chemin de
fer.
2. **Cap de Bonne-Espérance** : il se trouve tout au sud de
l'Afrique.

« Et vous dites, monsieur le consul, demanda-t-il pour la dixième fois, que ce bateau ne peut tarder ?

— Non, monsieur Fix, répondit le consul. Il a été signalé hier
815 au large de Port-Saïd, et les cent soixante kilomètres du canal ne comptent pas pour un tel marcheur. Je vous répète que le *Mongolia* a toujours gagné la prime de vingt-cinq livres que le gouvernement accorde pour chaque avance de vingt-quatre heures sur les temps réglementaires.

820 — Ce paquebot vient directement de Brindisi ? demanda Fix.

— De Brindisi même, où il a pris la malle des Indes, de Brindisi qu'il a quitté samedi à cinq heures du soir. Ainsi ayez patience, il ne peut tarder à arriver. Mais je ne sais vraiment pas comment, avec le signalement que vous avez reçu, vous pourrez reconnaître
825 votre homme, s'il est à bord du *Mongolia*.

— Monsieur le consul, répondit Fix, ces gens-là, on les sent plutôt qu'on ne les reconnaît. C'est du flair qu'il faut avoir, et le flair est comme un sens spécial auquel concourent l'ouïe, la vue et l'odorat. J'ai arrêté dans ma vie plus d'un de ces gentlemen, et pourvu que
830 mon voleur soit à bord, je vous réponds qu'il ne me glissera pas entre les mains.

— Je le souhaite, monsieur Fix, car il s'agit d'un vol important.

— Un vol magnifique, répondit l'agent enthousiasmé. Cinquante-cinq mille livres ! Nous n'avons pas souvent de pareilles aubaines !
835 Les voleurs deviennent mesquins ! La race des Sheppard[1] s'étiole ! On se fait pendre maintenant pour quelques shillings ! »

---

1. **Jack Sheppard** : voleur anglais et roi de l'évasion, qui fut pendu en 1724.

– Monsieur Fix, répondit le consul, vous parlez d'une telle façon que je vous souhaite vivement de réussir ; mais, je vous le répète, dans les conditions où vous êtes, je crains que ce ne soit difficile.
840 Savez-vous bien que, d'après le signalement que vous avez reçu, ce voleur ressemble absolument à un honnête homme.

– Monsieur le consul, répondit dogmatiquement[1] l'inspecteur de police, les grands voleurs ressemblent toujours à d'honnêtes gens. Vous comprenez bien que ceux qui ont des figures de coquins
845 n'ont qu'un parti à prendre, c'est de rester probes[2], sans cela ils se feraient arrêter. Les physionomies honnêtes, ce sont celles-là qu'il faut dévisager surtout. Travail difficile, j'en conviens, et qui n'est plus du métier, mais de l'art. »

On voit que ledit Fix ne manquait pas d'une certaine dose
850 d'amour-propre.

Cependant le quai s'animait peu à peu. Marins de diverses nationalités, commerçants, courtiers[3], portefaix, fellahs, y affluaient. L'arrivée du paquebot était évidemment prochaine.

Le temps était assez beau, mais l'air froid, par ce vent d'est.
855 Quelques minarets se dessinaient au-dessus de la ville sous les pâles rayons du soleil. Vers le sud, une jetée longue de deux mille mètres s'allongeait comme un bras sur la rade de Suez. À la surface de la mer Rouge roulaient plusieurs bateaux de pêche ou de cabotage, dont quelques-uns ont conservé dans leurs façons
860 l'élégant gabarit de la galère antique.

---

1. **Dogmatiquement** : d'une manière péremptoire.
2. **Probes** : honnêtes.
3. **Courtier** : intermédiaire entre l'acheteur et le vendeur, dans une transaction commerciale. **Portefaix** : porteurs. **Fellahs** : paysans égyptiens.

Tout en circulant au milieu de ce populaire, Fix, par une habitude de sa profession, dévisageait les passants d'un rapide coup d'œil.

Il était alors dix heures et demie.

865 « Mais il n'arrivera pas, ce paquebot ! s'écria-t-il en entendant sonner l'horloge du port.

— Il ne peut être éloigné, répondit le consul.

— Combien de temps stationnera-t-il à Suez ? demanda Fix.

— Quatre heures. Le temps d'embarquer son charbon. De Suez
870 à Aden, à l'extrémité de la mer Rouge, on compte treize cent dix milles, et il faut faire provision de combustible.

— Et de Suez, ce bateau va directement à Bombay ? demanda Fix.

— Directement, sans rompre charge.

875 — Eh bien, dit Fix, si le voleur a pris cette route et ce bateau, il doit entrer dans son plan de débarquer à Suez, afin de gagner par une autre voie les possessions hollandaises ou françaises de l'Asie. Il doit bien savoir qu'il ne serait pas en sûreté dans l'Inde, qui est une terre anglaise.

880 — À moins que ce ne soit un homme très fort, répondit le consul. Vous le savez, un criminel anglais est toujours mieux caché à Londres qu'il ne le serait à l'étranger. »

Sur cette réflexion, qui donna fort à réfléchir à l'agent, le consul regagna ses bureaux, situés à peu de distance. L'inspecteur de
885 police demeura seul, pris d'une impatience nerveuse, avec ce pressentiment assez bizarre que son voleur devait se trouver à bord du *Mongolia*, et en vérité, si ce coquin avait quitté

l'Angleterre avec l'intention de gagner le Nouveau Monde[1], la route des Indes, moins surveillée ou plus difficile à surveiller que celle de l'Atlantique, devait avoir obtenu sa préférence.

Fix ne fut pas longtemps livré à ses réflexions. De vifs coups de sifflet annoncèrent l'arrivée du paquebot. Toute la horde des portefaix et des fellahs se précipita vers le quai dans un tumulte un peu inquiétant pour les membres et les vêtements des passagers. Une dizaine de canots se détachèrent de la rive et allèrent au-devant du *Mongolia*.

Bientôt on aperçut la gigantesque coque du *Mongolia*, passant entre les rives du canal, et onze heures sonnaient quand le steamer[2] vint mouiller en rade, pendant que sa vapeur fusait à grand bruit par les tuyaux d'échappement.

Les passagers étaient assez nombreux à bord. Quelques-uns restèrent sur le spardeck à contempler le panorama pittoresque de la ville ; mais la plupart débarquèrent dans les canots qui étaient venus accoster le *Mongolia*.

Fix examinait scrupuleusement tous ceux qui mettaient pied à terre.

En ce moment, l'un d'eux s'approcha de lui, après avoir vigoureusement repoussé les fellahs qui l'assaillaient de leurs offres de service, et il lui demanda fort poliment s'il pouvait lui indiquer les bureaux de l'agent consulaire anglais. Et en même temps ce passager présentait un passeport sur lequel il désirait sans doute faire apposer le visa britannique.

---

1. **Gagner le Nouveau Monde** : se rendre aux États-Unis.
2. **Steamer, steamboat** : bateau à vapeur.

Fix, instinctivement, prit le passeport, et, d'un rapide coup d'œil, il en lut le signalement●.

915 Un mouvement involontaire faillit lui échapper. La feuille trembla dans sa main. Le signalement libellé sur le passeport était identique à celui qu'il avait reçu du directeur de la police métropolitaine.

« Ce passeport n'est pas le vôtre ? dit-il au passager.

920 – Non, répondit celui-ci, c'est le passeport de mon maître.

– Et votre maître ?

– Il est resté à bord.

– Mais, reprit l'agent, il faut qu'il se présente en personne aux bureaux du consulat[1] afin d'établir son identité.

925 – Quoi ! cela est nécessaire ?

– Indispensable.

– Et où sont ces bureaux ?

– Là, au coin de la place, répondit l'inspecteur en indiquant une maison éloignée de deux cents pas.

930 – Alors, je vais aller chercher mon maître, à qui pourtant cela ne plaira guère de se déranger ! »

Là-dessus, le passager salua Fix et retourna à bord du steamer.

---

1. **Consulat** : charge de consul dans une ville étrangère. **Consul** : agent officiel d'un État, chargé de protéger à l'étranger, les ressortissants de son pays.

● Les papiers d'identité en 1872 contenaient un signalement, c'est-à-dire une description physique, et non pas une photographie.

VII

QUI TÉMOIGNE UNE FOIS DE PLUS DE L'INUTILITÉ DES PASSEPORTS EN MATIÈRE DE POLICE

L'inspecteur redescendit sur le quai et se dirigea rapidement vers les bureaux du consul. Aussitôt, et sur sa demande pressante, il fut introduit près de ce fonctionnaire.

« Monsieur le consul, lui dit-il sans autre préambule, j'ai de fortes présomptions de croire que notre homme a pris passage à bord du *Mongolia*. »

Et Fix raconta ce qui s'était passé entre ce domestique et lui à propos du passeport.

« Bien, monsieur Fix, répondit le consul, je ne serais pas fâché de voir la figure de ce coquin. Mais peut-être ne se présentera-t-il pas à mon bureau, s'il est ce que vous supposez. Un voleur n'aime pas à laisser derrière lui des traces de son passage, et d'ailleurs la formalité des passeports n'est plus obligatoire.

– Monsieur le consul, répondit l'agent, si c'est un homme fort comme on doit le penser, il viendra !

– Faire viser son passeport ?

– Oui. Les passeports ne servent jamais qu'à gêner les honnêtes gens et à favoriser la fuite des coquins. Je vous affirme que celui-ci sera en règle, mais j'espère bien que vous ne le viserez pas… »

– Et pourquoi pas ? Si ce passeport est régulier, répondit le consul, je n'ai pas le droit de refuser mon visa[1].

955 – Cependant, monsieur le consul, il faut bien que je retienne ici cet homme jusqu'à ce que j'aie reçu de Londres un mandat d'arrestation[2].

– Ah ! cela, monsieur Fix, c'est votre affaire, répondit le consul, mais moi, je ne puis... »

Le consul n'acheva pas sa phrase. En ce moment, on frappait 960 à la porte de son cabinet, et le garçon de bureau introduisit deux étrangers, dont l'un était précisément ce domestique qui s'était entretenu avec le détective.

C'étaient, en effet, le maître et le serviteur. Le maître présenta son passeport, en priant laconiquement le consul de vouloir bien 965 y apposer son visa.

Celui-ci prit le passeport et le lut attentivement, tandis que Fix, dans un coin du cabinet, observait ou plutôt dévorait l'étranger des yeux.

Quand le consul eut achevé sa lecture :

970 « Vous êtes Phileas Fogg, *esquire* ? demanda-t-il.

– Oui, monsieur, répondit le gentleman.

– Et cet homme est votre domestique ?

– Oui. Un Français nommé Passepartout.

– Vous venez de Londres ?

975 – Oui.

– Et vous allez ?

---

1. **Visa** : attestation exigée en sus du passeport pour entrer dans certains pays.
2. **Mandat** : acte par lequel une personne donne à une autre le pouvoir de faire quelque chose.

– À Bombay.

– Bien, monsieur. Vous savez que cette formalité du visa est inutile, et que nous n'exigeons plus la présentation du passeport ?

– Je le sais, monsieur, répondit Phileas Fogg, mais je désire constater par votre visa mon passage à Suez.

– Soit, monsieur. »

Et le consul, ayant signé et daté le passeport, y apposa son cachet. Mr. Fogg acquitta les droits de visa, et, après avoir froidement salué, il sortit, suivi de son domestique.

« Eh bien ? demanda l'inspecteur.

– Eh bien, répondit le consul, il a l'air d'un parfait honnête homme !

– Possible, répondit Fix, mais ce n'est point ce dont il s'agit. Trouvez-vous, monsieur le consul, que ce flegmatique gentleman ressemble trait pour trait au voleur dont j'ai reçu le signalement ?

– J'en conviens, mais vous le savez, tous les signalements...

– J'en aurai le cœur net, répondit Fix. Le domestique me paraît être moins indéchiffrable que le maître. De plus, c'est un Français, qui ne pourra se retenir de parler●. À bientôt, monsieur le consul. »

Cela dit, l'agent sortit et se mit à la recherche de Passepartout.

● Stéréotype de l'époque : le Français bavard (il n'a pas forcément disparu !) que J. Verne oppose à l'impassible Anglais. Dans *Michel Strogoff,* Verne oppose le caractère d'un journaliste anglais – Blount – à celui d'un Français – Jolivet – selon les mêmes clichés.

1000 Cependant Mr. Fogg, en quittant la maison consulaire, s'était dirigé vers le quai. Là, il donna quelques ordres à son domestique ; puis il s'embarqua dans un canot, revint à bord du *Mongolia* et rentra dans sa cabine. Il prit alors son carnet, qui portait les notes suivantes :

1005 « Quitté Londres, mercredi 2 octobre, 8 heures 45 soir.

« Arrivé à Paris, jeudi 3 octobre, 7 heures 20 matin.

« Quitté Paris, jeudi, 8 heures 40 matin.

« Arrivé par le Mont-Cenis à Turin, vendredi 4 octobre, 6 heures 35 matin.

1010 « Quitté Turin, vendredi, 7 heures 20 matin.

« Arrivé à Brindisi, samedi 5 octobre, 4 heures soir.

« Embarqué sur le *Mongolia*, samedi, 5 heures soir.

« Arrivé à Suez, mercredi 9 octobre, 11 heures matin.

« Total des heures dépensées : 158 1/2, soit en jours : 6 jours 1015 1/2. »

Mr. Fogg inscrivit ces dates sur un itinéraire disposé par colonnes, qui indiquait, depuis le 2 octobre jusqu'au 21 décembre, le mois, le quantième, le jour, les arrivées réglementaires et les arrivées effectives en chaque point principal, Paris, Brindisi, Suez, Bombay, 1020 Calcutta, Singapore, Hong-kong, Yokohama, San Francisco, New York, Liverpool, Londres, et qui permettait de chiffrer le gain obtenu ou la perte éprouvée à chaque endroit du parcours.

Ce méthodique itinéraire tenait ainsi compte de tout, et Mr. Fogg savait toujours s'il était en avance ou en retard.

1025 Il inscrivit donc, ce jour-là, mercredi 9 octobre, son arrivée à Suez, qui, concordant avec l'arrivée réglementaire, ne le constituait ni en gain ni en perte.

CHAPITRE VII

Puis il se fit servir à déjeuner dans sa cabine. Quant à voir la ville, il n'y pensait même pas, étant de cette race d'Anglais qui font 1030 visiter par leur domestique● les pays qu'ils traversent.

Ouverture du canal de Suez en novembre 1869 : voyage de l'impératrice Eugénie, femme de Napoléon III, aquarelle.

● La description des pays traversés est le fait de Passepartout : tout est perçu à travers le joyeux, naïf et curieux domestique, ouvert au monde, à sa beauté et à ses mystères !

VIII

Fix avait en peu d'instants rejoint sur le quai Passepartout, qui flânait et regardait, ne se croyant pas, lui, obligé à ne point voir.

« Eh bien, mon ami, lui dit Fix en l'abordant, votre passeport est-il visé ?

1035 — Ah ! c'est vous, monsieur, répondit le Français. Bien obligé. Nous sommes parfaitement en règle.

— Et vous regardez le pays ?

— Oui, mais nous allons si vite qu'il me semble que je voyage en rêve. Et comme cela, nous sommes à Suez ?

1040 — À Suez.

— En Égypte ?

— En Égypte, parfaitement.

— Et en Afrique ?

— En Afrique.

1045 — En Afrique ! répéta Passepartout. Je ne peux y croire. Figurez-vous, monsieur, que je m'imaginais ne pas aller plus loin que Paris, et cette fameuse capitale, je l'ai revue tout juste de sept heures vingt du matin à huit heures quarante, entre la gare du Nord et la gare de Lyon, à travers les vitres d'un fiacre et par une pluie

1050 battante ! Je le regrette ! J'aurais aimé à revoir le Père-Lachaise[1] et le Cirque des Champs-Élysées !

---

1. **Père-Lachaise** : cimetière parisien.

– Vous êtes donc bien pressé ? demanda l'inspecteur de police.

– Moi, non, mais c'est mon maître. À propos, il faut que j'achète des chaussettes et des chemises ! Nous sommes partis sans malles, avec un sac de nuit seulement.

– Je vais vous conduire à un bazar où vous trouverez tout ce qu'il faut.

– Monsieur, répondit Passepartout, vous êtes vraiment d'une complaisance !... »

Et tous deux se mirent en route. Passepartout causait toujours.

« Surtout, dit-il, que je prenne bien garde de ne pas manquer le bateau !

– Vous avez le temps, répondit Fix, il n'est encore que midi ! »

Passepartout tira sa grosse montre.

« Midi, dit-il. Allons donc ! il est neuf heures cinquante-deux minutes !

– Votre montre retarde, répondit Fix.

– Ma montre ! Une montre de famille, qui vient de mon arrière-grand-père ! Elle ne varie pas de cinq minutes par an. C'est un vrai chronomètre !

– Je vois ce que c'est, répondit Fix. Vous avez gardé l'heure de Londres, qui retarde de deux heures environ sur Suez. Il faut avoir soin de remettre votre montre au midi de chaque pays.

– Moi ! toucher à ma montre ! s'écria Passepartout, jamais !

– Eh bien, elle ne sera plus d'accord avec le soleil.

– Tant pis pour le soleil, monsieur ! C'est lui qui aura tort ! »

Et le brave garçon remit sa montre dans son gousset avec un
1080 geste superbe.

Quelques instants après, Fix lui disait :

« Vous avez donc quitté Londres précipitamment ?

– Je le crois bien ! Mercredi dernier, à huit heures du soir, contre
toutes ses habitudes, Mr. Fogg revint de son cercle, et trois quarts
1085 d'heure après nous étions partis.

– Mais où va-t-il donc, votre maître ?

– Toujours devant lui ! Il fait le tour du monde !

– Le tour du monde ? s'écria Fix.

– Oui, en quatre-vingts jours ! Un pari, dit-il, mais, entre nous,
1090 je n'en crois rien. Cela n'aurait pas le sens commun. Il y a autre
chose.

– Ah ! c'est un original, ce Mr. Fogg ?

– Je le crois.

– Il est donc riche ?

1095 – Évidemment, et il emporte une jolie somme avec lui, en *banknotes* toutes neuves ! Et il n'épargne pas l'argent en route ! Tenez !
il a promis une prime magnifique au mécanicien du *Mongolia*, si
nous arrivons à Bombay avec une belle avance !

– Et vous le connaissez depuis longtemps, votre maître ?

1100 – Moi ! répondit Passepartout, je suis entré à son service le jour
même de notre départ. »

On s'imagine aisément l'effet que ces réponses devaient produire
sur l'esprit déjà surexcité de l'inspecteur de police.

Ce départ précipité de Londres, peu de temps après le vol, cette
1105 grosse somme emportée, cette hâte d'arriver en des pays lointains, ce prétexte d'un pari excentrique, tout confirmait et devait

confirmer Fix dans ses idées. Il fit encore parler le Français et acquit la certitude que ce garçon ne connaissait aucunement son maître, que celui-ci vivait isolé à Londres, qu'on le disait riche
1110 sans savoir l'origine de sa fortune, que c'était un homme impénétrable, etc. Mais, en même temps, Fix put tenir pour certain que Phileas Fogg ne débarquait point à Suez, et qu'il allait réellement à Bombay.

« Est-ce loin Bombay ? demanda Passepartout.

1115 – Assez loin, répondit l'agent. Il vous faut encore une dizaine de jours de mer.

– Et où prenez-vous[1] Bombay ?

– Dans l'Inde.

– En Asie ?

1120 – Naturellement.

– Diable ! C'est que je vais vous dire... il y a une chose qui me tracasse... c'est mon bec !

– Quel bec ?

– Mon bec de gaz que j'ai oublié d'éteindre et qui brûle à mon
1125 compte. Or, j'ai calculé que j'en avais pour deux shillings par vingt-quatre heures, juste six pence de plus que je ne gagne, et vous comprenez que pour peu que le voyage se prolonge... »

Fix comprit-il l'affaire du gaz ? C'est peu probable. Il n'écoutait plus et prenait un parti. Le Français et lui étaient arrivés au bazar.
1130 Fix laissa son compagnon y faire ses emplettes, il lui recommanda de ne pas manquer le départ du *Mongolia*, et il revint en toute hâte aux bureaux de l'agent consulaire.

---

1. **Où prenez-vous Bombay ?** : où situez-vous Bombay ?

Fix, maintenant que sa conviction était faite, avait repris tout son sang-froid.

1135 « Monsieur, dit-il au consul, je n'ai plus aucun doute. Je tiens mon homme. Il se fait passer pour un excentrique qui veut faire le tour du monde en quatre-vingts jours.

— Alors c'est un malin, répondit le consul, et il compte revenir à Londres, après avoir dépisté toutes les polices des deux
1140 continents !

— Nous verrons bien, répondit Fix.

— Mais ne vous trompez-vous pas ? demanda encore une fois le consul.

— Je ne me trompe pas.

1145 — Alors, pourquoi ce voleur a-t-il tenu à faire constater par un visa son passage à Suez ?

— Pourquoi ?... Je n'en sais rien, monsieur le consul, répondit le détective, mais écoutez-moi. »

Et, en quelques mots, il rapporta les points saillants de sa conver-
1150 sation avec le domestique dudit Fogg.

« En effet, dit le consul, toutes les présomptions sont contre cet homme. Et qu'allez-vous faire ?

— Lancer une dépêche à Londres avec demande instante de m'adresser un mandat d'arrestation à Bombay, m'embarquer sur
1155 le *Mongolia*, filer mon voleur jusqu'aux Indes, et là, sur cette terre anglaise, l'accoster poliment, mon mandat à la main et la main sur l'épaule. »

Ces paroles prononcées froidement, l'agent prit congé du consul et se rendit au bureau télégraphique. De là, il lança au directeur de
1160 la police métropolitaine cette dépêche que l'on connaît.

Un quart d'heure plus tard, Fix, son léger bagage à la main, bien muni d'argent, d'ailleurs, s'embarquait à bord du *Mongolia*, et bientôt le rapide steamer filait à toute vapeur sur les eaux de la mer Rouge.

Bateau à vapeur 1886.

IX

OÙ LA MER ROUGE ET LA MER DES INDES SE MONTRENT PROPICES
AUX DESSEINS DE PHILEAS FOGG

La distance entre Suez et Aden est exactement de treize cent dix milles, et le cahier des charges de la Compagnie alloue à ses paquebots un laps de temps de cent trente-huit heures pour la franchir. Le *Mongolia*, dont les feux étaient activement poussés, marchait de manière à devancer l'arrivée réglementaire.

La plupart des passagers embarqués à Brindisi avaient presque tous l'Inde pour destination. Les uns se rendaient à Bombay, les autres à Calcutta, mais via Bombay, car depuis qu'un chemin de fer traverse dans toute sa largeur la péninsule indienne, il n'est plus nécessaire de doubler la pointe de Ceylan.

Parmi ces passagers du *Mongolia*, on comptait divers fonctionnaires civils et des officiers de tout grade. De ceux-ci, les uns appartenaient à l'armée britannique proprement dite, les autres commandaient les troupes indigènes de cipayes[1], tous chèrement appointés, même à présent que le gouvernement s'est substitué aux droits et aux charges de l'ancienne Compagnie des Indes : sous-lieutenants à 7 000 F, brigadiers à 60 000, généraux à 100 000. [Le traitement des fonctionnaires civils est encore plus élevé. Les simples assistants, au premier degré de la hiérarchie,

---

1. **Cipayes** : soldats indiens au service de l'armée britannique.

● La Compagnie des Indes
exploitait les richesses de
l'Empire colonial britannique.

ont 12 000 francs ; les juges, 60 000 F ; les présidents de cour,
1185 250 000 F ; les gouverneurs, 300 000 F, et le gouverneur général,
plus de 600 000 F. (*Note de l'auteur.*)]

On vivait donc bien à bord du *Mongolia*, dans cette société de
fonctionnaires, auxquels se mêlaient quelques jeunes Anglais,
qui, le million en poche, allaient fonder au loin des comptoirs de
1190 commerce. Le *purser*, l'homme de confiance de la Compagnie,
l'égal du capitaine à bord, faisait somptueusement les choses. Au
déjeuner du matin, au lunch de deux heures, au dîner de cinq
heures et demie, au souper de huit heures, les tables pliaient sous
les plats de viande fraîche et les entremets fournis par la boucherie
1195 et les offices du paquebot. Les passagères – il y en avait quelques-
unes – changeaient de toilette deux fois par jour. On faisait de la
musique, on dansait même, quand la mer le permettait.

Mais la mer Rouge est fort capricieuse et trop souvent mauvaise,
comme tous ces golfes étroits et longs. Quand le vent soufflait soit
1200 de la côte d'Asie, soit de la côte d'Afrique, le *Mongolia*, long fuseau
à hélice, pris par le travers, roulait épouvantablement. Les dames
disparaissaient alors ; les pianos se taisaient ; chants et danses
cessaient à la fois. Et pourtant, malgré la rafale, malgré la houle,
le paquebot, poussé par sa puissante machine, courait sans retard
1205 vers le détroit de Bab-el-Mandeb[1].

Que faisait Phileas Fogg pendant ce temps ? On pourrait croire
que, toujours inquiet et anxieux, il se préoccupait des changements de vent nuisibles à la marche du navire, des mouvements
désordonnés de la houle qui risquaient d'occasionner un accident

---

1. **Bab-el-Mandeb** : passage entre la mer Rouge et le golfe
d'Aden, dans l'océan Indien.

1210 à la machine, enfin de toutes les avaries possibles qui, en obligeant le *Mongolia* à relâcher dans quelque port, auraient compromis son voyage.

Aucunement, ou tout au moins, si ce gentleman songeait à ces éventualités, il n'en laissait rien paraître. C'était toujours l'homme
1215 impassible, le membre imperturbable du Reform Club, qu'aucun incident ou accident ne pouvait surprendre. Il ne paraissait pas plus ému que les chronomètres du bord. On le voyait rarement sur le pont. Il s'inquiétait peu d'observer cette mer Rouge, si féconde en souvenirs, ce théâtre des premières scènes historiques
1220 de l'humanité●. Il ne venait pas reconnaître les curieuses villes semées sur ses bords, et dont la pittoresque silhouette se découpait quelquefois à l'horizon. Il ne rêvait même pas aux dangers de ce golfe Arabique, dont les anciens historiens, Strabon, Arrien, Arthémidore, Edrisi[1], ont toujours parlé avec épouvante, et sur
1225 lequel les navigateurs ne se hasardaient jamais autrefois sans avoir consacré leur voyage par des sacrifices propitiatoires.

Que faisait donc cet original, emprisonné dans le *Mongolia* ? D'abord il faisait ses quatre repas par jour, sans que jamais ni roulis ni tangage pussent détraquer une machine si merveilleu-
1230 sement organisée. Puis il jouait au whist.

Oui ! il avait rencontré des partenaires, aussi enragés que lui : un collecteur de taxes qui se rendait à son poste à Goa, un ministre[2], le révérend Décimus Smith, retournant à Bombay, et un brigadier général de l'armée anglaise, qui rejoignait son corps à Bénarès[3].

---

1. **Strabon, Arrien, Arthémidore** : historiens et géographes de l'Antiquité. **Edrisi** : géographe arabe du XIIᵉ siècle.
2. **Ministre** : pasteur protestant.
3. **Goa, Bénarès** : villes indiennes.

● Ce passage fait allusion à la traversée de la mer Rouge par Moïse, dans la Bible.

1235 Ces trois passagers avaient pour le whist la même passion que Mr. Fogg, et ils jouaient pendant des heures entières, non moins silencieusement que lui.

Quant à Passepartout, le mal de mer n'avait aucune prise sur lui. Il occupait une cabine à l'avant et mangeait, lui aussi, conscien-
1240 cieusement. Il faut dire que, décidément, ce voyage, fait dans ces conditions, ne lui déplaisait plus. Il en prenait son parti. Bien nourri, bien logé, il voyait du pays et d'ailleurs il s'affirmait à lui-même que toute cette fantaisie finirait à Bombay.

Le lendemain du départ de Suez, le 10 octobre, ce ne fut pas sans
1245 un certain plaisir qu'il rencontra sur le pont l'obligeant personnage auquel il s'était adressé en débarquant en Égypte.

« Je ne me trompe pas, dit-il en l'abordant avec son plus aimable sourire, c'est bien vous, monsieur, qui m'avez si complaisamment servi de guide à Suez ?

1250 — En effet, répondit le détective, je vous reconnais ! Vous êtes le domestique de cet Anglais original...

— Précisément, monsieur... ?

— Fix.

— Monsieur Fix, répondit Passepartout. Enchanté de vous
1255 retrouver à bord. Et où allez-vous donc ?

— Mais, ainsi que vous, à Bombay.

— C'est au mieux ! Est-ce que vous avez déjà fait ce voyage ?

— Plusieurs fois, répondit Fix. Je suis un agent de la Compagnie péninsulaire.

1260 — Alors vous connaissez l'Inde ?

— Mais... oui..., répondit Fix, qui ne voulait pas trop s'avancer.

— Et c'est curieux, cette Inde-là ?

– Très curieux ! Des mosquées, des minarets, des temples, des fakirs[1], des pagodes[2], des tigres, des serpents, des bayadères[3] ! Mais
1265 il faut espérer que vous aurez le temps de visiter le pays.

– Je l'espère, monsieur Fix. Vous comprenez bien qu'il n'est pas permis à un homme sain d'esprit de passer sa vie à sauter d'un paquebot dans un chemin de fer et d'un chemin de fer dans un paquebot, sous prétexte de faire le tour du monde en quatre-
1270 vingts jours ! Non. Toute cette gymnastique cessera à Bombay, n'en doutez pas.

– Et il se porte bien, Mr. Fogg ? demanda Fix du ton le plus naturel.

– Très bien, monsieur Fix. Moi aussi, d'ailleurs. Je mange
1275 comme un ogre qui serait à jeun. C'est l'air de la mer.

– Et votre maître, je ne le vois jamais sur le pont.

– Jamais. Il n'est pas curieux.

– Savez-vous, monsieur Passepartout, que ce prétendu voyage en quatre-vingts jours pourrait bien cacher quelque mission secrète...
1280 une mission diplomatique, par exemple !

– Ma foi, monsieur Fix, je n'en sais rien, je vous l'avoue, et, au fond, je ne donnerais pas une demi-couronne pour le savoir. »

Depuis cette rencontre, Passepartout et Fix causèrent souvent ensemble. L'inspecteur de police tenait à se lier avec le domestique
1285 du sieur Fogg. Cela pouvait le servir à l'occasion. Il lui offrait donc souvent, au bar-room du *Mongolia*, quelques verres de whisky ou de *pale ale*[4], que le brave garçon acceptait sans cérémonie et rendait

---

1. **Fakir** : en Inde, ascète qui vit d'aumônes et se livre à des mortifications en public.
2. **Pagode** : édifice religieux bouddhique en Extrême-Orient.
3. **Bayadère** : danseuse sacrée en Inde.
4. **Pale ale** : bière.

même pour ne pas être en reste, trouvant, d'ailleurs, ce Fix un gentleman bien honnête.

1290   Cependant le paquebot s'avançait rapidement. Le 13, on eut connaissance de Moka●, qui apparut dans sa ceinture de murailles ruinées, au-dessus desquelles se détachaient quelques dattiers verdoyants. Au loin, dans les montagnes, se développaient de vastes champs de caféiers. Passepartout fut ravi de contempler
1295 cette ville célèbre, et il trouva même qu'avec ces murs circulaires et un fort démantelé qui se dessinait comme une anse, elle ressemblait à une énorme demi-tasse.

    Pendant la nuit suivante, le *Mongolia* franchit le détroit de Bab-el-Mandeb, dont le nom arabe signifie « la porte des larmes », et le
1300 lendemain, 14, il faisait escale à Steamer Point, au nord-ouest de la rade d'Aden. C'est là qu'il devait se réapprovisionner de combustible.

    Grave et importante affaire que cette alimentation du foyer des paquebots à de telles distances des centres de production. Rien
1305 que pour la Compagnie péninsulaire, c'est une dépense annuelle qui se chiffre par huit cent mille livres (20 millions de francs). Il a fallu, en effet, établir des dépôts en plusieurs ports, et, dans ces mers éloignées, le charbon revient à quatre-vingts francs la tonne.

1310   Le *Mongolia* avait encore seize cent cinquante milles à faire avant d'atteindre Bombay, et il devait rester quatre heures à Steamer Point, afin de remplir ses soutes.

● Le port de Moka, sur la côte yéménite de la mer Rouge, était célèbre pour la qualité de son café, aux xviie et xviiie siècles ; il a laissé son nom au « moka », une variété de café. C'est à la cour de Louis XIV, en 1644, que l'on but la première tasse de café en France !

Mais ce retard ne pouvait nuire en aucune façon au programme de Phileas Fogg. Il était prévu. D'ailleurs le *Mongolia*, au lieu d'arriver à Aden le 15 octobre seulement au matin, y entrait le 14 au soir. C'était un gain de quinze heures.

Mr. Fogg et son domestique descendirent à terre. Le gentleman voulait faire viser son passeport. Fix le suivit sans être remarqué. La formalité du visa accomplie, Phileas Fogg revint à bord reprendre sa partie interrompue.

Passepartout, lui, flâna, suivant sa coutume, au milieu de cette population de Somalis, de Banians, de Parsis[1], de Juifs, d'Arabes, d'Européens, composant les vingt-cinq mille habitants d'Aden. Il admira les fortifications qui font de cette ville le Gibraltar de la mer des Indes, et de magnifiques citernes auxquelles travaillaient encore les ingénieurs anglais, deux mille ans après les ingénieurs du roi Salomon[2].

« Très curieux, très curieux ! se disait Passepartout en revenant à bord. Je m'aperçois qu'il n'est pas inutile de voyager, si l'on veut voir du nouveau. »

À six heures du soir, le *Mongolia* battait des branches de son hélice les eaux de la rade d'Aden et courait bientôt sur la mer des Indes. Il lui était accordé cent soixante-huit heures pour accomplir la traversée entre Aden et Bombay. Du reste, cette mer indienne lui fut favorable. Le vent tenait dans le nord-ouest. Les voiles vinrent en aide à la vapeur.

---

1. **Somalis** : Somaliens. **Banians** : membres d'une secte brahmanique. **Parsis** : peuple descendant des anciens Perses. Au lieu d'inhumer leurs morts, ils les exposent dans des « tours du silence » afin qu'ils soient mangés par les vautours.
2. **Salomon** : roi d'Israël ayant vécu au Xe siècle avant J.-C., connu pour avoir été un grand bâtisseur.

Le navire, mieux appuyé, roula moins. Les passagères, en fraîches toilettes, reparurent sur le pont. Les chants et les danses recommencèrent.

1340 Le voyage s'accomplit donc dans les meilleures conditions. Passepartout était enchanté de l'aimable compagnon que le hasard lui avait procuré en la personne de Fix.

Le dimanche 20 octobre, vers midi, on eut connaissance de la côte indienne. Deux heures plus tard, le pilote montait à bord 1345 du *Mongolia*. À l'horizon, un arrière-plan de collines se profilait harmonieusement sur le fond du ciel. Bientôt, les rangs de palmiers qui couvrent la ville se détachèrent vivement. Le paquebot pénétra dans cette rade formée par les îles Salcette, Colaba, Éléphanta, Butcher, et à quatre heures et demie il accostait 1350 les quais de Bombay.

Phileas Fogg achevait alors le trente-troisième robre de la journée, et son partenaire et lui, grâce à une manœuvre audacieuse, ayant fait les treize levées, terminèrent cette belle traversée par un chelem[1] admirable.

1355 Le *Mongolia* ne devait arriver que le 22 octobre à Bombay. Or, il y arrivait le 20. C'était donc, depuis son départ de Londres, un gain de deux jours, que Phileas Fogg inscrivit méthodiquement sur son itinéraire à la colonne des bénéfices.

---

1. **Levées** : parties de carte. **Chelem** : série de victoires aux cartes.

Où Passepartout est trop heureux d'en être quitte
en perdant sa chaussure

Personne n'ignore que l'Inde, ce grand triangle renversé dont
1360 la base est au nord et la pointe au sud, comprend une superficie
de quatorze cent mille milles carrés, sur laquelle est inégalement
répandue une population de cent quatre-vingts millions d'habitants. Le gouvernement britannique exerce une domination
réelle sur une certaine partie de cet immense pays. Il entretient
1365 un gouverneur général à Calcutta, des gouverneurs à Madras, à
Bombay, au Bengale, et un lieutenant-gouverneur à Agra.

Mais l'Inde anglaise proprement dite ne compte qu'une superficie de sept cent mille milles carrés et une population de cent
à cent dix millions d'habitants. C'est assez dire qu'une notable
1370 partie du territoire échappe encore à l'autorité de la reine ; et, en
effet, chez certains rajahs[1] de l'intérieur, farouches et terribles,
l'indépendance indoue est encore absolue.

Depuis 1756, époque à laquelle fut fondé le premier établissement anglais sur l'emplacement aujourd'hui occupé par la ville
1375 de Madras, jusqu'à cette année dans laquelle éclata la grande
insurrection des cipayes, la célèbre Compagnie des Indes fut toute-
puissante. Elle s'annexait peu à peu les diverses provinces, achetées aux rajahs au prix de rentes qu'elle payait peu ou point ; elle

---

1. **Rajah** : prince, en Inde.

● Madras, au sud-est de l'Inde,
⋮ s'appelle aujourd'hui Chennai.

nommait son gouverneur général et tous ses employés civils ou
1380 militaires ; mais maintenant elle n'existe plus, et les possessions
anglaises de l'Inde relèvent directement de la couronne[1].

Aussi l'aspect, les mœurs, les divisions ethnographiques[2] de
la péninsule tendent à se modifier chaque jour. Autrefois, on y
voyageait par tous les antiques moyens de transport, à pied, à
1385 cheval, en charrette, en brouette, en palanquin, à dos d'homme, en
coach[3], etc. Maintenant, des *steamboats* parcourent à grande vitesse
l'Indus, le Gange[4], et un chemin de fer, qui traverse l'Inde dans
toute sa largeur en se ramifiant sur son parcours, met Bombay à
trois jours seulement de Calcutta.

1390 Le tracé de ce chemin de fer ne suit pas la ligne droite à travers
l'Inde. La distance à vol d'oiseau n'est que de mille à onze cents
milles, et des trains, animés d'une vitesse moyenne seulement,
n'emploieraient pas trois jours à la franchir ; mais cette distance
est accrue d'un tiers, au moins, par la corde que décrit le *railway*
1395 en s'élevant jusqu'à Allahabad dans le nord de la péninsule.

Voici, en somme, le tracé à grands points du Great Indian
Peninsular Railway. En quittant l'île de Bombay, il traverse Salcette,
saute sur le continent en face de Tannah, franchit la chaîne des
Ghâtes-Occidentales, court au nord-est jusqu'à Burhampour,
1400 sillonne le territoire à peu près indépendant du Bundelkund,
s'élève jusqu'à Allahabad, s'infléchit vers l'est, rencontre le Gange
à Bénarès, s'en écarte légèrement, et, redescendant au sud-est

---

1. **De la couronne** : de la reine d'Angleterre.
2. **Divisions ethnographiques** : divisions entre peuples.
3. **Coach** : diligence.
4. **L'Indus, le Gange** : fleuves indiens.

par Burdivan et la ville française de Chandernagor, il fait tête de ligne[1] à Calcutta.

1405 C'était à quatre heures et demie du soir que les passagers du *Mongolia* avaient débarqué à Bombay, et le train de Calcutta partait à huit heures précises.

Mr. Fogg prit donc congé de ses partenaires, quitta le paquebot, donna à son domestique le détail de quelques emplettes à faire, 1410 lui recommanda expressément de se trouver avant huit heures à la gare, et, de son pas régulier qui battait la seconde comme le pendule d'une horloge astronomique, il se dirigea vers le bureau des passeports.

Ainsi donc, des merveilles de Bombay, il ne songeait à rien voir, 1415 ni l'hôtel de ville, ni la magnifique bibliothèque, ni les forts, ni les docks, ni le marché au coton, ni les bazars, ni les mosquées, ni les synagogues, ni les églises arméniennes, ni la splendide pagode de Malebar Hill, ornée de deux tours polygones. Il ne contemplerait ni les chefs-d'œuvre d'Éléphanta, ni ses mystérieux hypogées[2], 1420 cachés au sud-est de la rade, ni les grottes Kanhérie de l'île Salcette, ces admirables restes de l'architecture bouddhiste !

Non ! rien. En sortant du bureau des passeports, Phileas Fogg se rendit tranquillement à la gare, et là il se fit servir à dîner. Entre autres mets, le maître d'hôtel crut devoir lui recommander une 1425 certaine gibelotte de « lapin du pays », dont il lui dit merveille.

Phileas Fogg accepta la gibelotte et la goûta consciencieusement ; mais, en dépit de sa sauce épicée, il la trouva détestable.

Il sonna le maître d'hôtel.

---

1. **Tête de ligne** : terminus.
2. **Hypogée** : tombeau souterrain.

« Monsieur, lui dit-il en le regardant fixement, c'est du lapin, 1430 cela ?

– Oui, milord, répondit effrontément le drôle, du lapin des jungles.

– Et ce lapin-là n'a pas miaulé quand on l'a tué ?

– Miaulé ! Oh ! milord ! un lapin ! Je vous jure...

1435 – Monsieur le maître d'hôtel, reprit froidement Mr. Fogg, ne jurez pas et rappelez-vous ceci : autrefois, dans l'Inde, les chats étaient considérés comme des animaux sacrés. C'était le bon temps.

– Pour les chats, milord ?

1440 – Et peut-être aussi pour les voyageurs ! »

Cette observation faite, Mr. Fogg continua tranquillement à dîner.

Quelques instants après Mr. Fogg, l'agent Fix avait, lui aussi, débarqué du *Mongolia* et couru chez le directeur de la police de 1445 Bombay. Il fit reconnaître sa qualité de détective, la mission dont il était chargé, sa situation vis-à-vis de l'auteur présumé du vol. Avait-on reçu de Londres un mandat d'arrêt ?... On n'avait rien reçu. Et, en effet, le mandat, parti après Fogg, ne pouvait être encore arrivé.

1450 Fix resta fort décontenancé. Il voulut obtenir du directeur un ordre d'arrestation contre le sieur Fogg. Le directeur refusa. L'affaire regardait l'administration métropolitaine, et celle-ci seule pouvait légalement délivrer un mandat. Cette sévérité de principes, cette observance rigoureuse de la légalité est parfaitement 1455 explicable avec les mœurs anglaises, qui, en matière de liberté individuelle, n'admettent aucun arbitraire.

Fix n'insista pas et comprit qu'il devait se résigner à attendre son mandat. Mais il résolut de ne point perdre de vue son impénétrable coquin, pendant tout le temps que celui-ci demeurerait à
1460 Bombay. Il ne doutait pas que Phileas Fogg n'y séjournât – et, on le sait, c'était aussi la conviction de Passepartout –, ce qui laisserait au mandat d'arrêt le temps d'arriver.

Mais depuis les derniers ordres que lui avait donnés son maître en quittant le *Mongolia*, Passepartout avait bien compris qu'il en
1465 serait de Bombay comme de Suez et de Paris, que le voyage ne finirait pas ici, qu'il se poursuivrait au moins jusqu'à Calcutta, et peut-être plus loin. Et il commença à se demander si ce pari de Mr. Fogg n'était pas absolument sérieux, et si la fatalité ne l'entraînait pas, lui qui voulait vivre en repos, à accomplir le tour du
1470 monde en quatre-vingts jours !

En attendant, et après avoir fait acquisition de quelques chemises et chaussettes, il se promenait dans les rues de Bombay. Il y avait grand concours de populaire, et, au milieu d'Européens de toutes nationalités, des Persans à bonnets pointus, des Bunhyas à turbans
1475 ronds, des Sindes[1] à bonnets carrés, des Arméniens en longues robes, des Parsis[2] à mitre noire. C'était précisément une fête célébrée par ces Parsis ou Guèbres, descendants directs des sectateurs de Zoroastre[3], qui sont les plus industrieux, les plus civilisés, les

---

1. **Sindes** : peuple vivant au Pakistan.
2. **Parsi** : membre de la communauté de religion zoroastrienne. Les Parsis, originaires de Perse, sont établis dans l'Inde de l'Ouest depuis la seconde moitié du viiie siècle de notre ère. Les Parsis d'Iran sont appelés Guèbres.
3. **Sectateurs de Zoroastre** : partisans de Zoroastre, appelé aussi Zarathoustra, connu pour être un prophète persan.

plus intelligents, les plus austères des Indous●, race à laquelle appartiennent actuellement les riches négociants indigènes de Bombay. Ce jour-là, ils célébraient une sorte de carnaval religieux, avec processions et divertissements, dans lesquels figuraient des bayadères vêtues de gazes roses brochées d'or et d'argent, qui, au son des violes et au bruit des tam-tams, dansaient merveilleusement, et avec une décence parfaite, d'ailleurs.

Si Passepartout regardait ces curieuses cérémonies, si ses yeux et ses oreilles s'ouvraient démesurément pour voir et entendre, si son air, sa physionomie était bien celle du *booby*[1] le plus neuf qu'on pût imaginer, il est superflu d'y insister ici.

Malheureusement pour lui et pour son maître, dont il risqua de compromettre le voyage, sa curiosité l'entraîna plus loin qu'il ne convenait.

En effet, après avoir entrevu ce carnaval parsi, Passepartout se dirigeait vers la gare, quand, passant devant l'admirable pagode[2] de Malebar Hill, il eut la malencontreuse idée d'en visiter l'intérieur.

Il ignorait deux choses : d'abord que l'entrée de certaines pagodes indoues est formellement interdite aux chrétiens, et ensuite que les croyants eux-mêmes ne peuvent y pénétrer sans avoir laissé leurs chaussures à la porte. Il faut remarquer ici que, par raison

---

1. **Booby** : niais, naïf.
2. **Pagode** : voir note, p. 68.

● (H)Indou, au XIXᵉ siècle : 1. qui a trait à l'Inde (sens vieilli), 2. qui se rapporte à la religion hindouiste. Au temps de Jules Verne, on appelait les habitants de l'Inde les Hindous ou Indous. Aujourd'hui, on préfère les appeler les Indiens et garder le terme « hindou » pour qualifier ce qui se rapporte à la religion traditionnelle de l'Inde, le brahmanisme.

de saine politique, le gouvernement anglais, respectant et faisant respecter jusque dans ses plus insignifiants détails la religion du pays, punit sévèrement quiconque en viole les pratiques●.

1505 Passepartout, entré là, sans penser à mal, comme un simple touriste, admirait, à l'intérieur de Malebar Hill, ce clinquant éblouissant de l'ornementation brahmanique[1], quand soudain il fut renversé sur les dalles sacrées. Trois prêtres, le regard plein de fureur, se précipitèrent sur lui, arrachèrent ses souliers et ses chaussettes, et commencèrent à le rouer de coups, en proférant 1510 des cris sauvages.

Le Français, vigoureux et agile, se releva vivement. D'un coup de poing et d'un coup de pied, il renversa deux de ses adversaires, fort empêtrés dans leurs longues robes, et, s'élançant hors de la pagode de toute la vitesse de ses jambes, il eut bientôt distancé le troisième 1515 Indou, qui s'était jeté sur ses traces, en ameutant la foule.

À huit heures moins cinq, quelques minutes seulement avant le départ du train, sans chapeau, pieds nus, ayant perdu dans la bagarre le paquet contenant ses emplettes, Passepartout arrivait à la gare du chemin de fer.

1520 Fix était là, sur le quai d'embarquement. Ayant suivi le sieur Fogg à la gare, il avait compris que ce coquin allait quitter Bombay. Son parti fut aussitôt pris de l'accompagner jusqu'à Calcutta et

---

1. **Brahmanique** : qui a un rapport avec le brahmanisme, système religieux qui repose sur des castes héréditaires, dans la religion hindouiste.

● Jules Verne juge favorablement la colonisation anglaise en Inde. Il admire, entre autres, le respect de la loi. Mais la réalité n'était pas aussi positive : la Grande-Bretagne exploitait les richesses de l'Inde, afin d'accroître les siennes ! C'est ainsi que les Indiens étaient obligés de cultiver le coton, pour alimenter les filatures de la métropole.

plus loin s'il le fallait. Passepartout ne vit pas Fix, qui se tenait dans l'ombre, mais Fix entendit le récit de ses aventures, que
1525 Passepartout narra en peu de mots à son maître.

« J'espère que cela ne vous arrivera plus », répondit simplement Phileas Fogg, en prenant place dans un des wagons du train.

Le pauvre garçon, pieds nus et tout déconfit, suivit son maître sans mot dire.

1530 Fix allait monter dans un wagon séparé, quand une pensée le retint et modifia subitement son projet de départ.

« Non, je reste, se dit-il. Un délit commis sur le territoire indien... Je tiens mon homme. »

En ce moment, la locomotive lança un vigoureux sifflet, et le
1535 train disparut dans la nuit.

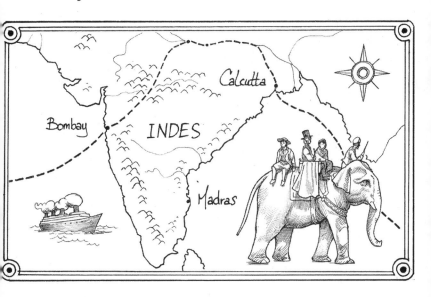

XI

Où Phileas Fogg achète une monture à un prix fabuleux

Le train était parti à l'heure réglementaire. Il emportait un certain nombre de voyageurs, quelques officiers, des fonctionnaires civils et des négociants en opium et en indigo[1], que leur commerce appelait dans la partie orientale de la péninsule.

1540   Passepartout occupait le même compartiment que son maître. Un troisième voyageur se trouvait placé dans le coin opposé.

C'était le brigadier général, sir Francis Cromarty, l'un des partenaires de Mr. Fogg pendant la traversée de Suez à Bombay, qui rejoignait ses troupes cantonnées auprès de Bénarès.

1545   Sir Francis Cromarty, grand, blond, âgé de cinquante ans environ, qui s'était fort distingué pendant la dernière révolte des cipayes[2], eût véritablement mérité la qualification d'indigène. Depuis son jeune âge, il habitait l'Inde et n'avait fait que de rares apparitions dans son pays natal. C'était un homme instruit, qui

1550   aurait volontiers donné des renseignements sur les coutumes, l'histoire, l'organisation du pays indou, si Phileas Fogg eût été

---

1. **Opium** : drogue fabriquée à partir du pavot, dont le commerce n'était pas illégal au XIXᵉ siècle. **Indigo** : teinture bleue, fabriquée à partir d'une plante tropicale.
2. **Cipayes** : nom donné aux soldats indiens engagés au service des Français, des Portugais et des Britanniques, aux XVIIIᵉ et XIXᵉ siècles. La révolte des cipayes est une période de soulèvement et de rébellion survenue dans le nord et le centre de l'Inde contre la domination britannique en 1857-1858. Les Indiens la considèrent parfois comme le premier mouvement pour l'indépendance de leur pays.

homme à les demander. Mais ce gentleman ne demandait rien. Il ne voyageait pas, il décrivait une circonférence. C'était un corps grave, parcourant une orbite autour du globe terrestre, suivant les
1555 lois de la mécanique rationnelle. En ce moment, il refaisait dans son esprit le calcul des heures dépensées depuis son départ de Londres, et il se fût frotté les mains, s'il eût été dans sa nature de faire un mouvement inutile.

Sir Francis Cromarty n'était pas sans avoir reconnu l'origina-
1560 lité de son compagnon de route, bien qu'il ne l'eût étudié que les cartes à la main et entre deux robres. Il était donc fondé à se demander si un cœur humain battait sous cette froide enveloppe, si Phileas Fogg avait une âme sensible aux beautés de la nature, aux aspirations morales. Pour lui, cela faisait question. De tous les
1565 originaux que le brigadier général avait rencontrés, aucun n'était comparable à ce produit des sciences exactes.

Phileas Fogg n'avait point caché à sir Francis Cromarty son projet de voyage autour du monde, ni dans quelles conditions il l'opérait. Le brigadier général ne vit dans ce pari qu'une excen-
1570 tricité sans but utile et à laquelle manquerait nécessairement le *transire benefaciendo*[1] qui doit guider tout homme raisonnable. Au train dont marchait le bizarre gentleman, il passerait évidemment sans « rien faire », ni pour lui, ni pour les autres.

Une heure après avoir quitté Bombay, le train, franchissant les
1575 viaducs, avait traversé l'île Salcette et courait sur le continent. À la station de Callyan, il laissa sur la droite l'embranchement qui, par Kandallah et Pounah, descend vers le sud-est de l'Inde, et il gagna

---

1. **Transire benefaciendo** : formule latine qui signifie à peu près : « traverser le monde en y laissant des bienfaits ».

la station de Pauwell. À ce point, il s'engagea dans les montagnes très ramifiées des Ghâtes-Occidentales, chaînes à base de trapp
1580 et de basalte[1], dont les plus hauts sommets sont couverts de bois épais.

De temps à autre, sir Francis Cromarty et Phileas Fogg échangeaient quelques paroles, et, à ce moment, le brigadier général, relevant une conversation qui tombait souvent, dit :

1585 « Il y a quelques années, monsieur Fogg, vous auriez éprouvé en cet endroit un retard qui eût probablement compromis votre itinéraire.

– Pourquoi cela, sir Francis ?

– Parce que le chemin de fer s'arrêtait à la base de ces monta-
1590 gnes, qu'il fallait traverser en palanquin[2] ou à dos de poney jusqu'à la station de Kandallah, située sur le versant opposé.

– Ce retard n'eût aucunement dérangé l'économie de mon programme, répondit Mr. Fogg. Je ne suis pas sans avoir prévu l'éventualité de certains obstacles.

1595 – Cependant, monsieur Fogg, reprit le brigadier général, vous risquiez d'avoir une fort mauvaise affaire sur les bras avec l'aventure de ce garçon. »

Passepartout, les pieds entortillés dans sa couverture de voyage, dormait profondément et ne rêvait guère que l'on parlât de lui.

1600 « Le gouvernement anglais est extrêmement sévère et avec raison pour ce genre de délit, reprit sir Francis Cromarty. Il tient par-dessus tout à ce que l'on respecte les coutumes religieuses des Indous, et si votre domestique eût été pris...

---

1. **Trapp, basalte** : roches volcaniques.
2. **Palanquin** : en Extrême-Orient, chaise à porteurs.

– Eh bien, s'il eût été pris, sir Francis, répondit Mr. Fogg, il
1605 aurait été condamné, il aurait subi sa peine, et puis il serait revenu
tranquillement en Europe. Je ne vois pas en quoi cette affaire eût
pu retarder son maître ! »

Et, là-dessus, la conversation retomba. Pendant la nuit, le train
franchit les Ghâtes, passa à Nassik, et le lendemain, 21 octobre, il
1610 s'élançait à travers un pays relativement plat, formé par le territoire
du Khandeish. La campagne, bien cultivée, était semée de bour-
gades, au-dessus desquelles le minaret de la pagode remplaçait le
clocher de l'église européenne. De nombreux petits cours d'eau,
la plupart affluents ou sous-affluents du Godavery, irriguaient
1615 cette contrée fertile.

Passepartout, réveillé, regardait, et ne pouvait croire qu'il
traversait le pays des Indous dans un train du Great Peninsular
Railway. Cela lui paraissait invraisemblable. Et cependant rien
de plus réel ! La locomotive, dirigée par le bras d'un mécanicien
1620 anglais et chauffée de houille anglaise, lançait sa fumée sur les
plantations de caféiers, de muscadiers, de girofliers, de poivriers
rouges. La vapeur se contournait en spirales autour des groupes
de palmiers, entre lesquels apparaissaient de pittoresques bungalows, quelques *viharis*, sortes de monastères abandonnés, et des
1625 temples merveilleux qu'enrichissait l'inépuisable ornementation
de l'architecture indienne. Puis, d'immenses étendues de terrain
se dessinaient à perte de vue, des jungles où ne manquaient ni
les serpents ni les tigres qu'épouvantaient les hennissements du
train, et enfin des forêts, fendues par le tracé de la voie, encore
1630 hantées d'éléphants, qui, d'un œil pensif, regardaient passer le
convoi échevelé.

Pendant cette matinée, au-delà de la station de Malligaum, les voyageurs traversèrent ce territoire funeste, qui fut si souvent ensanglanté par les sectateurs de la déesse Kâli[1]. Non loin s'éle-
1635 vaient Ellora et ses pagodes admirables, non loin la célèbre Aurungabad, la capitale du farouche Aureng-Zeb[2], maintenant simple chef-lieu de l'une des provinces détachées du royaume du Nizam. C'était sur cette contrée que Feringhea, le chef des Thugs, le roi des Étrangleurs, exerçait sa domination. Ces assassins, unis
1640 dans une association insaisissable, étranglaient, en l'honneur de la déesse de la Mort, des victimes de tout âge, sans jamais verser de sang, et il fut un temps où l'on ne pouvait fouiller un endroit quelconque de ce sol sans y trouver un cadavre. Le gouvernement anglais a bien pu empêcher ces meurtres dans une notable propor-
1645 tion, mais l'épouvantable association existe toujours et fonctionne encore.

À midi et demi, le train s'arrêta à la station de Burhampour, et Passepartout put s'y procurer à prix d'or une paire de babouches, agrémentées de perles fausses, qu'il chaussa avec un sentiment
1650 d'évidente vanité.

Les voyageurs déjeunèrent rapidement, et repartirent pour la station d'Assurghur, après avoir un instant côtoyé la rive du Tapty, petit fleuve qui va se jeter dans le golfe de Cambaye, près de Surate.

1655 Il est opportun de faire connaître quelles pensées occupaient alors l'esprit de Passepartout. Jusqu'à son arrivée à Bombay, il avait

1. **Kâli** : déesse hindoue du temps et de la mort. Elle exige des rites sanglants, des sacrifices. On la représente en train de danser sur un cadavre.
2. **Aureng-Zeb** : empereur moghol, connu pour son caractère déterminé.

cru et pu croire que ces choses en resteraient là. Mais maintenant, depuis qu'il filait à toute vapeur à travers l'Inde, un revirement s'était fait dans son esprit. Son naturel lui revenait au galop. Il
1660 retrouvait les idées fantaisistes de sa jeunesse, il prenait au sérieux les projets de son maître, il croyait à la réalité du pari, conséquemment à ce tour du monde et à ce maximum de temps, qu'il ne fallait pas dépasser. Déjà même, il s'inquiétait des retards possibles, des accidents qui pouvaient survenir en route. Il se sentait
1665 comme intéressé dans cette gageure[1], et tremblait à la pensée qu'il avait pu la compromettre la veille par son impardonnable badauderie. Aussi, beaucoup moins flegmatique que Mr. Fogg, il était beaucoup plus inquiet. Il comptait et recomptait les jours écoulés, maudissait les haltes du train, l'accusait de lenteur et blâmait *in*
1670 *petto*[2] Mr. Fogg de n'avoir pas promis une prime au mécanicien. Il ne savait pas, le brave garçon, que ce qui était possible sur un paquebot ne l'était plus sur un chemin de fer, dont la vitesse est réglementée.

Vers le soir, on s'engagea dans les défilés des montagnes de
1675 Sutpour, qui séparent le territoire du Khandeish de celui du Bundelkund.

Le lendemain, 22 octobre, sur une question de sir Francis Cromarty, Passepartout, ayant consulté sa montre, répondit qu'il était trois heures du matin. Et, en effet, cette fameuse montre,
1680 toujours réglée sur le méridien de Greenwich, qui se trouvait à près de soixante-dix-sept degrés dans l'ouest, devait retarder et retardait en effet de quatre heures.

---

1. **Gageure** : action ou projet peu croyable et ressemblant à un
   pari hasardeux.
2. **In petto** : à part soi, dans son for intérieur.

Sir Francis rectifia donc l'heure donnée par Passepartout, auquel il fit la même observation que celui-ci avait déjà reçue de la part
1685 de Fix. Il essaya de lui faire comprendre qu'il devait se régler sur chaque nouveau méridien, et que, puisqu'il marchait constamment vers l'est, c'est-à-dire au-devant du soleil, les jours étaient plus courts d'autant de fois quatre minutes qu'il y avait de degrés parcourus. Ce fut inutile. Que l'entêté garçon eût compris ou non
1690 l'observation du brigadier général, il s'obstina à ne pas avancer sa montre, qu'il maintint invariablement à l'heure de Londres. Innocente manie, d'ailleurs, et qui ne pouvait nuire à personne.

À huit heures du matin et à quinze milles en avant de la station de Rothal, le train s'arrêta au milieu d'une vaste clairière, bordée
1695 de quelques bungalows et de cabanes d'ouvriers. Le conducteur du train passa devant la ligne des wagons en disant :

« Les voyageurs descendent ici. »

Phileas Fogg regarda sir Francis Cromarty, qui parut ne rien comprendre à cette halte au milieu d'une forêt de tamarins et de
1700 khajours[1].

Passepartout, non moins surpris, s'élança sur la voie et revint presque aussitôt, s'écriant :

« Monsieur, plus de chemin de fer !

– Que voulez-vous dire ? demanda sir Francis Cromarty.
1705 – Je veux dire que le train ne continue pas ! »

Le brigadier général descendit aussitôt de wagon. Phileas Fogg le suivit, sans se presser. Tous deux s'adressèrent au conducteur :

« Où sommes-nous ? demanda sir Francis Cromarty.

– Au hameau de Kholby, répondit le conducteur.

---

1. **Tamarins, khajours** : arbres tropicaux.

1710 — Nous nous arrêtons ici ?

— Sans doute. Le chemin de fer n'est point achevé...

— Comment ! il n'est point achevé ?

— Non ! il y a encore un tronçon d'une cinquantaine de milles à établir entre ce point et Allahabad, où la voie reprend.

1715 — Les journaux ont pourtant annoncé l'ouverture complète du *railway* !

— Que voulez-vous, mon officier, les journaux se sont trompés.

— Et vous donnez des billets de Bombay à Calcutta ! reprit sir Francis Cromarty, qui commençait à s'échauffer.

1720 — Sans doute, répondit le conducteur, mais les voyageurs savent bien qu'ils doivent se faire transporter de Kholby jusqu'à Allahabad. »

Sir Francis Cromarty était furieux. Passepartout eût volontiers assommé le conducteur, qui n'en pouvait mais[1]. Il n'osait regarder

1725 son maître.

« Sir Francis, dit simplement Mr. Fogg, nous allons, si vous le voulez bien, aviser au moyen de gagner Allahabad.

— Monsieur Fogg, il s'agit ici d'un retard absolument préjudiciable à vos intérêts.

1730 — Non, sir Francis, cela était prévu.

— Quoi ! vous saviez que la voie...

— En aucune façon, mais je savais qu'un obstacle quelconque surgirait tôt ou tard sur ma route. Or, rien n'est compromis. J'ai deux jours d'avance à sacrifier. Il y a un steamer qui part de

1735 Calcutta pour Hong-kong le 25 à midi. Nous ne sommes qu'au 22, et nous arriverons à temps à Calcutta. »

---

1. **Qui n'en pouvait mais** : qui n'y pouvait rien.

Il n'y avait rien à dire à une réponse faite avec une si complète assurance.

Il n'était que trop vrai que les travaux du chemin de fer s'arrê-
1740 taient à ce point. Les journaux sont comme certaines montres qui ont la manie d'avancer, et ils avaient prématurément annoncé l'achèvement de la ligne. La plupart des voyageurs connaissaient cette interruption de la voie, et, en descendant du train, ils s'étaient emparés des véhicules de toutes sortes que possédait la bourgade,
1745 *palkigharis* à quatre roues, charrettes traînées par des zébus, sortes de bœufs à bosses, chars de voyage ressemblant à des pagodes ambulantes, palanquins, poneys, etc. Aussi Mr. Fogg et sir Francis Cromarty, après avoir cherché dans toute la bourgade, revinrent-ils sans avoir rien trouvé.

1750 « J'irai à pied », dit Phileas Fogg.

Passepartout qui rejoignait alors son maître, fit une grimace significative, en considérant ses magnifiques mais insuffisantes babouches. Fort heureusement, il avait été de son côté à la découverte et, en hésitant un peu :

1755 « Monsieur, dit-il, je crois que j'ai trouvé un moyen de transport.

– Lequel ?

– Un éléphant ! Un éléphant qui appartient à un Indien logé à cent pas d'ici.

1760 – Allons voir l'éléphant », répondit Mr. Fogg.

Cinq minutes plus tard, Phileas Fogg, sir Francis Cromarty et Passepartout arrivaient près d'une hutte qui attenait à un enclos fermé de hautes palissades. Dans la hutte, il y avait un Indien, et dans l'enclos, un éléphant. Sur leur demande, l'Indien introduisit
1765 Mr. Fogg et ses deux compagnons dans l'enclos.

Là, ils se trouvèrent en présence d'un animal, à demi domestiqué, que son propriétaire élevait, non pour en faire une bête de somme, mais une bête de combat. Dans ce but, il avait commencé à modifier le caractère naturellement doux de l'animal, de façon à le conduire graduellement à ce paroxysme de rage appelé *mutsh* dans la langue indoue, et cela, en le nourrissant pendant trois mois de sucre et de beurre. Ce traitement peut paraître impropre à donner un tel résultat, mais il n'en est pas moins employé avec succès par les éleveurs. Très heureusement pour Mr. Fogg, l'éléphant en question venait à peine d'être mis à ce régime, et le *mutsh* ne s'était point encore déclaré.

Kiouni – c'était le nom de la bête – pouvait, comme tous ses congénères, fournir pendant longtemps une marche rapide, et, à défaut d'autre monture, Phileas Fogg résolut de l'employer.

Mais les éléphants sont chers dans l'Inde, où ils commencent à devenir rares. Les mâles, qui seuls conviennent aux luttes des cirques, sont extrêmement recherchés. Ces animaux ne se reproduisent que rarement, quand ils sont réduits à l'état de domesticité, de telle sorte qu'on ne peut s'en procurer que par la chasse. Aussi sont-ils l'objet de soins extrêmes, et lorsque Mr. Fogg demanda à l'Indien s'il voulait lui louer son éléphant, l'Indien refusa net.

Fogg insista et offrit de la bête un prix excessif, dix livres (250 F) l'heure. Refus. Vingt livres ? Refus encore. Quarante livres ? Refus toujours. Passepartout bondissait à chaque surenchère. Mais l'Indien ne se laissait pas tenter.

La somme était belle, cependant. En admettant que l'éléphant employât quinze heures à se rendre à Allahabad, c'était six cents livres (15 000 F) qu'il rapporterait à son propriétaire.

1795   Phileas Fogg, sans s'animer en aucune façon, proposa alors à l'Indien de lui acheter sa bête et lui en offrit tout d'abord mille livres (25 000 F).

L'Indien ne voulait pas vendre ! Peut-être le drôle flairait-il une magnifique affaire.

1800   Sir Francis Cromarty prit Mr. Fogg à part et l'engagea à réfléchir avant d'aller plus loin. Phileas Fogg répondit à son compagnon qu'il n'avait pas l'habitude d'agir sans réflexion, qu'il s'agissait en fin de compte d'un pari de vingt mille livres, que cet éléphant lui était nécessaire, et que, dût-il le payer vingt fois sa valeur, il aurait

1805 cet éléphant.

Mr. Fogg revint trouver l'Indien, dont les petits yeux, allumés par la convoitise, laissaient bien voir que pour lui ce n'était qu'une question de prix. Phileas Fogg offrit successivement douze cents livres, puis quinze cents, puis dix-huit cents, enfin deux

1810 mille (50 000 F). Passepartout, si rouge d'ordinaire, était pâle d'émotion.

À deux mille livres, l'Indien se rendit.

« Par mes babouches, s'écria Passepartout, voilà qui met à un beau prix la viande d'éléphant ! »

1815   L'affaire conclue, il ne s'agissait plus que de trouver un guide. Ce fut plus facile. Un jeune Parsi, à la figure intelligente●, offrit ses services. Mr. Fogg accepta et lui promit une forte rémunération, qui ne pouvait que doubler son intelligence.

● La croyance de Jules Verne en la suprématie des Européens blancs se révèle à travers les remarques concernant les différents peuples en Inde. On remarquera que Mrs. Aouda et le cornac sont parsis, presque blancs. Cette vision raciste est courante au XIXe siècle.

L'éléphant fut amené et équipé sans retard. Le Parsi connaissait
1820 parfaitement le métier de *mahout* ou cornac[1]. Il couvrit d'une sorte
de housse le dos de l'éléphant et disposa, de chaque côté sur ses
flancs, deux espèces de cacolets[2] assez peu confortables.

Phileas Fogg paya l'Indien en *banknotes* qui furent extraites du
fameux sac. Il semblait vraiment qu'on les tirât des entrailles de
1825 Passepartout. Puis Mr. Fogg offrit à sir Francis Cromarty de le
transporter à la station d'Allahabad. Le brigadier général accepta.
Un voyageur de plus n'était pas pour fatiguer le gigantesque
animal.

Des vivres furent achetées à Kholby. Sir Francis Cromarty prit
1830 place dans l'un des cacolets, Phileas Fogg dans l'autre. Passepartout
se mit à califourchon sur la housse entre son maître et le brigadier
général. Le Parsi se jucha sur le cou de l'éléphant, et à neuf heures
l'animal, quittant la bourgade, s'enfonçait par le plus court dans
l'épaisse forêt de lataniers[3].

---

1. **Mahout, cornac** : homme qui sait diriger un éléphant,
en Inde.
2. **Cacolets** : sortes de sièges.
3. **Lataniers** : sortes de palmiers.

XII

Où Phileas Fogg et ses compagnons s'aventurent à travers les forêts de l'Inde et ce qui s'ensuit

⚓

¹⁸³⁵ Le guide, afin d'abréger la distance à parcourir, laissa sur sa droite le tracé de la voie dont les travaux étaient en cours d'exécution. Ce tracé, très contrarié par les capricieuses ramifications des monts Vindhias, ne suivait pas le plus court chemin, que Phileas Fogg avait intérêt à prendre. Le Parsi, très familiarisé avec ¹⁸⁴⁰ les routes et sentiers du pays, prétendait gagner une vingtaine de milles en coupant à travers la forêt, et on s'en rapporta à lui.

Phileas Fogg et sir Francis Cromarty, enfouis jusqu'au cou dans leurs cacolets, étaient fort secoués par le trot raide de l'éléphant, auquel son *mahout* imprimait une allure rapide. Mais ils endu- ¹⁸⁴⁵ raient la situation avec le flegme le plus britannique, causant peu d'ailleurs, et se voyant à peine l'un l'autre.

Quant à Passepartout, posté sur le dos de la bête et directement soumis aux coups et aux contrecoups, il se gardait bien, sur une recommandation de son maître, de tenir sa langue entre ses dents, ¹⁸⁵⁰ car elle eût été coupée net. Le brave garçon, tantôt lancé sur le cou de l'éléphant, tantôt rejeté sur la croupe, faisait de la voltige, comme un clown sur un tremplin. Mais il plaisantait, il riait au milieu de ses sauts de carpe, et, de temps en temps, il tirait de son sac un morceau de sucre, que l'intelligent Kiouni prenait du bout ¹⁸⁵⁵ de sa trompe, sans interrompre un instant son trot régulier.

Après deux heures de marche, le guide arrêta l'éléphant et lui donna une heure de repos. L'animal dévora des branchages et des arbrisseaux, après s'être d'abord désaltéré à une mare voisine. Sir Francis Cromarty ne se plaignit pas de cette halte. Il était brisé.
1860   Mr. Fogg paraissait être aussi dispos que s'il fût sorti de son lit.

« Mais il est donc de fer ! dit le brigadier général en le regardant avec admiration.

– De fer forgé », répondit Passepartout, qui s'occupa de préparer un déjeuner sommaire.

1865   À midi, le guide donna le signal du départ. Le pays prit bientôt un aspect très sauvage. Aux grandes forêts succédèrent des taillis de tamarins et de palmiers nains, puis de vastes plaines arides, hérissées de maigres arbrisseaux et semées de gros blocs de syénite[1]. Toute cette partie du haut Bundelkund, peu fréquentée
1870   des voyageurs, est habitée par une population fanatique, endurcie dans les pratiques les plus terribles de la religion indoue. La domination des Anglais n'a pu s'établir régulièrement sur un territoire soumis à l'influence des rajahs, qu'il eût été difficile d'atteindre dans leurs inaccessibles retraites des Vindhias.

1875   Plusieurs fois, on aperçut des bandes d'Indiens farouches, qui faisaient un geste de colère en voyant passer le rapide quadrupède. D'ailleurs, le Parsi les évitait autant que possible, les tenant pour des gens de mauvaise rencontre. On vit peu d'animaux pendant cette journée, à peine quelques singes, qui fuyaient avec mille
1880   contorsions et grimaces dont s'amusait fort Passepartout.

Une pensée au milieu de bien d'autres inquiétait ce garçon. Qu'est-ce que Mr. Fogg ferait de l'éléphant, quand il serait arrivé

---

1. **Syénite** : roche volcanique.

à la station d'Allahabad ? L'emmènerait-il ? Impossible ! Le prix du transport ajouté au prix d'acquisition en ferait un animal
1885 ruineux. Le vendrait-on, le rendrait-on à la liberté ? Cette estimable bête méritait bien qu'on eût des égards pour elle. Si, par hasard, Mr. Fogg lui en faisait cadeau, à lui, Passepartout, il en serait très embarrassé. Cela ne laissait pas de le préoccuper.

À huit heures du soir, la principale chaîne des Vindhias avait été
1890 franchie, et les voyageurs firent halte au pied du versant septentrional[1], dans un bungalow en ruine.

La distance parcourue pendant cette journée était d'environ vingt-cinq milles, et il en restait autant à faire pour atteindre la station d'Allahabad.

1895 La nuit était froide. À l'intérieur du bungalow, le Parsi alluma un feu de branches sèches, dont la chaleur fut très appréciée. Le souper se composa des provisions achetées à Kholby. Les voyageurs mangèrent en gens harassés et moulus. La conversation, qui commença par quelques phrases entrecoupées, se termina bientôt
1900 par des ronflements sonores. Le guide veilla près de Kiouni, qui s'endormit debout, appuyé au tronc d'un gros arbre.

Nul incident ne signala cette nuit. Quelques rugissements de guépards et de panthères troublèrent parfois le silence, mêlés à des ricanements aigus de singes. Mais les carnassiers s'en tinrent
1905 à des cris et ne firent aucune démonstration hostile contre les hôtes du bungalow. Sir Francis Cromarty dormit lourdement, comme un brave militaire rompu de fatigues. Passepartout, dans un sommeil agité, recommença en rêve la culbute de la veille.

---

1. **Septentrional** : nord,

Quant à Mr. Fogg, il reposa aussi paisiblement que s'il eût été dans
sa tranquille maison de Saville Row.

À six heures du matin, on se remit en marche. Le guide espérait arriver à la station d'Allahabad le soir même. De cette façon,
Mr. Fogg ne perdrait qu'une partie des quarante-huit heures
économisées depuis le commencement du voyage.

On descendit les dernières rampes des Vindhias. Kiouni avait
repris son allure rapide. Vers midi, le guide tourna la bourgade de
Kallenger, située sur le Cani, un des sous-affluents du Gange. Il
évitait toujours les lieux habités, se sentant plus en sûreté dans ces
campagnes désertes, qui marquent les premières dépressions du
bassin du grand fleuve. La station d'Allahabad n'était pas à douze
milles dans le nord-est. On fit halte sous un bouquet de bananiers,
dont les fruits, aussi sains que le pain, « aussi succulents que la
crème », disent les voyageurs, furent extrêmement appréciés.

À deux heures, le guide entra sous le couvert d'une épaisse forêt,
qu'il devait traverser sur un espace de plusieurs milles. Il préférait
voyager ainsi à l'abri des bois. En tout cas, il n'avait fait jusqu'alors
aucune rencontre fâcheuse, et le voyage semblait devoir s'accomplir sans accident, quand l'éléphant, donnant quelques signes
d'inquiétude, s'arrêta soudain.

Il était quatre heures alors.

« Qu'y a-t-il ? demanda sir Francis Cromarty, qui releva la tête
au-dessus de son cacolet.

– Je ne sais, mon officier », répondit le Parsi, en prêtant l'oreille
à un murmure confus qui passait sous l'épaisse ramure.

1935   Quelques instants après, ce murmure devint plus définissable. On eût dit un concert, encore fort éloigné, de voix humaines et d'instruments de cuivre.

    Passepartout était tout yeux, tout oreilles. Mr. Fogg attendait patiemment, sans prononcer une parole.

1940   Le Parsi sauta à terre, attacha l'éléphant à un arbre et s'enfonça au plus épais du taillis. Quelques minutes plus tard, il revint, disant :

    « Une procession de brahmanes[1] qui se dirige de ce côté. S'il est possible, évitons d'être vus. »

1945   Le guide détacha l'éléphant et le conduisit dans un fourré, en recommandant aux voyageurs de ne point mettre pied à terre. Lui-même se tint prêt à enfourcher rapidement sa monture, si la fuite devenait nécessaire. Mais il pensa que la troupe des fidèles passerait sans l'apercevoir, car l'épaisseur du feuillage le dissimu-

1950 lait entièrement.

    Le bruit discordant des voix et des instruments se rapprochait. Des chants monotones se mêlaient au son des tambours et des cymbales. Bientôt la tête de la procession apparut sous les arbres, à une cinquantaine de pas du poste occupé par Mr. Fogg et ses

1955 compagnons. Ils distinguaient aisément à travers les branches le curieux personnel de cette cérémonie religieuse.

    En première ligne s'avançaient des prêtres, coiffés de mitres et vêtus de longues robes chamarrées. Ils étaient entourés d'hommes, de femmes, d'enfants, qui faisaient entendre une sorte de psal-

1960 modie[2] funèbre, interrompue à intervalles égaux par des coups

---

1. **Brahmanes** : prêtres, dans la religion hindouiste.
2. **Psalmodie** : chant monotone, accompagnant les processions religieuses.

de tam-tams et de cymbales. Derrière eux, sur un char aux larges roues dont les rayons et la jante figuraient un entrelacement de serpents, apparut une statue hideuse, traînée par deux couples de zébus richement caparaçonnés[1]. Cette statue avait quatre bras ; le corps colorié d'un rouge sombre, les yeux hagards, les cheveux emmêlés, la langue pendante, les lèvres teintes de henné et de bétel[2]. À son cou s'enroulait un collier de têtes de mort, à ses flancs une ceinture de mains coupées. Elle se tenait debout sur un géant terrassé auquel le chef[3] manquait.

Sir Francis Cromarty reconnut cette statue.

« La déesse Kâli, murmura-t-il, la déesse de l'amour et de la mort.

– De la mort, j'y consens, mais de l'amour, jamais ! dit Passepartout. La vilaine bonne femme ! »

Le Parsi lui fit signe de se taire.

Autour de la statue s'agitait, se démenait, se convulsionnait un groupe de vieux fakirs, zébrés de bandes d'ocre, couverts d'incisions cruciales[4] qui laissaient échapper leur sang goutte à goutte, énergumènes stupides qui, dans les grandes cérémonies indoues, se précipitent encore sous les roues du char de Jaggernaut[5].

Derrière eux, quelques brahmanes, dans toute la somptuosité de leur costume oriental, traînaient une femme qui se soutenait à peine.

---

1. **Zébus caparaçonnés** : bœufs indiens ornés d'une housse d'ornement, pour la procession.
2. **Henné** : teinture ocre rouge, utilisée pour des rituels, dans le monde entier. **Bétel** : plante indienne, que l'on mâche, en Inde.
3. **Chef** : tête.
4. **Cruciales** : en forme de croix.
5. **Jaggernaut** : dieu hindou.

Cette femme était jeune, blanche comme une Européenne. Sa
1985 tête, son cou, ses épaules, ses oreilles, ses bras, ses mains, ses
orteils étaient surchargés de bijoux, colliers, bracelets, boucles
et bagues. Une tunique lamée d'or, recouverte d'une mousseline
légère, dessinait les contours de sa taille.

Derrière cette jeune femme, contraste violent pour les yeux,
1990 des gardes armés de sabres nus passés à leur ceinture et de longs
pistolets damasquinés[1], portaient un cadavre sur un palanquin.

C'était le corps d'un vieillard, revêtu de ses opulents habits de
rajah, ayant, comme en sa vie, le turban brodé de perles, la robe
tissée de soie et d'or, la ceinture de cachemire diamanté, et ses
1995 magnifiques armes de prince indien.

Puis des musiciens et une arrière-garde de fanatiques, dont les
cris couvraient parfois l'assourdissant fracas des instruments,
fermaient le cortège.

Sir Francis Cromarty regardait toute cette pompe d'un air singu-
2000 lièrement attristé et, se tournant vers le guide :

« Un *sutty* ! » dit-il.

Le Parsi fit un signe affirmatif et mit un doigt sur ses lèvres. La
longue procession se déroula lentement sous les arbres, et bientôt
ses derniers rangs disparurent dans la profondeur de la forêt.

2005 Peu à peu, les chants s'éteignirent. Il y eut encore quelques éclats
de cris lointains, et enfin à tout ce tumulte succéda un profond
silence.

Phileas Fogg avait entendu ce mot, prononcé par sir Francis
Cromarty, et aussitôt que la procession eut disparu :

2010 « Qu'est-ce qu'un *sutty* ? demanda-t-il.

---

1. **Damasquinés** : incrustés de filets de métaux précieux.

– Un *sutty*, monsieur Fogg, répondit le brigadier général, c'est un sacrifice humain, mais un sacrifice volontaire. Cette femme que vous venez de voir sera brûlée demain aux premières heures du jour.

2015 – Ah ! les gueux ! s'écria Passepartout, qui ne put retenir ce cri d'indignation.

– Et ce cadavre ? demanda Mr. Fogg.

– C'est celui du prince, son mari, répondit le guide, un rajah indépendant du Bundelkund.

2020   – Comment ! reprit Phileas Fogg, sans que sa voix trahît la moindre émotion, ces barbares coutumes subsistent encore dans l'Inde, et les Anglais n'ont pu les détruire ?

– Dans la plus grande partie de l'Inde, répondit sir Francis Cromarty, ces sacrifices ne s'accomplissent plus, mais nous 2025 n'avons aucune influence sur ces contrées sauvages, et principalement sur ce territoire du Bundelkund. Tout le revers septentrional des Vindhias est le théâtre de meurtres et de pillages incessants.

– La malheureuse ! murmurait Passepartout, brûlée vive !

– Oui, reprit le brigadier général, brûlée, et si elle ne l'était pas, 2030 vous ne sauriez croire à quelle misérable condition elle se verrait réduite par ses proches. On lui raserait les cheveux, on la nourrirait à peine de quelques poignées de riz, on la repousserait, elle serait considérée comme une créature immonde et mourrait dans quelque coin comme un chien galeux. Aussi la perspective de 2035 cette affreuse existence pousse-t-elle souvent ces malheureuses au supplice, bien plus que l'amour ou le fanatisme religieux. Quelquefois, cependant, le sacrifice est réellement volontaire, et il faut l'intervention énergique du gouvernement pour l'empêcher. Ainsi, il y a quelques années, je résidais à Bombay, quand une 2040 jeune veuve vint demander au gouverneur l'autorisation de se brûler avec le corps de son mari. Comme vous le pensez bien, le gouverneur refusa. Alors la veuve quitta la ville, se réfugia chez un rajah indépendant, et là elle consomma son sacrifice. »

Pendant le récit du brigadier général, le guide secouait la tête, 2045 et, quand le récit fut achevé :

« Le sacrifice qui aura lieu demain au lever du jour n'est pas volontaire, dit-il.

Chapitre XII

— Comment le savez-vous ?

— C'est une histoire que tout le monde connaît dans le
2050 Bundelkund, répondit le guide.

— Cependant cette infortunée ne paraissait faire aucune résistance, fit observer sir Francis Cromarty.

— Cela tient à ce qu'on l'a enivrée de la fumée du chanvre[1] et de
l'opium.

2055 — Mais où la conduit-on ?

— À la pagode de Pillaji, à deux milles d'ici. Là, elle passera la
nuit en attendant l'heure du sacrifice.

— Et ce sacrifice aura lieu ?...

— Demain, dès la première apparition du jour. »

2060 Après cette réponse, le guide fit sortir l'éléphant de l'épais fourré
et se hissa sur le cou de l'animal. Mais au moment où il allait l'ex-
citer par un sifflement particulier, Mr. Fogg l'arrêta, et, s'adressant
à sir Francis Cromarty :

« Si nous sauvions cette femme ? dit-il.

2065 — Sauver cette femme, monsieur Fogg !... s'écria le brigadier
général.

— J'ai encore douze heures d'avance. Je puis les consacrer à
cela.

— Tiens ! Mais vous êtes un homme de cœur ! dit sir Francis
2070 Cromarty.

— Quelquefois, répondit simplement Phileas Fogg. Quand j'ai
le temps. »

1. **Chanvre** : cannabis.

XIII

Dans lequel Passepartout prouve une fois de plus que la fortune sourit aux audacieux

❦

Le dessein[1] était hardi, hérissé de difficultés, impraticable peut-être. Mr. Fogg allait risquer sa vie, ou tout au moins sa liberté, et par conséquent la réussite de ses projets, mais il n'hésita pas. Il trouva, d'ailleurs, dans sir Francis Cromarty, un auxiliaire décidé.

Quant à Passepartout, il était prêt, on pouvait disposer de lui. L'idée de son maître l'exaltait. Il sentait un cœur, une âme sous cette enveloppe de glace. Il se prenait à aimer Phileas Fogg.

Restait le guide. Quel parti prendrait-il dans l'affaire ? Ne serait-il pas porté pour les Indous ? À défaut de son concours, il fallait au moins s'assurer sa neutralité.

Sir Francis Cromarty lui posa franchement la question.

« Mon officier, répondit le guide, je suis parsi, et cette femme est parsie. Disposez de moi.

– Bien, guide, répondit Mr. Fogg.

– Toutefois, sachez-le bien, reprit le Parsi, non seulement nous risquons notre vie, mais des supplices horribles, si nous sommes pris. Ainsi, voyez.

– C'est vu, répondit Mr. Fogg. Je pense que nous devrons attendre la nuit pour agir ?

– Je le pense aussi », répondit le guide.

---

1. **Dessein** : projet.

Ce brave Indou donna alors quelques détails sur la victime. C'était une Indienne d'une beauté célèbre, de race parsie, fille de riches négociants de Bombay. Elle avait reçu dans cette ville une éducation absolument anglaise, et à ses manières, à son instruction, on l'eût crue européenne. Elle se nommait Aouda.

Orpheline, elle fut mariée malgré elle à ce vieux rajah du Bundelkund. Trois mois après, elle devint veuve. Sachant le sort qui l'attendait, elle s'échappa, fut reprise aussitôt, et les parents du rajah, qui avaient intérêt à sa mort, la vouèrent à ce supplice auquel il ne semblait pas qu'elle pût échapper.

Ce récit ne pouvait qu'enraciner Mr. Fogg et ses compagnons dans leur généreuse résolution. Il fut décidé que le guide dirigerait l'éléphant vers la pagode de Pillaji, dont il se rapprocherait autant que possible.

Une demi-heure après, halte fut faite sous un taillis, à cinq cents pas de la pagode, que l'on ne pouvait apercevoir ; mais les hurlements des fanatiques se laissaient entendre distinctement.

Les moyens de parvenir jusqu'à la victime furent alors discutés. Le guide connaissait cette pagode de Pillaji, dans laquelle il affirmait que la jeune femme était emprisonnée. Pourrait-on y pénétrer par une des portes, quand toute la bande serait plongée dans le sommeil de l'ivresse, ou faudrait-il pratiquer un trou dans une muraille ? C'est ce qui ne pourrait être décidé qu'au moment et au lieu mêmes. Mais ce qui ne fit aucun doute, c'est que l'enlèvement devait s'opérer cette nuit même, et non quand, le jour venu, la victime serait conduite au supplice. À cet instant, aucune intervention humaine n'eût pu la sauver.

Mr. Fogg et ses compagnons attendirent la nuit. Dès que l'ombre se fit, vers six heures du soir, ils résolurent d'opérer une

reconnaissance autour de la pagode. Les derniers cris des fakirs s'éteignaient alors. Suivant leur habitude, ces Indiens devaient être plongés dans l'épaisse ivresse du *hang*, opium liquide, mélangé
2125 d'une infusion de chanvre, et il serait peut-être possible de se glisser entre eux jusqu'au temple.

Le Parsi, guidant Mr. Fogg, sir Francis Cromarty et Passepartout, s'avança sans bruit à travers la forêt. Après dix minutes de reptation sous les ramures, ils arrivèrent au bord d'une petite rivière,
2130 et là, à la lueur de torches de fer à la pointe desquelles brûlaient des résines, ils aperçurent un monceau de bois empilé. C'était le bûcher, fait de précieux santal[1], et déjà imprégné d'une huile parfumée. À sa partie supérieure reposait le corps embaumé du rajah, qui devait être brûlé en même temps que sa veuve. À cent
2135 pas de ce bûcher s'élevait la pagode, dont les minarets perçaient dans l'ombre la cime des arbres.

« Venez ! » dit le guide à voix basse.

Et, redoublant de précaution, suivi de ses compagnons, il se glissa silencieusement à travers les grandes herbes.
2140 Le silence n'était plus interrompu que par le murmure du vent dans les branches.

Bientôt le guide s'arrêta à l'extrémité d'une clairière. Quelques résines éclairaient la place. Le sol était jonché de groupes de dormeurs, appesantis par l'ivresse. On eût dit un champ de bataille
2145 couvert de morts. Hommes, femmes, enfants, tout était confondu. Quelques ivrognes râlaient encore çà et là.

À l'arrière-plan, entre la masse des arbres, le temple de Pillaji se dressait confusément. Mais au grand désappointement du

---

1. **Santal** : bois précieux.

guide, les gardes des rajahs, éclairés par des torches fuligineuses[1],
²¹⁵⁰ veillaient aux portes et se promenaient, le sabre nu. On pouvait
supposer qu'à l'intérieur les prêtres veillaient aussi.

Le Parsi ne s'avança pas plus loin. Il avait reconnu l'impossi-
bilité de forcer l'entrée du temple, et il ramena ses compagnons
en arrière.

²¹⁵⁵ Phileas Fogg et sir Francis Cromarty avaient compris comme
lui qu'ils ne pouvaient rien tenter de ce côté.

Ils s'arrêtèrent et s'entretinrent à voix basse.

« Attendons, dit le brigadier général, il n'est que huit heures
encore, et il est possible que ces gardes succombent aussi au
²¹⁶⁰ sommeil.

– Cela est possible, en effet », répondit le Parsi.

Phileas Fogg et ses compagnons s'étendirent donc au pied d'un
arbre et attendirent.

Le temps leur parut long ! Le guide les quittait parfois et allait
²¹⁶⁵ observer la lisière du bois. Les gardes du rajah veillaient toujours
à la lueur des torches, et une vague lumière filtrait à travers les
fenêtres de la pagode.

On attendit ainsi jusqu'à minuit. La situation ne changea pas.
Même surveillance au-dehors. Il était évident qu'on ne pouvait
²¹⁷⁰ compter sur l'assoupissement des gardes. L'ivresse du *hang* leur
avait été probablement épargnée. Il fallait donc agir autrement et
pénétrer par une ouverture pratiquée aux murailles de la pagode.
Restait la question de savoir si les prêtres veillaient auprès de
leur victime avec autant de soin que les soldats à la porte du
²¹⁷⁵ temple.

---

1. **Fuligineuse** : qui produit de la suie.

Après une dernière conversation, le guide se dit prêt à partir. Mr. Fogg, sir Francis et Passepartout le suivirent. Ils firent un détour assez long, afin d'atteindre la pagode par son chevet[1].

2180 Vers minuit et demi, ils arrivèrent au pied des murs sans avoir rencontré personne. Aucune surveillance n'avait été établie de ce côté, mais il est vrai de dire que fenêtres et portes manquaient absolument.

La nuit était sombre. La lune, alors dans son dernier quartier, quittait à peine l'horizon, encombré de gros nuages. La hauteur
2185 des arbres accroissait encore l'obscurité.

Mais il ne suffisait pas d'avoir atteint le pied des murailles, il fallait encore y pratiquer une ouverture. Pour cette opération, Phileas Fogg et ses compagnons n'avaient absolument que leurs couteaux de poche. Très heureusement, les parois du temple se
2190 composaient d'un mélange de briques et de bois qui ne pouvait être difficile à percer. La première brique une fois enlevée, les autres viendraient facilement.

On se mit à la besogne, en faisant le moins de bruit possible. Le Parsi, d'un côté, Passepartout, de l'autre, travaillaient à desceller
2195 les briques, de manière à obtenir une ouverture large de deux pieds[2].

Le travail avançait, quand un cri se fit entendre à l'intérieur du temple, et presque aussitôt d'autres cris lui répondirent du dehors.

2200 Passepartout et le guide interrompirent leur travail. Les avait-on surpris ? L'éveil était-il donné ? La plus vulgaire prudence leur commandait de s'éloigner – ce qu'ils firent en même temps que

---

1. **Chevet** : partie arrière de la pagode. 2. **Pieds** : 1 pied = 30,48 cm.

Phileas Fogg et sir Francis Cromarty. Ils se blottirent de nouveau sous le couvert du bois, attendant que l'alerte, si c'en était une, se
2205 fût dissipée, et prêts, dans ce cas, à reprendre leur opération.

Mais – contretemps funeste – des gardes se montrèrent au chevet de la pagode, et s'y installèrent de manière à empêcher toute approche.

Il serait difficile de décrire le désappointement de ces quatre
2210 hommes, arrêtés dans leur œuvre. Maintenant qu'ils ne pouvaient plus parvenir jusqu'à la victime, comment la sauveraient-ils ? Sir Francis Cromarty se rongeait les poings. Passepartout était hors de lui, et le guide avait quelque peine à le contenir. L'impassible Fogg attendait sans manifester ses sentiments.

2215 « N'avons-nous plus qu'à partir ? demanda le brigadier général à voix basse.

– Nous n'avons plus qu'à partir, répondit le guide.

– Attendez, dit Fogg. Il suffit que je sois demain à Allahabad avant midi.

2220 – Mais qu'espérez-vous ? répondit sir Francis Cromarty. Dans quelques heures le jour va paraître, et…

– La chance qui nous échappe peut se représenter au moment suprême. »

Le brigadier général aurait voulu pouvoir lire dans les yeux de
2225 Phileas Fogg.

Sur quoi comptait donc ce froid Anglais ? Voulait-il, au moment du supplice, se précipiter vers la jeune femme et l'arracher ouvertement à ses bourreaux ?

C'eût été une folie, et comment admettre que cet homme fût
2230 fou à ce point ? Néanmoins, sir Francis Cromarty consentit à attendre jusqu'au dénouement de cette terrible scène. Toutefois,

le guide ne laissa pas ses compagnons à l'endroit où ils s'étaient réfugiés, et il les ramena vers la partie antérieure de la clairière. Là, abrités par un bouquet d'arbres, ils pouvaient observer les groupes endormis.

Cependant Passepartout, juché sur les premières branches d'un arbre, ruminait une idée qui avait d'abord traversé son esprit comme un éclair, et qui finit par s'incruster dans son cerveau.

Il avait commencé par se dire : « Quelle folie ! » et maintenant il répétait : « Pourquoi pas, après tout ? C'est une chance, peut-être la seule, et avec de tels abrutis !... »

En tout cas, Passepartout ne formula pas autrement sa pensée, mais il ne tarda pas à se glisser avec la souplesse d'un serpent sur les basses branches de l'arbre dont l'extrémité se courbait vers le sol.

Les heures s'écoulaient, et bientôt quelques nuances moins sombres annoncèrent l'approche du jour. Cependant l'obscurité était profonde encore.

C'était le moment. Il se fit comme une résurrection dans cette foule assoupie. Les groupes s'animèrent. Des coups de tam-tam retentirent. Chants et cris éclatèrent de nouveau. L'heure était venue à laquelle l'infortunée allait mourir.

En effet, les portes de la pagode s'ouvrirent. Une lumière plus vive s'échappa de l'intérieur. Mr. Fogg et sir Francis Cromarty purent apercevoir la victime, vivement éclairée, que deux prêtres traînaient au-dehors. Il leur sembla même que, secouant l'engourdissement de l'ivresse par un suprême instinct de conservation, la malheureuse tentait d'échapper à ses bourreaux. Le cœur de sir Francis Cromarty bondit, et par un mouvement convulsif,

2260 saisissant la main de Phileas Fogg, il sentit que cette main tenait un couteau ouvert.

En ce moment, la foule s'ébranla. La jeune femme était retombée dans cette torpeur provoquée par les fumées du chanvre. Elle passa à travers les fakirs, qui l'escortaient de leurs vociférations 2265 religieuses.

Phileas Fogg et ses compagnons, se mêlant aux derniers rangs de la foule, la suivirent.

Deux minutes après, ils arrivaient sur le bord de la rivière et s'arrêtaient à moins de cinquante pas du bûcher, sur lequel était 2270 couché le corps du rajah. Dans la demi-obscurité, ils virent la victime absolument inerte, étendue auprès du cadavre de son époux.

Puis une torche fut approchée, et le bois, imprégné d'huile, s'enflamma aussitôt.

2275 À ce moment, sir Francis Cromarty et le guide retinrent Phileas Fogg, qui, dans un moment de folie généreuse, s'élançait vers le bûcher...

Mais Phileas Fogg les avait déjà repoussés, quand la scène changea soudain. Un cri de terreur s'éleva. Toute cette foule se 2280 précipita à terre, épouvantée.

Le vieux rajah n'était donc pas mort, qu'on le vît se redresser tout à coup, comme un fantôme, soulever la jeune femme dans ses bras, descendre du bûcher au milieu des tourbillons de vapeurs qui lui donnaient une apparence spectrale ?

2285 Les fakirs, les gardes, les prêtres, pris d'une terreur subite, étaient là, face à terre, n'osant lever les yeux et regarder un tel prodige !

La victime inanimée passa entre les bras vigoureux qui la portaient, et sans qu'elle parût leur peser. Mr. Fogg et sir Francis
2290 Cromarty étaient demeurés debout. Le Parsi avait courbé la tête, et Passepartout, sans doute, n'était pas moins stupéfié !...

Ce ressuscité arriva ainsi près de l'endroit où se tenaient Mr. Fogg et sir Francis Cromarty, et là, d'une voix brève :

« Filons !... » dit-il.

2295 C'était Passepartout lui-même qui s'était glissé vers le bûcher au milieu de la fumée épaisse ! C'était Passepartout qui, profitant de l'obscurité profonde encore, avait arraché la jeune femme à la mort ! C'était Passepartout● qui, jouant son rôle avec un audacieux bonheur, passait au milieu de l'épouvante générale !

2300 Un instant après, tous quatre disparaissaient dans le bois, et l'éléphant les emportait d'un trot rapide. Mais des cris, des clameurs et même une balle, perçant le chapeau de Phileas Fogg, leur apprirent que la ruse était découverte.

En effet, sur le bûcher enflammé se détachait alors le corps du
2305 vieux rajah. Les prêtres, revenus de leur frayeur, avaient compris qu'un enlèvement venait de s'accomplir.

Aussitôt ils s'étaient précipités dans la forêt. Les gardes les avaient suivis. Une décharge avait eu lieu, mais les ravisseurs fuyaient rapidement, et, en quelques instants, ils se trouvaient
2310 hors de la portée des balles et des flèches.

● La répétition de « C'était Passepartout » en début de phrase permet d'insister sur sa prouesse. Cette figure s'appelle une anaphore.

XIV

Dans lequel Phileas Fogg descend toute l'admirable vallée du Gange sans même songer à la voir

Le hardi enlèvement avait réussi. Une heure après, Passepartout riait encore de son succès. Sir Francis Cromarty avait serré la main de l'intrépide garçon. Son maître lui avait dit : « Bien ! », ce qui, dans la bouche de ce gentleman, équivalait à une haute approbation. À quoi Passepartout avait répondu que tout l'honneur de l'affaire appartenait à son maître. Pour lui, il n'avait eu qu'une idée « drôle », et il riait en songeant que, pendant quelques instants, lui, Passepartout, ancien gymnaste, ex-sergent de pompiers, avait été le veuf d'une charmante femme, un vieux rajah embaumé !

Quant à la jeune Indienne, elle n'avait pas eu conscience de ce qui s'était passé. Enveloppée dans les couvertures de voyage, elle reposait sur l'un des cacolets.

Cependant l'éléphant, guidé avec une extrême sûreté par le Parsi, courait rapidement dans la forêt encore obscure. Une heure après avoir quitté la pagode de Pillaji, il se lançait à travers une immense plaine. À sept heures, on fit halte. La jeune femme était toujours dans une prostration complète. Le guide lui fit boire quelques gorgées d'eau et de brandy[1] mais cette influence stupéfiante[2] qui l'accablait devait se prolonger quelque temps encore.

---

1. **Brandy** : alcool.
2. **Influence stupéfiante** : qui a les effets d'une drogue.

2330　　Sir Francis Cromarty, qui connaissait les effets de l'ivresse produite par l'inhalation des vapeurs du chanvre, n'avait aucune inquiétude sur son compte.

Mais si le rétablissement de la jeune Indienne ne fit pas question dans l'esprit du brigadier général, celui-ci se montrait moins 2335　rassuré pour l'avenir. Il n'hésita pas à dire à Phileas Fogg que si Mrs. Aouda restait dans l'Inde, elle retomberait inévitablement entre les mains de ses bourreaux. Ces énergumènes se tenaient dans toute la péninsule, et certainement, malgré la police anglaise, ils sauraient reprendre leur victime, fût-ce à Madras, à Bombay, 2340　à Calcutta. Et sir Francis Cromarty citait, à l'appui de ce dire, un fait de même nature qui s'était passé récemment. À son avis, la jeune femme ne serait véritablement en sûreté qu'après avoir quitté l'Inde.

Phileas Fogg répondit qu'il tiendrait compte de ces observations 2345　et qu'il aviserait.

Vers dix heures, le guide annonçait la station d'Allahabad. Là reprenait la voie interrompue du chemin de fer, dont les trains franchissent, en moins d'un jour et d'une nuit, la distance qui sépare Allahabad de Calcutta.

2350　Phileas Fogg devait donc arriver à temps pour prendre un paquebot qui ne partait que le lendemain seulement, 25 octobre, à midi, pour Hong-kong.

La jeune femme fut déposée dans une chambre de la gare. Passepartout fut chargé d'aller acheter pour elle divers objets de 2355　toilette, robe, châle, fourrures, etc., ce qu'il trouverait. Son maître lui ouvrait un crédit illimité.

Passepartout partit aussitôt et courut les rues de la ville. Allahabad, c'est la cité de Dieu, l'une des plus vénérées de l'Inde, en raison de ce qu'elle est bâtie au confluent de deux fleuves
2360 sacrés, le Gange et la Jumna, dont les eaux attirent les pèlerins de toute la péninsule. On sait d'ailleurs que, suivant les légendes du Ramayana[1], le Gange prend sa source dans le ciel, d'où, grâce à Brahma, il descend sur la terre.

Tout en faisant ses emplettes, Passepartout eut bientôt vu la
2365 ville, autrefois défendue par un fort magnifique qui est devenu une prison d'État. Plus de commerce, plus d'industrie dans cette cité, jadis industrielle et commerçante. Passepartout, qui cherchait vainement un magasin de nouveautés, comme s'il eût été dans Regent Street à quelques pas de Farmer and Co., ne trouva que
2370 chez un revendeur, vieux juif difficultueux, les objets dont il avait besoin, une robe en étoffe écossaise, un vaste manteau, et une magnifique pelisse en peau de loutre qu'il n'hésita pas à payer soixante-quinze livres (1 875 F). Puis, tout triomphant, il retourna à la gare.

2375 Mrs. Aouda commençait à revenir à elle. Cette influence à laquelle les prêtres de Pillaji l'avaient soumise se dissipait peu à peu, et ses beaux yeux reprenaient toute leur douceur indienne.

Lorsque le roi-poète, Uçaf Uddaul, célèbre les charmes de la reine d'Ahméhnagara, il s'exprime ainsi :
2380 « Sa luisante chevelure, régulièrement divisée en deux parts, encadre les contours harmonieux de ses joues délicates et blanches, brillantes de poli et de fraîcheur. Ses sourcils d'ébène ont la forme et la puissance de l'arc de Kama, dieu d'amour, et sous

---

1. **Ramayana** : poème indien (probablement écrit au ve siècle avant J.-C.).

ses longs cils soyeux, dans la pupille noire de ses grands yeux
limpides, nagent comme dans les lacs sacrés de l'Himalaya les
reflets les plus purs de la lumière céleste. Fines, égales et blanches, ses dents resplendissent entre ses lèvres souriantes, comme
des gouttes de rosée dans le sein mi-clos d'une fleur de grena-
dier. Ses oreilles mignonnes aux courbes symétriques, ses mains
vermeilles, ses petits pieds bombés et tendres comme les bour-
geons du lotus, brillent de l'éclat des plus belles perles de Ceylan,
des plus beaux diamants de Golconde. Sa mince et souple ceinture,
qu'une main suffit à enserrer, rehausse l'élégante cambrure de
ses reins arrondis et la richesse de son buste où la jeunesse en
fleur étale ses plus parfaits trésors, et, sous les plis soyeux de sa
tunique, elle semble avoir été modelée en argent pur de la main
divine de Vicvacarma, l'éternel statuaire. »

Mais, sans toute cette amplification, il suffit de dire que
Mrs. Aouda, la veuve du rajah du Bundelkund, était une charmante femme dans toute l'acception européenne du mot. Elle
parlait l'anglais avec une grande pureté, et le guide n'avait point
exagéré en affirmant que cette jeune Parsie avait été transformée
par l'éducation.

Cependant le train allait quitter la station d'Allahabad. Le Parsi
attendait. Mr. Fogg lui régla son salaire au prix convenu, sans le
dépasser d'un farthing[1]. Ceci étonna un peu Passepartout, qui
savait tout ce que son maître devait au dévouement du guide. Le
Parsi avait, en effet, risqué volontairement sa vie dans l'affaire
de Pillaji, et si, plus tard, les Indous l'apprenaient, il échapperait
difficilement à leur vengeance.

1. **Farthing** : pièce de monnaie équivalant à un quart de penny.

Restait aussi la question de Kiouni. Que ferait-on d'un éléphant acheté si cher ?

Mais Phileas Fogg avait déjà pris une résolution à cet égard.

« Parsi, dit-il au guide, tu as été serviable et dévoué. J'ai payé
2415 ton service, mais non ton dévouement. Veux-tu cet éléphant ? Il est à toi. »

Les yeux du guide brillèrent.

« C'est une fortune que Votre Honneur me donne ! s'écria-t-il.

– Accepte, guide, répondit Mr. Fogg, et c'est moi qui serai encore
2420 ton débiteur.

– À la bonne heure ! s'écria Passepartout. Prends, ami ! Kiouni est un brave et courageux animal ! »

Et, allant à la bête, il lui présenta quelques morceaux de sucre, disant :

2425 « Tiens, Kiouni, tiens, tiens ! »

L'éléphant fit entendre quelques grognements de satisfaction. Puis, prenant Passepartout par la ceinture et l'enroulant de sa trompe, il l'enleva jusqu'à la hauteur de sa tête. Passepartout, nullement effrayé, fit une bonne caresse à l'animal, qui le replaça
2430 doucement à terre, et, à la poignée de trompe de l'honnête Kiouni, répondit une vigoureuse poignée de main de l'honnête garçon.

Quelques instants après, Phileas Fogg, sir Francis Cromarty et Passepartout, installés dans un confortable wagon dont Mrs. Aouda occupait la meilleure place, couraient à toute vapeur vers Bénarès●.

●Bénarès est la capitale religieuse de
l'hindouisme et du bouddhisme depuis
des millénaires. Plus de 1 500 temples
hindous y ont été construits entre le
XVIIᵉ et le XVIIIᵉ siècle.

2435 Quatre-vingts milles au plus séparent cette ville d'Allahabad, et ils furent franchis en deux heures.

Pendant ce trajet, la jeune femme revint complètement à elle ; les vapeurs assoupissantes du *hang* se dissipèrent.

Quel fut son étonnement de se trouver sur le *railway*, dans ce 2440 compartiment, recouverte de vêtements européens, au milieu de voyageurs qui lui étaient absolument inconnus !

Tout d'abord, ses compagnons lui prodiguèrent leurs soins et la ranimèrent avec quelques gouttes de liqueur ; puis le brigadier général lui raconta son histoire. Il insista sur le dévouement de 2445 Phileas Fogg, qui n'avait pas hésité à jouer sa vie pour la sauver, et sur le dénouement de l'aventure, dû à l'audacieuse imagination de Passepartout.

Mr. Fogg laissa dire sans prononcer une parole. Passepartout, tout honteux, répétait que « ça n'en valait pas la peine » !

2450 Mrs. Aouda remercia ses sauveurs avec effusion, par ses larmes plus que par ses paroles. Ses beaux yeux, mieux que ses lèvres, furent les interprètes de sa reconnaissance. Puis, sa pensée la reportant aux scènes du *sutty*, ses regards revoyant cette terre indienne où tant de dangers l'attendaient encore, elle fut prise 2455 d'un frisson de terreur.

Phileas Fogg comprit ce qui se passait dans l'esprit de Mrs. Aouda, et, pour la rassurer, il lui offrit, très froidement d'ailleurs, de la conduire à Hong-kong, où elle demeurerait jusqu'à ce que cette affaire fût assoupie.

2460 Mrs. Aouda accepta l'offre avec reconnaissance. Précisément, à Hong-kong résidait un de ses parents, parsi comme elle, et l'un des principaux négociants de cette ville, qui est absolument anglaise, tout en occupant un point de la côte chinoise.

À midi et demi, le train s'arrêtait à la station de Bénarès. Les
2465 légendes brahmaniques affirment que cette ville occupe l'emplacement de l'ancienne Casi, qui était autrefois suspendue dans
l'espace, entre le zénith et le nadir[1], comme la tombe de Mahomet.
Mais, à cette époque plus réaliste, Bénarès, Athènes de l'Inde au
dire des orientalistes, reposait tout prosaïquement sur le sol, et
2470 Passepartout put un instant entrevoir ses maisons de briques, ses
huttes en clayonnage[2], qui lui donnaient un aspect absolument
désolé, sans aucune couleur locale.

C'était là que devait s'arrêter sir Francis Cromarty. Les troupes
qu'il rejoignait campaient à quelques milles au nord de la ville. Le
2475 brigadier général fit donc ses adieux à Phileas Fogg, lui souhaitant
tout le succès possible, et exprimant le vœu qu'il recommençât ce
voyage d'une façon moins originale, mais plus profitable. Mr. Fogg
pressa légèrement les doigts de son compagnon. Les compliments
de Mrs. Aouda furent plus affectueux. Jamais elle n'oublierait
2480 ce qu'elle devait à sir Francis Cromarty. Quant à Passepartout, il
fut honoré d'une vraie poignée de main de la part du brigadier
général. Tout ému, il se demanda où et quand il pourrait bien se
dévouer pour lui. Puis on se sépara.

À partir de Bénarès, la voie ferrée suivait en partie la vallée du
2485 Gange●. À travers les vitres du wagon, par un temps assez clair,
apparaissait le paysage varié du Béhar, puis des montagnes
couvertes de verdure, les champs d'orge, de maïs et de froment,

---

1. **Zénith** : point de la sphère céleste situé sur la verticale
ascendante de l'observateur, point culminant. **Nadir** : point
diamétralement opposé au zénith.
2. **Clayonnage** : assemblage de pieux et de branches, destiné à
soutenir un édifice.

● Le Gange est le fleuve sacré en
Inde : des milliers de pèlerins
viennent s'y baigner et des
bûchers funéraires y brûlent en
permanence.

des rios[1] et des étangs peuplés d'alligators verdâtres, des villages bien entretenus, des forêts encore verdoyantes. Quelques
2490 éléphants, des zébus à grosse bosse venaient se baigner dans les eaux du fleuve sacré, et aussi, malgré la saison avancée et la température déjà froide, des bandes d'Indous des deux sexes, qui accomplissaient pieusement leurs saintes ablutions[2]. Ces fidèles, ennemis acharnés du bouddhisme, sont sectateurs fervents de la
2495 religion brahmanique, qui s'incarne en ces trois personnes : Whisnou, la divinité solaire, Shiva, la personnification divine des forces naturelles, et Brahma, le maître suprême des prêtres et des législateurs. Mais de quel œil Brahma, Shiva et Whisnou devaient-ils considérer cette Inde, maintenant « britannisée », lorsque
2500 quelque *steamboat* passait en hennissant et troublait les eaux consacrées du Gange, effarouchant les mouettes qui volaient à sa surface, les tortues qui pullulaient sur ses bords, et les dévots[3] étendus au long de ses rives !

Tout ce panorama défila comme un éclair, et souvent un nuage
2505 de vapeur blanche en cacha les détails. À peine les voyageurs purent-ils entrevoir le fort de Chunar, à vingt milles au sud-est de Bénarès, ancienne forteresse des rajahs du Béhar, Ghazepour et ses importantes fabriques d'eau de rose, le tombeau de lord Cornwallis qui s'élève sur la rive gauche du Gange, la ville fortifiée
2510 de Buxar, Patna, grande cité industrielle et commerçante, où se tient le principal marché d'opium de l'Inde, Monghir, ville plus qu'européenne, anglaise comme Manchester ou Birmingham,

---

1. **Rios** : rivières.
2. **Ablution** : purification religieuse par lavage du corps ou d'une partie du corps.
3. **Dévots** : religieux.

renommée pour ses fonderies de fer, ses fabriques de taillanderie[1] et d'armes blanches, et dont les hautes cheminées encrassaient d'une fumée noire le ciel de Brahma, un véritable coup de poing dans le pays du rêve !

Puis la nuit vint et, au milieu des hurlements des tigres, des ours, des loups qui fuyaient devant la locomotive, le train passa à toute vitesse, et on n'aperçut plus rien des merveilles du Bengale, ni Golgonde, ni Gour en ruine, ni Mourshedabad, qui fut autrefois capitale, ni Burdwan, ni Hougly, ni Chandernagor, ce point français du territoire indien sur lequel Passepartout eût été fier de voir flotter le drapeau de sa patrie !

Enfin, à sept heures du matin, Calcutta était atteint. Le paquebot, en partance pour Hong-kong, ne levait l'ancre qu'à midi. Phileas Fogg avait donc cinq heures devant lui.

D'après son itinéraire, ce gentleman devait arriver dans la capitale des Indes le 25 octobre, vingt-trois jours après avoir quitté Londres, et il y arrivait au jour fixé. Il n'avait donc ni retard ni avance. Malheureusement, les deux jours gagnés par lui entre Londres et Bombay avaient été perdus, on sait comment, dans cette traversée de la péninsule indienne, mais il est à supposer que Phileas Fogg ne les regrettait pas.

---

1. **Taillanderie** : ustensiles agricoles.

XV

Où le sac aux *banknotes* s'allège encore de quelques milliers de livres

🐚

Le train s'était arrêté en gare. Passepartout descendit le premier du wagon, et fut suivi de Mr. Fogg, qui aida sa jeune compagne à mettre pied sur le quai. Phileas Fogg comptait se rendre directement au paquebot de Hong-kong, afin d'y installer confortablement Mrs. Aouda, qu'il ne voulait pas quitter, tant qu'elle serait en ce pays si dangereux pour elle.

Au moment où Mr. Fogg allait sortir de la gare, un *policeman* s'approcha de lui et dit :

« Monsieur Phileas Fogg ?

– C'est moi.

– Cet homme est votre domestique ? ajouta le *policeman* en désignant Passepartout.

– Oui.

– Veuillez me suivre tous les deux. »

Mr. Fogg ne fit pas un mouvement qui pût marquer en lui une surprise quelconque. Cet agent était un représentant de la loi, et, pour tout Anglais, la loi est sacrée. Passepartout, avec ses habitudes françaises, voulut raisonner, mais le *policeman* le toucha de sa baguette, et Phileas Fogg lui fit signe d'obéir.

« Cette jeune dame peut nous accompagner ? demanda Mr. Fogg.

– Elle le peut », répondit le *policeman*.

Calcutta, 1786.

Le *policeman* conduisit Mr. Fogg, Mrs. Aouda et Passepartout vers un *palkighari*, sorte de voiture à quatre roues et à quatre places, attelée de deux chevaux. On partit. Personne ne parla pendant le trajet, qui dura vingt minutes environ.

2560   La voiture traversa d'abord la « ville noire », aux rues étroites, bordées de cahutes dans lesquelles grouillait une population cosmopolite, sale et déguenillée ; puis elle passa à travers la ville européenne, égayée de maisons de briques, ombragée de cocotiers, hérissée de mâtures, que parcouraient déjà, malgré l'heure mati-
2565 nale, des cavaliers élégants et de magnifiques attelages.

    Le *palkighari* s'arrêta devant une habitation d'apparence simple, mais qui ne devait pas être affectée aux usages domestiques. Le *policeman* fit descendre ses prisonniers – on pouvait vraiment

leur donner ce nom –, et il les conduisit dans une chambre aux
2570 fenêtres grillées, en leur disant :

« C'est à huit heures et demie que vous comparaîtrez devant le juge Obadiah. »

Puis il se retira et ferma la porte.

« Allons ! nous sommes pris ! » s'écria Passepartout, en se lais-
2575 sant aller sur une chaise.

Mrs. Aouda, s'adressant aussitôt à Mr. Fogg, lui dit d'une voix dont elle cherchait en vain à déguiser l'émotion :

« Monsieur, il faut m'abandonner ! C'est pour moi que vous êtes poursuivi ! C'est pour m'avoir sauvée ! »

2580 Phileas Fogg se contenta de répondre que cela n'était pas possible. Poursuivi pour cette affaire du *sutty* ! Inadmissible ! Comment les plaignants oseraient-ils se présenter ? Il y avait méprise. Mr. Fogg ajouta que, dans tous les cas, il n'abandonnerait pas la jeune femme, et qu'il la conduirait à Hong-kong.

2585 « Mais le bateau part à midi ! fit observer Passepartout.

– Avant midi nous serons à bord », répondit simplement l'impassible gentleman.

Cela fut affirmé si nettement, que Passepartout ne put s'empêcher de se dire à lui-même :

2590 « Parbleu ! cela est certain ! avant midi nous serons à bord ! » Mais il n'était pas rassuré du tout.

À huit heures et demie, la porte de la chambre s'ouvrit. Le *policeman* reparut, et il introduisit les prisonniers dans la salle voisine. C'était une salle d'audience, et un public assez nombreux, composé
2595 d'Européens et d'indigènes, en occupait déjà le prétoire[1].

1. **Prétoire** : salle du tribunal.

Mr. Fogg, Mrs. Aouda et Passepartout s'assirent sur un banc en face des sièges réservés au magistrat et au greffier.

Ce magistrat, le juge Obadiah, entra presque aussitôt, suivi du greffier[1]. C'était un gros homme tout rond. Il décrocha une perruque pendue à un clou et s'en coiffa lestement.

« La première cause », dit-il.

Mais, portant la main à sa tête :

« Hé ! ce n'est pas ma perruque !

– En effet, monsieur Obadiah, c'est la mienne, répondit le greffier.

– Cher monsieur Oysterpuf, comment voulez-vous qu'un juge puisse rendre une bonne sentence avec la perruque d'un greffier ! »

L'échange des perruques fut fait. Pendant ces préliminaires, Passepartout bouillait d'impatience, car l'aiguille lui paraissait marcher terriblement vite sur le cadran de la grosse horloge du prétoire.

« La première cause, reprit alors le juge Obadiah.

– Phileas Fogg ? dit le greffier Oysterpuf.

– Me voici, répondit Mr. Fogg.

– Passepartout ?

– Présent ! répondit Passepartout.

– Bien ! dit le juge Obadiah. Voilà deux jours, accusés, que l'on vous guette à tous les trains de Bombay.

– Mais de quoi nous accuse-t-on ? s'écria Passepartout, impatienté.

– Vous allez le savoir, répondit le juge.

---

1. **Greffier** : fonctionnaire qui écrit le compte rendu d'un procès.

– Monsieur, dit alors Mr. Fogg, je suis citoyen anglais, et j'ai droit...

2625 – Vous a-t-on manqué d'égards ? demanda Mr. Obadiah.

– Aucunement.

– Bien ! faites entrer les plaignants. »

Sur l'ordre du juge, une porte s'ouvrit, et trois prêtres indous furent introduits par un huissier.

2630 « C'est bien cela ! murmura Passepartout, ce sont ces coquins qui voulaient brûler notre jeune dame ! »

Les prêtres se tinrent debout devant le juge, et le greffier lut à haute voix une plainte en sacrilège, formulée contre le sieur Phileas Fogg et son domestique, accusés d'avoir violé un lieu 2635 consacré par la religion brahmanique.

« Vous avez entendu ? demanda le juge à Phileas Fogg.

– Oui, monsieur, répondit Mr. Fogg en consultant sa montre, et j'avoue.

– Ah ! vous avouez ?...

2640 – J'avoue et j'attends que ces trois prêtres avouent à leur tour ce qu'ils voulaient faire à la pagode de Pillaji. »

Les prêtres se regardèrent. Ils semblaient ne rien comprendre aux paroles de l'accusé.

« Sans doute ! s'écria impétueusement Passepartout, à 2645 cette pagode de Pillaji, devant laquelle ils allaient brûler leur victime ! »

Nouvelle stupéfaction des prêtres, et profond étonnement du juge Obadiah.

« Quelle victime ? demanda-t-il. Brûler qui ! En pleine ville de 2650 Bombay ?

– Bombay ? s'écria Passepartout.

– Sans doute. Il ne s'agit pas de la pagode de Pillaji, mais de la pagode de Malebar Hill, à Bombay.

– Et comme pièce de conviction, voici les souliers du profanateur, ajouta le greffier, en posant une paire de chaussures sur son bureau.

– Mes souliers ! » s'écria Passepartout, qui, surpris au dernier chef, ne put retenir cette involontaire exclamation.

On devine la confusion qui s'était opérée dans l'esprit du maître et du domestique. Cet incident de la pagode de Bombay, ils l'avaient oublié, et c'était celui-là même qui les amenait devant le magistrat de Calcutta.

En effet, l'agent Fix avait compris tout le parti qu'il pouvait tirer de cette malencontreuse affaire. Retardant son départ de douze heures, il s'était fait le conseil des prêtres de Malebar Hill ; il leur avait promis des dommages-intérêts considérables, sachant bien que le gouvernement anglais se montrait très sévère pour ce genre de délit ; puis, par le train suivant, il les avait lancés sur les traces du sacrilège. Mais, par suite du temps employé à la délivrance de la jeune veuve, Fix et les Indous arrivèrent à Calcutta avant Phileas Fogg et son domestique, que les magistrats, prévenus par dépêche, devaient arrêter à leur descente du train. Que l'on juge du désappointement de Fix, quand il apprit que Phileas Fogg n'était point encore arrivé dans la capitale de l'Inde. Il dut croire que son voleur, s'arrêtant à une des stations du Peninsular Railway, s'était réfugié dans les provinces septentrionales. Pendant vingt-quatre heures, au milieu de mortelles inquiétudes, Fix le guetta à la gare. Quelle fut donc sa joie quand, ce matin même, il le vit descendre du wagon, en compagnie, il est vrai, d'une jeune femme dont il ne pouvait s'expliquer la présence. Aussitôt il lança sur lui un *policeman*, et voilà comment Mr. Fogg, Passepartout et la veuve du rajah du Bundelkund furent conduits devant le juge Obadiah.

Et si Passepartout eût été moins préoccupé de son affaire, il aurait aperçu, dans un coin du prétoire, le détective, qui suivait le débat avec un intérêt facile à comprendre, car à Calcutta, comme à Bombay, comme à Suez, le mandat d'arrestation lui manquait encore !

Cependant le juge Obadiah avait pris acte de l'aveu échappé à Passepartout, qui aurait donné tout ce qu'il possédait pour reprendre ses imprudentes paroles.

« Les faits sont avoués ? dit le juge.

— Avoués, répondit froidement Mr. Fogg.

— Attendu, reprit le juge, attendu que la loi anglaise entend protéger également et rigoureusement toutes les religions des populations de l'Inde, le délit étant avoué par le sieur Passepartout, convaincu d'avoir violé d'un pied sacrilège le pavé de la pagode de Malebar Hill, à Bombay, dans la journée du 20 octobre, condamne ledit Passepartout à quinze jours de prison et à une amende de trois cents livres (7 500 F).

— Trois cents livres ? s'écria Passepartout, qui n'était véritablement sensible qu'à l'amende.

— Silence ! fit l'huissier d'une voix glapissante.

— Et, ajouta le juge Obadiah, attendu qu'il n'est pas matériellement prouvé qu'il n'y ait pas connivence entre le domestique et le maître, qu'en tout cas celui-ci doit être tenu responsable des gestes d'un serviteur à ses gages[1], retient ledit Phileas Fogg et le condamne à huit jours de prison et cent cinquante livres d'amende. Greffier, appelez une autre cause ! »

---

1. À ses gages : à son service.

Fix, dans son coin, éprouvait une indicible satisfaction. Phileas Fogg retenu huit jours à Calcutta, c'était plus qu'il n'en 2710 fallait pour donner au mandat le temps de lui arriver.

Passepartout était abasourdi. Cette condamnation ruinait son maître. Un pari de vingt mille livres perdu, et tout cela parce que, en vrai badaud, il était entré dans cette maudite pagode !

Phileas Fogg, aussi maître de lui que si cette condamnation ne 2715 l'eût pas concerné, n'avait pas même froncé le sourcil. Mais au moment où le greffier appelait une autre cause, il se leva et dit :

« J'offre caution[1].

– C'est votre droit », répondit le juge.

Fix se sentit froid dans le dos, mais il reprit son assurance, quand 2720 il entendit le juge, « attendu la qualité d'étrangers de Phileas Fogg et de son domestique », fixer la caution pour chacun d'eux à la somme énorme de mille livres (25 000 F).

C'était deux mille livres qu'il en coûterait à Mr. Fogg, s'il ne purgeait pas sa condamnation.

2725 « Je paie », dit ce gentleman.

Et du sac que portait Passepartout, il retira un paquet de *bank-notes* qu'il déposa sur le bureau du greffier.

« Cette somme vous sera restituée à votre sortie de prison, dit le juge. En attendant, vous êtes libres sous caution.

2730 – Venez, dit Phileas Fogg à son domestique.

– Mais, au moins, qu'ils rendent les souliers ! » s'écria Passepartout avec un mouvement de rage.

On lui rendit ses souliers.

---

1. **Caution** : somme que verse l'accusé à la justice, afin de rester en liberté jusqu'au moment de purger sa peine.

« En voilà qui coûtent cher ! murmura-t-il. Plus de mille livres
2735 chacun ! Sans compter qu'ils me gênent ! »

Passepartout, absolument piteux, suivit Mr. Fogg, qui avait offert
son bras à la jeune femme. Fix espérait encore que son voleur ne
se déciderait jamais à abandonner cette somme de deux mille
livres et qu'il ferait ses huit jours de prison. Il se jeta donc sur les
2740 traces de Fogg.

Mr. Fogg prit une voiture, dans laquelle Mrs. Aouda, Passepartout
et lui montèrent aussitôt. Fix courut derrière la voiture, qui s'arrêta
bientôt sur l'un des quais de la ville.

À un demi-mille en rade, le *Rangoon* était mouillé, son pavillon
2745 de partance hissé en tête de mât. Onze heures sonnaient. Mr. Fogg
était en avance d'une heure. Fix le vit descendre de voiture et
s'embarquer dans un canot avec Mrs. Aouda et son domestique.
Le détective frappa la terre du pied.

« Le gueux[1] ! s'écria-t-il, il part ! Deux mille livres sacrifiées !
2750 Prodigue comme un voleur ! Ah ! je le filerai jusqu'au bout du
monde s'il le faut ; mais du train dont il va, tout l'argent du vol y
aura passé ! »

L'inspecteur de police était fondé à faire cette réflexion. En
effet, depuis qu'il avait quitté Londres, tant en frais de voyage
2755 qu'en primes, en achat d'éléphant, en cautions et en amendes,
Phileas Fogg avait déjà semé plus de cinq mille livres (125 000 F)
sur sa route, et le tant pour cent[2] de la somme recouvrée, attribué
aux détectives, allait diminuant toujours.

---

1. **Gueux** : voleur.
2. **Le tant pour cent** : le pourcentage.

XVI

Le *Rangoon*, l'un des paquebots que la Compagnie péninsulaire et
orientale emploie au service des mers de la Chine et du Japon, était
un steamer en fer, à hélice, jaugeant brut dix-sept cent soixante-
dix tonnes, et d'une force nominale[1] de quatre cents chevaux.
Il égalait le *Mongolia* en vitesse, mais non en confortable. Aussi
Mrs. Aouda ne fut-elle point aussi bien installée que l'eût désiré
Phileas Fogg. Après tout, il ne s'agissait que d'une traversée de
trois mille cinq cents milles, soit de onze à douze jours, et la jeune
femme ne se montra pas une difficile passagère.

Pendant les premiers jours de cette traversée, Mrs. Aouda fit
plus ample connaissance avec Phileas Fogg. En toute occasion,
elle lui témoignait la plus vive reconnaissance. Le flegmatique
gentleman l'écoutait, en apparence au moins, avec la plus extrême
froideur, sans qu'une intonation, un geste décelât en lui la plus
légère émotion. Il veillait à ce que rien ne manquât à la jeune
femme. À de certaines heures il venait régulièrement, sinon
causer, du moins l'écouter. Il accomplissait envers elle les devoirs
de la politesse la plus stricte, mais avec la grâce et l'imprévu d'un
automate dont les mouvements auraient été combinés pour cet
usage. Mrs. Aouda ne savait trop que penser, mais Passepartout

---

1. **Force nominale** : puissance d'un moteur.

lui avait un peu expliqué l'excentrique personnalité de son maître.
2780 Il lui avait appris quelle gageure entraînait ce gentleman autour
du monde. Mrs. Aouda avait souri ; mais après tout, elle lui devait
la vie, et son sauveur ne pouvait perdre à ce qu'elle le vît à travers
sa reconnaissance.

Mrs. Aouda confirma le récit que le guide indou avait fait de
2785 sa touchante histoire. Elle était, en effet, de cette race qui tient
le premier rang parmi les races indigènes. Plusieurs négociants
parsis ont fait de grandes fortunes aux Indes, dans le commerce des
cotons. L'un d'eux, sir James Jejeebhoy, a été anobli par le gouvernement anglais, et Mrs. Aouda était parente de ce riche personnage
2790 qui habitait Bombay. C'était même un cousin de sir Jejeebhoy, l'honorable Jejeeh, qu'elle comptait rejoindre à Hong-kong. Trouverait-
elle près de lui refuge et assistance ? Elle ne pouvait l'affirmer.
À quoi Mr. Fogg répondait qu'elle n'eût pas à s'inquiéter, et que
tout s'arrangerait mathématiquement ! Ce fut son mot.

2795 La jeune femme comprenait-elle cet horrible adverbe ? On ne
sait. Toutefois, ses grands yeux se fixaient sur ceux de Mr. Fogg,
ses grands yeux « limpides comme les lacs sacrés de l'Himalaya » !
Mais l'intraitable Fogg, aussi boutonné que jamais, ne semblait
point homme à se jeter dans ce lac.

2800 Cette première partie de la traversée du *Rangoon* s'accomplit
dans des conditions excellentes. Le temps était maniable. Toute
cette portion de l'immense baie que les marins appellent les
brasses du Bengale se montra favorable à la marche du paquebot.
Le *Rangoon* eut bientôt connaissance du Grand-Andaman, la prin-
2805 cipale du groupe, que sa pittoresque montagne de Saddle Peak,
haute de deux mille quatre cents pieds, signale de fort loin aux
navigateurs.

La côte fut prolongée d'assez près. Les sauvages Papouas de l'île ne se montrèrent point. Ce sont des êtres placés au dernier degré de l'échelle humaine, mais dont on fait à tort des anthropophages[1].

Le développement panoramique de ces îles était superbe. D'immenses forêts de lataniers, d'arecs, de bambousiers, de muscadiers, de tecks, de gigantesques mimosées[2], de fougères arborescentes, couvraient le pays en premier plan, et en arrière se profilait l'élégante silhouette des montagnes. Sur la côte pullulaient par milliers ces précieuses salanganes[3], dont les nids comestibles forment un mets recherché dans le Céleste Empire[4]. Mais tout ce spectacle varié, offert aux regards par le groupe des Andaman, passa vite, et le *Rangoon* s'achemina rapidement vers le détroit de Malacca, qui devait lui donner accès dans les mers de la Chine.

Que faisait pendant cette traversée l'inspecteur Fix, si malencontreusement entraîné dans un voyage de circumnavigation ? Au départ de Calcutta, après avoir laissé des instructions pour que le mandat, s'il arrivait enfin, lui fût adressé à Hong-kong, il avait pu s'embarquer à bord du *Rangoon* sans avoir été aperçu de Passepartout, et il espérait bien dissimuler sa présence jusqu'à l'arrivée du paquebot. En effet, il lui eût été difficile d'expliquer pourquoi il se trouvait à bord, sans éveiller les soupçons de Passepartout, qui devait le croire à Bombay. Mais il fut amené à renouer connaissance avec l'honnête garçon par la logique même des circonstances. Comment ? On va le voir.

---

1. **Anthropophage** : cannibale, mangeur de chair humaine.
2. **Lataniers (...) mimosées** : arbres et plantes tropicaux.
3. **Salanganes** : oiseaux de Malaisie.
4. **Le Céleste Empire** : la Chine.

Toutes les espérances, tous les désirs de l'inspecteur de police, étaient maintenant concentrés sur un unique point du monde, Hong-kong, car le paquebot s'arrêtait trop peu de temps à
2835 Singapore pour qu'il pût opérer en cette ville. C'était donc à Hong-kong que l'arrestation du voleur devait se faire, ou le voleur lui échappait, pour ainsi dire, sans retour.

En effet, Hong-kong était encore une terre anglaise, mais la dernière qui se rencontrât sur le parcours. Au-delà, la Chine, le
2840 Japon, l'Amérique offraient un refuge à peu près assuré au sieur Fogg. À Hong-kong, s'il y trouvait enfin le mandat d'arrestation qui courait évidemment après lui, Fix arrêtait Fogg et le remettait entre les mains de la police locale. Nulle difficulté. Mais après Hong-kong, un simple mandat d'arrestation ne suffirait plus. Il
2845 faudrait un acte d'extradition[1]. De là retards, lenteurs, obstacles de toute nature, dont le coquin profiterait pour échapper définitivement. Si l'opération manquait à Hong-kong, il serait, sinon impossible, du moins bien difficile, de la reprendre avec quelque chance de succès.

2850 « Donc, se répétait Fix pendant ces longues heures qu'il passait dans sa cabine, donc, ou le mandat sera à Hong-kong, et j'arrête mon homme, ou il n'y sera pas, et cette fois il faut à tout prix que je retarde son départ ! J'ai échoué à Bombay, j'ai échoué à Calcutta ! Si je manque mon coup à Hong-kong, je suis perdu de réputation !
2855 Coûte que coûte, il faut réussir. Mais quel moyen employer pour retarder, si cela est nécessaire, le départ de ce maudit Fogg ? »

---

1. **Acte d'extradition** : document qui permet d'expulser un étranger d'un pays.

En dernier ressort, Fix était bien décidé à tout avouer à Passepartout, à lui faire connaître ce maître qu'il servait et dont il n'était certainement pas le complice. Passepartout, éclairé par cette révélation, devant craindre d'être compromis, se rangerait sans doute à lui, Fix. Mais enfin c'était un moyen hasardeux, qui ne pouvait être employé qu'à défaut de tout autre. Un mot de Passepartout à son maître eût suffi à compromettre irrévocablement l'affaire.

L'inspecteur de police était donc extrêmement embarrassé, quand la présence de Mrs. Aouda à bord du *Rangoon*, en compagnie de Phileas Fogg, lui ouvrit de nouvelles perspectives.

Quelle était cette femme ? Quel concours de circonstances en avait fait la compagne de Fogg ? C'était évidemment entre Bombay et Calcutta que la rencontre avait eu lieu. Mais en quel point de la péninsule ? Était-ce le hasard qui avait réuni Phileas Fogg et la jeune voyageuse ? Ce voyage à travers l'Inde, au contraire, n'avait-il pas été entrepris par ce gentleman dans le but de rejoindre cette charmante personne ? car elle était charmante ! Fix l'avait bien vu dans la salle d'audience du tribunal de Calcutta.

On comprend à quel point l'agent devait être intrigué. Il se demanda s'il n'y avait pas dans cette affaire quelque criminel enlèvement. Oui ! cela devait être ! Cette idée s'incrusta dans le cerveau de Fix, et il reconnut tout le parti qu'il pouvait tirer de cette circonstance. Que cette jeune femme fût mariée ou non, il y avait enlèvement, et il était possible, à Hong-kong, de susciter au ravisseur des embarras tels qu'il ne pût s'en tirer à prix d'argent.

Mais il ne fallait pas attendre l'arrivée du *Rangoon* à Hong-kong. Ce Fogg avait la détestable habitude de sauter d'un bateau dans un autre, et, avant que l'affaire fût entamée, il pouvait être déjà loin.

L'important était donc de prévenir les autorités anglaises et de signaler le passage du *Rangoon* avant son débarquement. Or, rien n'était plus facile, puisque le paquebot faisait escale à Singapore, et que Singapore est reliée à la côte chinoise par un fil télégraphique.

Toutefois, avant d'agir et pour opérer plus sûrement, Fix résolut d'interroger Passepartout. Il savait qu'il n'était pas très difficile de faire parler ce garçon, et il se décida à rompre l'incognito qu'il avait gardé jusqu'alors. Or, il n'y avait pas de temps à perdre. On était au 30 octobre, et le lendemain même le *Rangoon* devait relâcher[1] à Singapore.

Donc, ce jour-là, Fix, sortant de sa cabine, monta sur le pont, dans l'intention d'aborder Passepartout « le premier » avec les marques de la plus extrême surprise. Passepartout se promenait à l'avant, quand l'inspecteur se précipita vers lui, s'écriant :

« Vous, sur le *Rangoon* !

– Monsieur Fix à bord ! répondit Passepartout, absolument surpris, en reconnaissant son compagnon de traversée du *Mongolia*. Quoi ! je vous laisse à Bombay, et je vous retrouve sur la route de Hong-kong ! Mais vous faites donc, vous aussi, le tour du monde ?

– Non, non, répondit Fix, et je compte m'arrêter à Hong-kong, au moins quelques jours.

---

1. **Relâcher :** faire une escale.

– Ah ! dit Passepartout, qui parut un instant étonné. Mais
2910 comment ne vous ai-je pas aperçu à bord depuis notre départ de
Calcutta ?

– Ma foi, un malaise... un peu de mal de mer... Je suis resté
couché dans ma cabine... Le golfe du Bengale ne me réussit pas
aussi bien que l'océan Indien. Et votre maître, Mr. Phileas Fogg ?

2915 – En parfaite santé, et aussi ponctuel que son itinéraire ! Pas un
jour de retard ! Ah ! monsieur Fix, vous ne savez pas cela, vous,
mais nous avons aussi une jeune dame avec nous.

– Une jeune dame ? » répondit l'agent, qui avait parfaitement
l'air de ne pas comprendre ce que son interlocuteur voulait dire.

2920 Mais Passepartout l'eut bientôt mis au courant de son histoire. Il
raconta l'incident de la pagode de Bombay, l'acquisition de l'éléphant
au prix de deux mille livres, l'affaire du *sutty*, l'enlèvement d'Aouda,
la condamnation du tribunal de Calcutta, la liberté sous caution.
Fix, qui connaissait la dernière partie de ces incidents, semblait les
2925 ignorer tous, et Passepartout se laissait aller au charme de narrer
ses aventures devant un auditeur qui lui marquait tant d'intérêt.

« Mais, en fin de compte, demanda Fix, est-ce que votre maître
a l'intention d'emmener cette jeune femme en Europe ?

– Non pas, monsieur Fix, non pas ! Nous allons tout simplement
2930 la remettre aux soins de l'un de ses parents, riche négociant de
Hong-kong. »

« Rien à faire ! » se dit le détective en dissimulant son désappointement. « Un verre de gin[1], monsieur Passepartout ?

– Volontiers, monsieur Fix. C'est bien le moins que nous buvions
2935 à notre rencontre à bord du *Rangoon* ! »

1. **Gin** : alcool.

Où il est question de choses et d'autres pendant la traversée de Singapore à Hong-kong

Depuis ce jour, Passepartout et le détective se rencontrèrent fréquemment, mais l'agent se tint dans une extrême réserve vis-à-vis de son compagnon, et il n'essaya point de le faire parler. Une ou deux fois seulement, il entrevit Mr. Fogg, qui restait volontiers dans le grand salon du *Rangoon*, soit qu'il tînt compagnie à Mrs. Aouda, soit qu'il jouât au whist, suivant son invariable habitude.

Quant à Passepartout, il s'était pris très sérieusement à méditer sur le singulier hasard qui avait mis, encore une fois, Fix sur la route de son maître. Et, en effet, on eût été étonné à moins. Ce gentleman, très aimable, très complaisant à coup sûr, que l'on rencontre d'abord à Suez, qui s'embarque sur le *Mongolia*, qui débarque à Bombay, où il dit devoir séjourner, que l'on retrouve sur le *Rangoon*, faisant route pour Hong-kong, en un mot, suivant pas à pas l'itinéraire de Mr. Fogg, cela valait la peine qu'on y réfléchît. Il y avait là une concordance au moins bizarre. À qui en avait ce Fix ? Passepartout était prêt à parier ses babouches – il les avait précieusement conservées – que le Fix quitterait Hong-kong en même temps qu'eux, et probablement sur le même paquebot.

Passepartout eût réfléchi pendant un siècle, qu'il n'aurait jamais deviné de quelle mission l'agent avait été chargé. Jamais il n'eût imaginé que Phileas Fogg fût filé, à la façon d'un voleur, autour du globe terrestre. Mais comme il est dans la nature humaine de

donner une explication à toute chose, voici comment Passepartout, soudainement illuminé, interpréta la présence permanente de
2960 Fix, et, vraiment, son interprétation était fort plausible. En effet, suivant lui, Fix n'était et ne pouvait être qu'un agent lancé sur les traces de Mr. Fogg par ses collègues du Reform Club, afin de constater que ce voyage s'accomplissait régulièrement autour du monde, suivant l'itinéraire convenu.

2965 « C'est évident ! c'est évident ! se répétait l'honnête garçon, tout fier de sa perspicacité. C'est un espion que ces gentlemen ont mis à nos trousses ! Voilà qui n'est pas digne ! Mr. Fogg si probe, si honorable ! Le faire épier par un agent ! Ah ! messieurs du Reform Club, cela vous coûtera cher ! »

2970 Passepartout, enchanté de sa découverte, résolut cependant de n'en rien dire à son maître, craignant que celui-ci ne fût justement blessé de cette défiance que lui montraient ses adversaires. Mais il se promit bien de gouailler[1] Fix à l'occasion, à mots couverts et sans se compromettre.

2975 Le mercredi 30 octobre, dans l'après-midi, le *Rangoon* embouquait[2] le détroit de Malacca, qui sépare la presqu'île de ce nom des terres de Sumatra. Des îlots montagneux très escarpés, très pittoresques dérobaient aux passagers la vue de la grande île.

Le lendemain, à quatre heures du matin, le *Rangoon*, ayant
2980 gagné une demi-journée sur sa traversée réglementaire, relâchait à Singapore, afin d'y renouveler sa provision de charbon.

Phileas Fogg inscrivit cette avance à la colonne des gains, et, cette fois, il descendit à terre, accompagnant Mrs. Aouda, qui avait manifesté le désir de se promener pendant quelques heures. ·

---

1. **Gouailler** : se moquer.
2. **Embouquer** : s'engager dans.

Singapour vers 1876.

2985   Fix, à qui toute action de Fogg paraissait suspecte, le suivit sans se laisser apercevoir. Quant à Passepartout, qui riait *in petto*[1] à voir la manœuvre de Fix, il alla faire ses emplettes ordinaires.

    L'île de Singapore n'est ni grande ni imposante d'aspect. Les montagnes, c'est-à-dire les profils, lui manquent. Toutefois, elle
2990 est charmante dans sa maigreur. C'est un parc coupé de belles routes. Un joli équipage, attelé de ces chevaux élégants qui ont été importés de la Nouvelle-Hollande[2], transporta Mrs. Aouda et Phileas Fogg au milieu des massifs de palmiers à l'éclatant

1. **In petto** : voir note, p. 85.
2. **Nouvelle-Hollande** : Australie.

feuillage et de girofliers dont les clous sont formés du bouton
2995 même de la fleur entrouverte. Là, les buissons de poivriers
remplaçaient les haies épineuses des campagnes européennes ;
des sagoutiers[1], de grandes fougères avec leur ramure superbe,
variaient l'aspect de cette région tropicale ; des muscadiers au
feuillage verni saturaient l'air d'un parfum pénétrant. Les singes,
3000 bandes alertes et grimaçantes, ne manquaient pas dans les bois, ni
peut-être les tigres dans les jungles. À qui s'étonnerait d'apprendre
que dans cette île, si petite relativement, ces terribles carnassiers
ne fussent pas détruits jusqu'au dernier, on répondra qu'ils viennent de Malacca, en traversant le détroit à la nage.

3005 Après avoir parcouru la campagne pendant deux heures,
Mrs. Aouda et son compagnon, qui regardait un peu sans voir,
rentrèrent dans la ville, vaste agglomération de maisons lourdes
et écrasées, qu'entourent de charmants jardins où poussent des
mangoustes[2], des ananas et tous les meilleurs fruits du monde.

3010 À dix heures, ils revenaient au paquebot, après avoir été suivis,
sans s'en douter, par l'inspecteur, qui avait dû lui aussi se mettre
en frais d'équipage.

Passepartout les attendait sur le pont du *Rangoon*. Le brave
garçon avait acheté quelques douzaines de mangoustes, grosses
3015 comme des pommes moyennes, d'un brun foncé au-dehors, d'un
rouge éclatant au-dedans, et dont le fruit blanc, en fondant entre
les lèvres, procure aux vrais gourmets une jouissance sans pareille.
Passepartout fut trop heureux de les offrir à Mrs. Aouda, qui le
remercia avec beaucoup de grâce.

---

1. **Sagoutier** : plante ressemblant au palmier.
2. **Mangouste** : fruit tropical.

3020 À onze heures, le *Rangoon*, ayant son plein de charbon, larguait ses amarres, et, quelques heures plus tard, les passagers perdaient de vue ces hautes montagnes de Malacca, dont les forêts abritent les plus beaux tigres de la terre.

Treize cents milles environ séparent Singapore de l'île de 3025 Hong-kong, petit territoire anglais détaché de la côte chinoise. Phileas Fogg avait intérêt à les franchir en six jours au plus, afin de prendre à Hong-kong le bateau qui devait partir le 6 novembre pour Yokohama, l'un des principaux ports du Japon.

Le *Rangoon* était fort chargé. De nombreux passagers s'étaient 3030 embarqués à Singapore, des Indous, des Ceylandais, des Chinois, des Malais, des Portugais, qui, pour la plupart, occupaient les secondes places.

Le temps, assez beau jusqu'alors, changea avec le dernier quartier de la lune. Il y eut grosse mer. Le vent souffla quelquefois 3035 en grande brise, mais très heureusement de la partie du sud-est, ce qui favorisait la marche du steamer. Quand il était maniable, le capitaine faisait établir la voilure. Le *Rangoon*, gréé en brick[1], navigua souvent avec ses deux huniers et sa misaine[2], et sa rapidité s'accrut sous la double action de la vapeur et du vent. C'est ainsi 3040 que l'on prolongea, sur une lame courte et parfois très fatigante, les côtes d'Annam et de Cochinchine.

Mais la faute en était plutôt au *Rangoon* qu'à la mer, et c'est à ce paquebot que les passagers, dont la plupart furent malades, durent s'en prendre de cette fatigue.

---

1. **Gréé en brick** : équipé d'un voilier à deux mâts.
2. **Hunier, misaine** : voiles.

3045 En effet, les navires de la Compagnie péninsulaire, qui font le service des mers de Chine, ont un sérieux défaut de construction. Le rapport de leur tirant d'eau en charge[1] avec leur creux[2] a été mal calculé, et, par suite, ils n'offrent qu'une faible résistance à la mer. Leur volume, clos, impénétrable à l'eau, est insuffisant. Ils
3050 sont « noyés », pour employer l'expression maritime, et, en conséquence de cette disposition, il ne faut que quelques paquets de mer, jetés à bord, pour modifier leur allure. Ces navires sont donc très inférieurs, sinon par le moteur et l'appareil évaporatoire, du moins par la construction, aux types des Messageries[3] françaises,
3055 tels que l'*Impératrice* et le *Cambodge*. Tandis que, suivant les calculs des ingénieurs, ceux-ci peuvent embarquer un poids d'eau égal à leur propre poids avant de sombrer, les bateaux de la Compagnie péninsulaire, le *Golgonda*, le *Corea*, et enfin le *Rangoon*, ne pourraient pas embarquer le sixième de leur poids sans couler par le
3060 fond.

Donc, par le mauvais temps, il convenait de prendre de grandes précautions. Il fallait quelquefois mettre à la cape[4] sous petite vapeur. C'était une perte de temps qui ne paraissait affecter Phileas Fogg en aucune façon, mais dont Passepartout se montrait
3065 extrêmement irrité. Il accusait alors le capitaine, le mécanicien, la Compagnie, et envoyait au diable tous ceux qui se mêlent de transporter des voyageurs. Peut-être aussi la pensée de ce bec de gaz qui continuait de brûler à son compte dans la maison de Saville Row entrait-elle pour beaucoup dans son impatience.

---

1. **Tirant d'eau en charge** : volume d'eau déplacé par le bateau quand les soutes sont remplies.
2. **Creux** : profondeur maximale de la voile.
3. **Messageries** : bateaux transportant des marchandises.
4. **Mettre à la cape** : réduire la vitesse d'un bateau.

3070 « Mais vous êtes donc bien pressé d'arriver à Hong-kong ? lui demanda un jour le détective.

— Très pressé ! répondit Passepartout.

— Vous pensez que Mr. Fogg a hâte de prendre le paquebot de Yokohama ?

3075 — Une hâte effroyable.

— Vous croyez donc maintenant à ce singulier voyage autour du monde ?

— Absolument. Et vous, monsieur Fix ?

— Moi ? je n'y crois pas !

3080 — Farceur ! » répondit Passepartout en clignant de l'œil.

Ce mot laissa l'agent rêveur. Ce qualificatif l'inquiéta, sans qu'il sût trop pourquoi. Le Français l'avait-il deviné ? Il ne savait trop que penser. Mais sa qualité de détective, dont seul il avait le secret, comment Passepartout aurait-il pu la reconnaître ? Et

3085 cependant, en lui parlant ainsi, Passepartout avait certainement eu une arrière-pensée.

Il arriva même que le brave garçon alla plus loin, un autre jour, mais c'était plus fort que lui. Il ne pouvait tenir sa langue.

« Voyons, monsieur Fix, demanda-t-il à son compagnon d'un ton

3090 malicieux, est-ce que, une fois arrivés à Hong-kong, nous aurons le malheur de vous y laisser ?

— Mais, répondit Fix assez embarrassé, je ne sais !... Peut-être que...

— Ah ! dit Passepartout, si vous nous accompagniez, ce serait un

3095 bonheur pour moi ! Voyons ! un agent de la Compagnie péninsulaire ne saurait s'arrêter en route ! Vous n'alliez qu'à Bombay, et vous voici bientôt en Chine ! L'Amérique n'est pas loin, et de l'Amérique à l'Europe il n'y a qu'un pas ! »

Fix regardait attentivement son interlocuteur, qui lui montrait la
figure la plus aimable du monde, et il prit le parti de rire avec lui.
Mais celui-ci, qui était en veine, lui demanda si ça lui rapportait
beaucoup, ce métier-là.

« Oui et non, répondit Fix sans sourciller. Il y a de bonnes et de
mauvaises affaires. Mais vous comprenez bien que je ne voyage
pas à mes frais !

– Oh ! pour cela, j'en suis sûr ! » s'écria Passepartout, riant de
plus belle.

La conversation finie, Fix rentra dans sa cabine et se mit à réfléchir. Il était évidemment deviné. D'une façon ou d'une autre, le
Français avait reconnu sa qualité de détective. Mais avait-il prévenu
son maître ? Quel rôle jouait-il dans tout ceci ? Était-il complice
ou non ? L'affaire était-elle éventée, et par conséquent manquée ?
L'agent passa là quelques heures difficiles, tantôt croyant tout
perdu, tantôt espérant que Fogg ignorait la situation, enfin ne
sachant quel parti prendre.

Cependant le calme se rétablit dans son cerveau, et il résolut
d'agir franchement avec Passepartout. S'il ne se trouvait pas dans
les conditions voulues pour arrêter Fogg à Hong-kong, et si Fogg se
préparait à quitter définitivement cette fois le territoire anglais, lui,
Fix, dirait tout à Passepartout. Ou le domestique était le complice
de son maître – et celui-ci savait tout, et dans ce cas l'affaire était
définitivement compromise – ou le domestique n'était pour rien
dans le vol, et alors son intérêt serait d'abandonner le voleur.

Telle était donc la situation respective de ces deux hommes, et
au-dessus d'eux Phileas Fogg planait dans sa majestueuse indiffé-
rence. Il accomplissait rationnellement son orbite autour du monde,
sans s'inquiéter des astéroïdes qui gravitaient autour de lui.

Et cependant, dans le voisinage, il y avait, suivant l'expression des astronomes, un astre troublant qui aurait dû produire
3130 certaines perturbations sur le cœur de ce gentleman. Mais non !
Le charme de Mrs. Aouda n'agissait point, à la grande surprise de Passepartout, et les perturbations, si elles existaient, eussent été plus difficiles à calculer que celles d'Uranus qui ont amené la découverte de Neptune.

3135 Oui ! c'était un étonnement de tous les jours pour Passepartout, qui lisait tant de reconnaissance envers son maître dans les yeux de la jeune femme ! Décidément Phileas Fogg n'avait de cœur que ce qu'il en fallait pour se conduire héroïquement, mais amoureusement, non ! Quant aux préoccupations que les chances de
3140 ce voyage pouvaient faire naître en lui, il n'y en avait pas trace. Mais Passepartout, lui, vivait dans des transes continuelles. Un jour, appuyé sur la rambarde de l'*engine-room*[1], il regardait la puissante machine qui s'emportait parfois, quand dans un violent mouvement de tangage, l'hélice s'affolait hors des flots. La vapeur
3145 fusait alors par les soupapes, ce qui provoqua la colère du digne garçon.

« Elles ne sont pas assez chargées, ces soupapes ! s'écria-t-il. On ne marche pas ! Voilà bien ces Anglais ! Ah ! si c'était un navire américain, on sauterait peut-être mais on irait plus vite ! »

---

1. **Engine-room** : salle des machines.

XVIII

Dans lequel Phileas Fogg, Passepartout, Fix, chacun de son côté, va à ses affaires

Pendant les derniers jours de la traversée, le temps fut assez mauvais. Le vent devint très fort. Fixé dans la partie du nord-ouest, il contraria la marche du paquebot. Le *Rangoon*, trop instable, roula considérablement, et les passagers furent en droit de garder rancune à ces longues lames affadissantes que le vent soulevait du large.

Pendant les journées du 3 et du 4 novembre, ce fut une sorte de tempête. La bourrasque battit la mer avec véhémence. Le *Rangoon* dut mettre à la cape pendant un demi-jour, se maintenant avec dix tours d'hélice seulement, de manière à biaiser avec les lames. Toutes les voiles avaient été serrées, et c'était encore trop de ces agrès[1] qui sifflaient au milieu des rafales.

La vitesse du paquebot, on le conçoit, fut notablement diminuée, et l'on put estimer qu'il arriverait à Hong-kong avec vingt heures de retard sur l'heure réglementaire, et plus même, si la tempête ne cessait pas.

Phileas Fogg assistait à ce spectacle d'une mer furieuse, qui semblait lutter directement contre lui, avec son habituelle impassibilité. Son front ne s'assombrit pas un instant, et, cependant, un retard de vingt heures pouvait compromettre son voyage en lui faisant manquer le départ du paquebot de Yokohama. Mais

---

1. **Agrès = gréement** : ensemble des objets nécessaires à la manœuvre des navires à voile.

3170 cet homme sans nerfs ne ressentait ni impatience ni ennui. Il semblait vraiment que cette tempête rentrât dans son programme, qu'elle fût prévue. Mrs. Aouda, qui s'entretint avec son compagnon de ce contretemps, le trouva aussi calme que par le passé.

Fix, lui, ne voyait pas ces choses du même œil. Bien au contraire.
3175 Cette tempête lui plaisait. Sa satisfaction aurait même été sans bornes, si le *Rangoon* eût été obligé de fuir devant la tourmente. Tous ces retards lui allaient, car ils obligeraient le sieur Fogg à rester quelques jours à Hong-kong. Enfin, le ciel, avec ses rafales et ses bourrasques, entrait dans son jeu. Il était bien un peu malade,
3180 mais qu'importe ! Il ne comptait pas ses nausées, et, quand son corps se tordait sous le mal de mer, son esprit s'ébaudissait d'une immense satisfaction.

Quant à Passepartout, on devine dans quelle colère peu dissimulée il passa ce temps d'épreuve. Jusqu'alors tout avait si bien
3185 marché ! La terre et l'eau semblaient être à la dévotion de son maître. Steamers et *railways* lui obéissaient. Le vent et la vapeur s'unissaient pour favoriser son voyage. L'heure des mécomptes avait-elle donc enfin sonné ? Passepartout, comme si les vingt mille livres du pari eussent dû sortir de sa bourse, ne vivait plus.
3190 Cette tempête l'exaspérait, cette rafale le mettait en fureur, et il eût volontiers fouetté cette mer désobéissante ! Pauvre garçon ! Fix lui cacha soigneusement sa satisfaction personnelle, et il fit bien, car si Passepartout eût deviné le secret contentement de Fix, Fix eût passé un mauvais quart d'heure.

3195 Passepartout, pendant toute la durée de la bourrasque, demeura sur le pont du *Rangoon*. Il n'aurait pu rester en bas ; il grimpait dans la mâture ; il étonnait l'équipage et aidait à tout avec une adresse de singe. Cent fois il interrogea le capitaine, les officiers,

les matelots, qui ne pouvaient s'empêcher de rire en voyant un
garçon si décontenancé. Passepartout voulait absolument savoir
combien de temps durerait la tempête. On le renvoyait alors au
baromètre, qui ne se décidait pas à remonter. Passepartout secouait
le baromètre[1], mais rien n'y faisait, ni les secousses, ni les injures
dont il accablait l'irresponsable instrument.

Enfin la tourmente s'apaisa. L'état de la mer se modifia dans la
journée du 4 novembre. Le vent sauta de deux quarts dans le sud
et redevint favorable.

Passepartout se rasséréna avec le temps. Les huniers et les basses
voiles purent être établis, et le *Rangoon* reprit sa route avec une
merveilleuse vitesse.

Mais on ne pouvait regagner tout le temps perdu. Il fallait bien
en prendre son parti, et la terre ne fut signalée que le 6, à cinq
heures du matin. L'itinéraire de Phileas Fogg portait l'arrivée du
paquebot au 5. Or, il n'arrivait que le 6. C'était donc vingt-quatre
heures de retard, et le départ pour Yokohama serait nécessairement manqué.

À six heures, le pilote monta à bord du *Rangoon* et prit place sur
la passerelle, afin de diriger le navire à travers les passes[2] jusqu'au
port de Hong-kong.

Passepartout mourait du désir d'interroger cet homme, de lui
demander si le paquebot de Yokohama avait quitté Hong-kong.
Mais il n'osait pas, aimant mieux conserver un peu d'espoir
jusqu'au dernier instant. Il avait confié ses inquiétudes à Fix,

1. **Baromètre** : instrument qui permet de mesurer la pression
atmosphérique. À bord des navires, l'usage du baromètre
permettait de prévoir les changements atmosphériques et
d'éviter d'être pris au dépourvu par les tempêtes.
2. **Passes** : canaux.

qui, le fin renard, essayait de le consoler, en lui disant que Mr. Fogg
3225 en serait quitte pour prendre le prochain paquebot. Ce qui mettait
Passepartout dans une colère bleue.

Mais si Passepartout ne se hasarda pas à interroger le pilote,
Mr. Fogg, après avoir consulté son *Bradshaw*, demanda de son air
tranquille audit pilote s'il savait quand il partirait un bateau de
3230 Hong-kong pour Yokohama.

« Demain, à la marée du matin, répondit le pilote.

– Ah ! » fit Mr. Fogg, sans manifester aucun étonnement.

Passepartout, qui était présent, eût volontiers embrassé le pilote,
auquel Fix aurait voulu tordre le cou.

3235 « Quel est le nom de ce steamer ? demanda Mr. Fogg.

– Le *Carnatic*, répondit le pilote.

– N'était-ce pas hier qu'il devait partir ?

– Oui, monsieur, mais on a dû réparer une de ses chaudières,
et son départ a été remis à demain.

3240 – Je vous remercie », répondit Mr. Fogg, qui de son pas automa-
tique redescendit dans le salon du *Rangoon*.

Quant à Passepartout, il saisit la main du pilote et l'étreignit
vigoureusement en disant :

« Vous, pilote, vous êtes un brave homme ! »

3245 Le pilote[1] ne sut jamais, sans doute, pourquoi ses réponses lui
valurent cette amicale expansion. À un coup de sifflet, il remonta
sur la passerelle et dirigea le paquebot au milieu de cette flottille
de jonques, de tankas[2], de bateaux-pêcheurs, de navires de toutes
sortes, qui encombraient les pertuis[3] de Hong-kong.

---

1. **Pilote** : marin qui guide les navires abordant un port.
2. **Jonques, tankas** : bateaux utilisés en Asie.
3. **Pertuis** : passage étroit.

3250 À une heure, le *Rangoon* était à quai, et les passagers débarquaient.

En cette circonstance, le hasard avait singulièrement servi Phileas Fogg, il faut en convenir. Sans cette nécessité de réparer ses chaudières, le *Carnatic* fût parti à la date du 5 novembre, et
3255 les voyageurs pour le Japon auraient dû attendre pendant huit jours le départ du paquebot suivant. Mr. Fogg, il est vrai, était en retard de vingt-quatre heures, mais ce retard ne pouvait avoir de conséquences fâcheuses pour le reste du voyage.

En effet, le steamer qui fait de Yokohama à San Francisco la
3260 traversée du Pacifique était en correspondance directe avec le paquebot de Hong-kong, et il ne pouvait partir avant que celui-ci fût arrivé. Évidemment il y aurait vingt-quatre heures de retard à Yokohama, mais, pendant les vingt-deux jours que dure la traversée du Pacifique, il serait facile de les regagner. Phileas Fogg se trou-
3265 vait donc, à vingt-quatre heures près, dans les conditions de son programme, trente-cinq jours après avoir quitté Londres.

Le *Carnatic* ne devant partir que le lendemain matin à cinq heures, Mr. Fogg avait devant lui seize heures pour s'occuper de ses affaires, c'est-à-dire de celles qui concernaient Mrs. Aouda.
3270 Au débarqué du bateau, il offrit son bras à la jeune femme et la conduisit vers un palanquin. Il demanda aux porteurs de lui indiquer un hôtel, et ceux-ci lui désignèrent l'*Hôtel du Club*. Le palanquin se mit en route, suivi de Passepartout, et vingt minutes après il arrivait à destination.

3275 Un appartement fut retenu pour la jeune femme et Phileas Fogg veilla à ce qu'elle ne manquât de rien. Puis il dit à Mrs. Aouda qu'il allait immédiatement se mettre à la recherche de ce parent aux soins duquel il devait la laisser à Hong-kong. En même temps il

donnait à Passepartout l'ordre de demeurer à l'hôtel jusqu'à son
3280 retour, afin que la jeune femme n'y restât pas seule.

Le gentleman se fit conduire à la Bourse. Là, on connaîtrait
immanquablement un personnage tel que l'honorable Jejeeh, qui
comptait parmi les plus riches commerçants de la ville.

Le courtier auquel s'adressa Mr. Fogg connaissait en effet le
3285 négociant parsi. Mais, depuis deux ans, celui-ci n'habitait plus la
Chine. Sa fortune faite, il s'était établi en Europe, en Hollande,
croyait-on, ce qui s'expliquait par suite de nombreuses relations
qu'il avait eues avec ce pays pendant son existence commerciale.

Phileas Fogg revint à l'*Hôtel du Club*. Aussitôt il fit demander à
3290 Mrs. Aouda la permission de se présenter devant elle, et, sans autre
préambule, il lui apprit que l'honorable Jejeeh ne résidait plus à
Hong-kong, et qu'il habitait vraisemblablement la Hollande.

À cela, Mrs. Aouda ne répondit rien d'abord. Elle passa sa main
sur son front, et resta quelques instants à réfléchir. Puis, de sa
3295 douce voix :

« Que dois-je faire, monsieur Fogg ? dit-elle.

– C'est très simple, répondit le gentleman. Revenir en Europe.

– Mais je ne puis abuser...

– Vous n'abusez pas, et votre présence ne gêne en rien mon
3300 programme... Passepartout ?

– Monsieur ? répondit Passepartout.

– Allez au *Carnatic*, et retenez trois cabines. »

Passepartout, enchanté de continuer son voyage dans la compagnie de la jeune femme, qui était fort gracieuse pour lui, quitta
3305 aussitôt l'*Hôtel du Club*.

XIX

Où Passepartout prend un trop vif intérêt à son maître, et ce qui s'ensuit

Hong-kong n'est qu'un îlot, dont le traité de Nanking, après la guerre de 1842, assura la possession à l'Angleterre. En quelques années, le génie colonisateur de la Grande-Bretagne y avait fondé une ville importante et créé un port, le port Victoria. Cette île est située à l'embouchure de la rivière de Canton, et soixante milles seulement la séparent de la cité portugaise de Macao, bâtie sur l'autre rive. Hong-kong devait nécessairement vaincre Macao dans une lutte commerciale, et maintenant la plus grande partie du transit[1] chinois s'opère par la ville anglaise. Des docks, des hôpitaux, des wharfs[2], des entrepôts, une cathédrale gothique, un *government house*[3], des rues macadamisées, tout ferait croire qu'une des cités commerçantes des comtés de Kent ou de Surrey, traversant le sphéroïde terrestre, est venue ressortir en ce point de la Chine, presque à ses antipodes.

Passepartout, les mains dans les poches, se rendit donc vers le port Victoria, regardant les palanquins, les brouettes à voile, encore en faveur dans le Céleste Empire, et toute cette foule de Chinois, de Japonais et d'Européens, qui se pressait dans les rues. À peu de chose près, c'était encore Bombay, Calcutta ou Singapore, que

---

1. **Transit** : transport de marchandises.
2. **Wharfs** : quais.
3. **Government house** : bâtiment destiné au gouverneur d'un
   État colonial.

3325 le digne garçon retrouvait sur son parcours. Il y a ainsi comme une traînée de villes anglaises tout autour du monde.

Passepartout arriva au port Victoria. Là, à l'embouchure de la rivière de Canton, c'était un fourmillement de navires de toutes nations, des anglais, des français, des américains, des hollandais,
3330 bâtiments de guerre et de commerce, des embarcations japonaises ou chinoises, des jonques, des sampans[1], des *tankas*, et même des bateaux-fleurs qui formaient autant de parterres flottants sur les eaux. En se promenant, Passepartout remarqua un certain nombre d'indigènes vêtus de jaune, tous très avancés en âge. Étant entré
3335 chez un barbier chinois pour se faire raser à la chinoise, il apprit par le Figaro[2] de l'endroit, qui parlait un assez bon anglais, que ces vieillards avaient tous quatre-vingts ans au moins, et qu'à cet âge ils avaient le privilège de porter la couleur jaune, qui est la couleur impériale. Passepartout trouva cela fort drôle, sans trop
3340 savoir pourquoi.

Sa barbe faite, il se rendit au quai d'embarquement du *Carnatic*, et là il aperçut Fix qui se promenait de long en large, ce dont il ne fut point étonné. Mais l'inspecteur de police laissait voir sur son visage les marques d'un vif désappointement.

3345 « Bon ! se dit Passepartout, cela va mal pour les gentlemen du Reform Club ! »

Et il accosta Fix avec son joyeux sourire, sans vouloir remarquer l'air vexé de son compagnon.

---

1. **Sampan** : bateau chinois.
2. **Figaro** : héros du *Barbier de Séville* (1775) et du *Mariage de Figaro* (1778), pièces écrites par Beaumarchais. Figaro exerce la profession de barbier.

Or, l'agent avait de bonnes raisons pour pester contre l'infernale
3350 chance qui le poursuivait. Pas de mandat ! Il était évident que le
mandat courait après lui, et ne pourrait l'atteindre que s'il séjour-
nait quelques jours en cette ville. Or, Hong-kong étant la dernière
terre anglaise du parcours, le sieur Fogg allait lui échapper définitivement, s'il ne parvenait pas à l'y retenir.

3355 « Eh bien, monsieur Fix, êtes-vous décidé à venir avec nous
jusqu'en Amérique ? demanda Passepartout.

– Oui, répondit Fix les dents serrées.

– Allons donc ! s'écria Passepartout en faisant entendre un
retentissant éclat de rire. Je savais bien que vous ne pourriez pas
3360 vous séparer de nous. Venez retenir votre place, venez ! »

Et tous deux entrèrent au bureau des transports maritimes et
arrêtèrent des cabines pour quatre personnes. Mais l'employé leur
fit observer que les réparations du *Carnatic* étant terminées, le
paquebot partirait le soir même à huit heures, et non le lendemain
3365 matin, comme il avait été annoncé.

« Très bien ! répondit Passepartout, cela arrangera mon maître.
Je vais le prévenir. »

À ce moment, Fix prit un parti extrême. Il résolut de tout dire à
Passepartout. C'était le seul moyen peut-être qu'il eût de retenir
3370 Phileas Fogg pendant quelques jours à Hong-kong.

En quittant le bureau, Fix offrit à son compagnon de se rafraîchir
dans une taverne. Passepartout avait le temps. Il accepta l'invita-
tion de Fix.

Une taverne s'ouvrait sur le quai. Elle avait un aspect engageant.
3375 Tous deux y entrèrent. C'était une vaste salle bien décorée, au fond

de laquelle s'étendait un lit de camp, garni de coussins. Sur ce lit étaient rangés un certain nombre de dormeurs.

Une trentaine de consommateurs occupaient dans la grande salle de petites tables en jonc tressé. Quelques-uns vidaient des
3380 pintes de bière anglaise, *ale*[1] ou *porter*, d'autres, des brocs de liqueurs alcooliques, gin ou brandy. En outre, la plupart fumaient de longues pipes de terre rouge, bourrées de petites boulettes d'opium mélangé d'essence de rose. Puis, de temps en temps, quelque fumeur énervé[2] glissait sous la table, et les garçons de
3385 l'établissement, le prenant par les pieds et par la tête, le portaient sur le lit de camp près d'un confrère. Une vingtaine de ces ivrognes étaient ainsi rangés côte à côte, dans le dernier degré d'abrutissement.

Fix et Passepartout comprirent qu'ils étaient entrés dans une
3390 tabagie hantée de ces misérables, hébétés, amaigris, idiots, auxquels la mercantile Angleterre vend annuellement pour deux cent soixante millions de francs de cette funeste drogue qui s'appelle l'opium ! Tristes millions que ceux-là, prélevés sur un des plus funestes vices de la nature humaine.

3395 Le gouvernement chinois a bien essayé de remédier à un tel abus par des lois sévères, mais en vain. De la classe riche, à laquelle l'usage de l'opium était d'abord formellement réservé, cet usage descendit jusqu'aux classes inférieures, et les ravages ne purent plus être arrêtés. On fume l'opium partout et toujours dans l'Em-
3400 pire du Milieu. Hommes et femmes s'adonnent à cette passion déplorable, et lorsqu'ils sont accoutumés à cette inhalation, ils ne

---

1. **Ale** : bière blonde. **Porter** : bière brune.
2. **Énervé** : abattu.

peuvent plus s'en passer, à moins d'éprouver d'horribles contractions de l'estomac. Un grand fumeur peut fumer jusqu'à huit pipes par jour mais il meurt en cinq ans.

3405 Or, c'était dans une des nombreuses tabagies de ce genre, qui pullulent, même à Hong-kong, que Fix et Passepartout étaient entrés avec l'intention de se rafraîchir. Passepartout n'avait pas d'argent, mais il accepta volontiers la « politesse » de son compagnon, quitte à la lui rendre en temps et lieu.

3410 On demanda deux bouteilles de porto, auxquelles le Français fit largement honneur, tandis que Fix, plus réservé, observait son compagnon avec une extrême attention. On causa de choses et d'autres, et surtout de cette excellente idée qu'avait eue Fix de prendre passage sur le *Carnatic*. Et à propos de ce steamer, dont 3415 le départ se trouvait avancé de quelques heures, Passepartout, les bouteilles étant vides, se leva, afin d'aller prévenir son maître.

Fix le retint.

« Un instant, dit-il.

– Que voulez-vous, monsieur Fix ?

3420 – J'ai à vous parler de choses sérieuses.

– De choses sérieuses ! s'écria Passepartout en vidant quelques gouttes de vin restées au fond de son verre. Eh bien, nous en parlerons demain. Je n'ai pas le temps aujourd'hui.

– Restez, répondit Fix. Il s'agit de votre maître ! »

3425 Passepartout, à ce mot, regarda attentivement son interlocuteur.

L'expression du visage de Fix lui parut singulière. Il se rassit.

« Qu'est-ce donc que vous avez à me dire ? » demanda-t-il.

Fix appuya sa main sur le bras de son compagnon et, baissant
3430 la voix :

« Vous avez deviné qui j'étais ? lui demanda-t-il.

– Parbleu ! dit Passepartout en souriant.

– Alors je vais tout vous avouer...

– Maintenant que je sais tout, mon compère ! Ah ! voilà qui n'est
3435 pas fort ! Enfin, allez toujours. Mais auparavant, laissez-moi vous
dire que ces gentlemen se sont mis en frais bien inutilement !

– Inutilement ! dit Fix. Vous en parlez à votre aise ! On voit bien
que vous ne connaissez pas l'importance de la somme !

– Mais si, je la connais, répondit Passepartout. Vingt mille
3440 livres !

– Cinquante-cinq mille ! reprit Fix, en serrant la main du
Français.

– Quoi ! s'écria Passepartout, Mr. Fogg aurait osé !... Cinquante-
cinq mille livres !... Eh bien ! raison de plus pour ne pas perdre
3445 un instant, ajouta-t-il en se levant de nouveau.

– Cinquante-cinq mille livres ! reprit Fix, qui força Passepartout
à se rasseoir, après avoir fait apporter un flacon de brandy. Et si je
réussis, je gagne une prime de deux mille livres. En voulez-vous
cinq cents (12 500 F) à la condition de m'aider ?

3450 – Vous aider ? s'écria Passepartout, dont les yeux étaient démesurément ouverts.

– Oui, m'aider à retenir le sieur Fogg pendant quelques jours
à Hong-kong !

– Hein ! fit Passepartout, que dites-vous là ? Comment ! non
3455 content de faire suivre mon maître, de suspecter sa loyauté, ces
gentlemen veulent encore lui susciter des obstacles ! J'en suis
honteux pour eux !

– Ah çà ! que voulez-vous dire ? demanda Fix.

3460 – Je veux dire que c'est de la pure indélicatesse. Autant dépouiller Mr. Fogg, et lui prendre l'argent dans la poche !

– Eh ! c'est bien à cela que nous comptons arriver !

– Mais c'est un guet-apens ! s'écria Passepartout, qui s'animait alors sous l'influence du brandy que lui servait Fix, et qu'il buvait sans s'en apercevoir, un guet-apens véritable ! Des gentlemen ! 3465 des collègues ! »

Fix commençait à ne plus comprendre.

« Des collègues ! s'écria Passepartout, des membres du Reform Club ! Sachez, monsieur Fix, que mon maître est un honnête homme, et que, quand il a fait un pari, c'est loyalement 3470 qu'il prétend le gagner.

– Mais qui croyez-vous donc que je sois ? demanda Fix, en fixant son regard sur Passepartout.

– Parbleu ! un agent des membres du Reform Club, qui a mission de contrôler l'itinéraire de mon maître, ce qui est singu- 3475 lièrement humiliant ! Aussi, bien que, depuis quelque temps déjà, j'aie deviné votre qualité, je me suis bien gardé de la révéler à Mr. Fogg !

– Il ne sait rien ?... demanda vivement Fix.

– Rien », répondit Passepartout en vidant encore une fois son 3480 verre.

L'inspecteur de police passa sa main sur son front. Il hésitait avant de reprendre la parole. Que devait-il faire ? L'erreur de Passepartout semblait sincère, mais elle rendait son projet plus difficile. Il était évident que ce garçon parlait avec une absolue 3485 bonne foi, et qu'il n'était point le complice de son maître, ce que Fix aurait pu craindre.

« Eh bien, se dit-il, puisqu'il n'est pas son complice, il m'aidera. »

Le détective avait une seconde fois pris son parti. D'ailleurs, il n'avait plus le temps d'attendre. À tout prix, il fallait arrêter Fogg à Hong-kong.

« Écoutez, dit Fix d'une voix brève, écoutez-moi bien. Je ne suis pas ce que vous croyez, c'est-à-dire un agent des membres du Reform Club...

– Bah ! dit Passepartout en le regardant d'un air goguenard.

– Je suis un inspecteur de police, chargé d'une mission par l'administration métropolitaine...

– Vous... inspecteur de police !...

– Oui, et je le prouve, reprit Fix. Voici ma commission[1]. »

Et l'agent, tirant un papier de son portefeuille, montra à son compagnon une commission signée du directeur de la police centrale. Passepartout, abasourdi, regardait Fix, sans pouvoir articuler une parole.

« Le pari du sieur Fogg, reprit Fix, n'est qu'un prétexte dont vous êtes dupes, vous et ses collègues du Reform Club, car il avait intérêt à s'assurer votre inconsciente complicité.

– Mais pourquoi ?... s'écria Passepartout.

– Écoutez. Le 28 septembre dernier, un vol de cinquante-cinq mille livres a été commis à la Banque d'Angleterre par un individu dont le signalement a pu être relevé. Or, voici ce signalement, et c'est trait pour trait celui du sieur Fogg.

---

1. **Commission** : autorisation donnée à un policier de mener une enquête.

– Allons donc ! s'écria Passepartout en frappant la table de son robuste poing. Mon maître est le plus honnête homme du monde !

3515 – Qu'en savez-vous ? répondit Fix. Vous ne le connaissez même pas ! Vous êtes entré à son service le jour de son départ, et il est parti précipitamment sous un prétexte insensé, sans malles, emportant une grosse somme en *banknotes* ! Et vous osez soutenir que c'est un honnête homme !

3520 – Oui ! oui ! répétait machinalement le pauvre garçon.

– Voulez-vous donc être arrêté comme son complice ? »

Passepartout avait pris sa tête à deux mains. Il n'était plus reconnaissable. Il n'osait regarder l'inspecteur de police. Phileas Fogg un voleur, lui, le sauveur d'Aouda, l'homme généreux et brave ! Et

3525 pourtant que de présomptions relevées contre lui ! Passepartout essayait de repousser les soupçons qui se glissaient dans son esprit. Il ne voulait pas croire à la culpabilité de son maître.

« Enfin, que voulez-vous de moi ? dit-il à l'agent de police, en se contenant par un suprême effort.

3530 – Voici, répondit Fix. J'ai filé le sieur Fogg jusqu'ici, mais je n'ai pas encore reçu le mandat d'arrestation, que j'ai demandé à Londres. Il faut donc que vous m'aidiez à retenir à Hong-kong...

– Moi ! que je...

– Et je partage avec vous la prime de deux mille livres promise

3535 par la Banque d'Angleterre !

– Jamais ! » répondit Passepartout, qui voulut se lever et retomba, sentant sa raison et ses forces lui échapper à la fois.

« Monsieur Fix, dit-il en balbutiant, quand bien même tout ce que vous m'avez dit serait vrai... quand mon maître serait le

3540 voleur que vous cherchez... ce que je nie... j'ai été... je suis à son service... je l'ai vu bon et généreux... Le trahir... jamais... non, pour tout l'or du monde... Je suis d'un village où l'on ne mange pas de ce pain-là !...

– Vous refusez ?

3545 – Je refuse.

– Mettons que je n'ai rien dit, répondit Fix, et buvons.

– Oui, buvons ! »

Passepartout se sentait de plus en plus envahir par l'ivresse. Fix, comprenant qu'il fallait à tout prix le séparer de son maître, voulut

3550 l'achever. Sur la table se trouvaient quelques pipes chargées d'opium●. Fix en glissa une dans la main de Passepartout, qui la prit, la porta à ses lèvres, l'alluma, respira quelques bouffées, et retomba, la tête alourdie sous l'influence du narcotique[1].

« Enfin, dit Fix en voyant Passepartout anéanti, le sieur Fogg ne

3555 sera pas prévenu à temps du départ du *Carnatic*, et s'il part, du moins partira-t-il sans ce maudit Français ! »

Puis il sortit, après avoir payé la dépense.

---

1. **Narcotique** : somnifère.

● L'opium provient du pavot, qui, une fois traité, se présente sous forme de poudre brun foncé que l'on mâche ou que l'on fume. L'usage de l'opium en médecine remonte à l'Antiquité : il était connu, entre autres, pour calmer la douleur. Mais c'est surtout une drogue dangereuse. À la fin du XIXᵉ siècle, les fumeries d'opium de la Chine étaient célèbres. L'opium a été introduit en Angleterre par des retraités de l'armée des Indes et s'est étendu rapidement, à des fins toxicomaniaques. L'écrivain T. de Quincey (1785-1859), toxicomane pendant dix-huit ans, a témoigné de son expérience, dans *Les confessions d'un mangeur d'opium*.

Pendant cette scène qui allait peut-être compromettre si gravement son avenir, Mr. Fogg, accompagnant Mrs. Aouda, se promenait dans les rues de la ville anglaise. Depuis que Mrs. Aouda
avait accepté son offre de la conduire jusqu'en Europe, il avait dû
songer à tous les détails que comporte un aussi long voyage. Qu'un
Anglais comme lui fît le tour du monde un sac à la main, passe
encore ; mais une femme ne pouvait entreprendre une pareille
traversée dans ces conditions. De là, nécessité d'acheter les vêtements et objets nécessaires au voyage. Mr. Fogg s'acquitta de sa
tâche avec le calme qui le caractérisait, et à toutes les excuses ou
objections de la jeune veuve, confuse de tant de complaisance :

« C'est dans l'intérêt de mon voyage, c'est dans mon programme »,
répondait-il invariablement.

Les acquisitions faites, Mr. Fogg et la jeune femme rentrèrent
à l'hôtel et dînèrent à la table d'hôte, qui était somptueusement
servie. Puis Mrs. Aouda, un peu fatiguée, remonta dans son appartement, après avoir à l'anglaise serré la main de son imperturbable
sauveur.

L'honorable gentleman, lui, s'absorba pendant toute la soirée
dans la lecture du *Times* et de l'*Illustrated London News*.

S'il avait été homme à s'étonner de quelque chose, c'eût été de
ne point voir apparaître son domestique à l'heure du coucher.
Mais, sachant que le paquebot de Yokohama ne devait pas quitter

Hong-kong avant le lendemain matin, il ne s'en préoccupa pas autrement. Le lendemain, Passepartout ne vint point au coup de sonnette de Mr. Fogg.

3585 Ce que pensa l'honorable gentleman en apprenant que son domestique n'était pas rentré à l'hôtel nul n'aurait pu le dire. Mr. Fogg se contenta de prendre son sac, fit prévenir Mrs. Aouda, et envoya chercher un palanquin.

Il était alors huit heures, et la pleine mer, dont le *Carnatic* devait profiter pour sortir des passes, était indiquée pour neuf heures 3590 et demie.

Lorsque le palanquin fut arrivé à la porte de l'hôtel, Mr. Fogg et Mrs. Aouda montèrent dans ce confortable véhicule, et les bagages suivirent derrière sur une brouette.

Une demi-heure plus tard, les voyageurs descendaient sur le 3595 quai d'embarquement, et là Mr. Fogg apprenait que le *Carnatic* était parti depuis la veille.

Mr. Fogg, qui comptait trouver, à la fois, et le paquebot et son domestique, en était réduit à se passer de l'un et de l'autre. Mais aucune marque de désappointement ne parut sur son visage, et 3600 comme Mrs. Aouda le regardait avec inquiétude, il se contenta de répondre :

« C'est un incident, madame, rien de plus. »

En ce moment, un personnage qui l'observait avec attention s'approcha de lui. C'était l'inspecteur Fix, qui le salua et lui dit : 3605 « N'êtes-vous pas comme moi, monsieur, un des passagers du *Rangoon*, arrivé hier ?

– Oui, monsieur, répondit froidement Mr. Fogg, mais je n'ai pas l'honneur...

– Pardonnez-moi, mais je croyais trouver ici votre domestique.

3610 – Savez-vous où il est, monsieur ? demanda vivement la jeune femme.

– Quoi ! répondit Fix, feignant la surprise, n'est-il pas avec vous ?

– Non, répondit Mrs. Aouda. Depuis hier, il n'a pas reparu. Se

3615 serait-il embarqué sans nous à bord du *Carnatic* ?

– Sans vous, madame ?... répondit l'agent. Mais, excusez ma question, vous comptiez donc partir sur ce paquebot ?

– Oui, monsieur.

– Moi aussi, madame, et vous me voyez très désappointé. Le

3620 *Carnatic*, ayant terminé ses réparations, a quitté Hong-kong douze heures plus tôt sans prévenir personne, et maintenant il faudra attendre huit jours le prochain départ ! »

En prononçant ces mots : « huit jours », Fix sentait son cœur bondir de joie. Huit jours ! Fogg retenu huit jours à Hong-kong !

3625 On aurait le temps de recevoir le mandat d'arrêt. Enfin, la chance se déclarait pour le représentant de la loi.

Que l'on juge donc du coup d'assommoir qu'il reçut, quand il entendit Phileas Fogg dire de sa voix calme :

« Mais il y a d'autres navires que le *Carnatic*, il me semble, dans

3630 le port de Hong-kong. »

Et Mr. Fogg, offrant son bras à Mrs. Aouda, se dirigea vers les docks à la recherche d'un navire en partance.

Fix, abasourdi, suivait. On eût dit qu'un fil le rattachait à cet homme.

3635 Toutefois, la chance sembla véritablement abandonner celui qu'elle avait si bien servi jusqu'alors. Phileas Fogg, pendant trois heures, parcourut le port en tous sens, décidé, s'il le fallait, à fréter[1] un bâtiment pour le transporter à Yokohama ; mais il ne vit que des navires en chargement ou en déchargement, et qui, par 3640 conséquent, ne pouvaient appareiller[2]. Fix se reprit à espérer.

Cependant Mr. Fogg ne se déconcertait pas, et il allait continuer ses recherches, dût-il pousser jusqu'à Macao, quand il fut accosté par un marin sur l'avant-port.

« Votre Honneur cherche un bateau ? lui dit le marin en se 3645 découvrant.

– Vous avez un bateau prêt à partir ?

– Oui, Votre Honneur, un bateau-pilote, n° 43, le meilleur de la flottille.

– Il marche bien ?

3650 – Entre huit et neuf milles, au plus près. Voulez-vous le voir ?

– Oui.

– Votre Honneur sera satisfait. Il s'agit d'une promenade en mer ?

– Non. D'un voyage.

– Un voyage ?

3655 – Vous chargez-vous de me conduire à Yokohama ? »

Le marin, à ces mots, demeura les bras ballants, les yeux écarquillés.

« Votre Honneur veut rire ? dit-il.

– Non ! j'ai manqué le départ du *Carnatic*, et il faut que je sois 3660 le 14, au plus tard, à Yokohama, pour prendre le paquebot de San Francisco.

– Je le regrette, répondit le pilote, mais c'est impossible.

---

1. **Fréter** : louer.
2. **Appareiller** : partir.

– Je vous offre cent livres (2 500 F) par jour, et une prime de deux cents livres si j'arrive à temps.

3665 – C'est sérieux ? demanda le pilote.

– Très sérieux », répondit Mr. Fogg.

Le pilote s'était retiré à l'écart. Il regardait la mer, évidemment combattu entre le désir de gagner une somme énorme et la crainte de s'aventurer si loin. Fix était dans des transes mortelles.

3670 Pendant ce temps, Mr. Fogg s'était retourné vers Mrs. Aouda.

« Vous n'aurez pas peur, madame ? lui demanda-t-il.

– Avec vous, non, monsieur Fogg », répondit la jeune femme.

Le pilote s'était de nouveau avancé vers le gentleman, et tournait son chapeau entre ses mains.

3675 « Eh bien, pilote ? dit Mr. Fogg.

– Eh bien, Votre Honneur, répondit le pilote, je ne puis risquer ni mes hommes, ni moi, ni vous-même, dans une si longue traversée sur un bateau de vingt tonneaux à peine, et à cette époque de l'année. D'ailleurs, nous n'arriverions pas à temps, car il y a seize

3680 cent cinquante milles de Hong-kong à Yokohama.

– Seize cents seulement, dit Mr. Fogg.

– C'est la même chose. »

Fix respira un bon coup d'air.

« Mais, ajouta le pilote, il y aurait peut-être moyen de s'arranger

3685 autrement. »

Fix ne respira plus.

« Comment ? demanda Phileas Fogg.

– En allant à Nagasaki, l'extrémité sud du Japon, onze cents milles, ou seulement à Shangaï, à huit cents milles de Hong-

3690 kong. Dans cette dernière traversée, on ne s'éloignerait pas de la côte chinoise, ce qui serait un grand avantage, d'autant plus que les courants y portent au nord.

– Pilote, répondit Phileas Fogg, c'est à Yokohama que je dois prendre la malle américaine, et non à Shangaï ou à Nagasaki.

3695 – Pourquoi pas ? répondit le pilote. Le paquebot de San Francisco ne part pas de Yokohama. Il fait escale à Yokohama et à Nagasaki, mais son port de départ est Shangaï.

– Vous êtes certain de ce vous dites ?

– Certain.

3700 – Et quand le paquebot quitte-t-il Shangaï ?

– Le 11, à sept heures du soir. Nous avons donc quatre jours devant nous. Quatre jours, c'est quatre-vingt-seize heures, et avec une moyenne de huit milles à l'heure, si nous sommes bien servis, si le vent tient au sud-est, si la mer est calme, nous pouvons
3705 enlever les huit cents milles qui nous séparent de Shangaï.

– Et vous pourriez partir ?...

– Dans une heure. Le temps d'acheter des vivres et d'appareiller.

– Affaire convenue... Vous êtes le patron du bateau ?

3710 – Oui, John Bunsby, patron de la *Tankadère*.

– Voulez-vous des arrhes[1] ?

– Si cela ne désoblige pas Votre Honneur.

– Voici deux cents livres à compte... Monsieur, ajouta Phileas Fogg en se retournant vers Fix, si vous voulez profiter...

3715 – Monsieur, répondit résolument Fix, j'allais vous demander cette faveur.

– Bien. Dans une demi-heure nous serons à bord.

---

1. **Arrhes** : acompte sur une somme que l'on doit.

— Mais ce pauvre garçon... dit Mrs. Aouda, que la disparition de Passepartout préoccupait extrêmement.

3720 — Je vais faire pour lui tout ce que je puis faire », répondit Phileas Fogg.

Et, tandis que Fix, nerveux, fiévreux, rageant, se rendait au bateau-pilote, tous deux se dirigèrent vers les bureaux de la police de Hong-kong. Là, Phileas Fogg donna le signalement de 3725 Passepartout, et laissa une somme suffisante pour le rapatrier. Même formalité fut remplie chez l'agent consulaire français, et le palanquin, après avoir touché à l'hôtel, où les bagages furent pris, ramena les voyageurs à l'avant-port.

Trois heures sonnaient. Le bateau-pilote n° 43, son équipage à 3730 bord, ses vivres embarqués, était prêt à appareiller.

C'était une charmante petite goélette[1] de vingt tonneaux que la *Tankadère*, bien pincée de l'avant, très dégagée dans ses façons, très allongée dans ses lignes d'eau. On eût dit un yacht de course. Ses cuivres brillants, ses ferrures galvanisées, son pont blanc comme 3735 de l'ivoire, indiquaient que le patron John Bunsby s'entendait à la tenir en bon état. Ses deux mâts s'inclinaient un peu sur l'arrière. Elle portait brigantine[2], misaine, trinquette, focs, flèches, et pouvait gréer une fortune pour le vent arrière. Elle devait merveilleusement marcher, et, de fait, elle avait déjà gagné plusieurs prix dans 3740 les *matches* de bateaux-pilotes.

L'équipage de la *Tankadère* se composait du patron John Bunsby et de quatre hommes. C'étaient de ces hardis marins qui, par tous les temps, s'aventurent à la recherche des navires, et connaissent

1. **Goélette** : petit voilier à deux mâts.
2. **Brigantine, trinquette, foc, flèche** : voiles de forme et de taille différentes.

admirablement ces mers. John Bunsby, un homme de quarante-
3745 cinq ans environ, vigoureux, noir de hâle, le regard vif, la figure
énergique, bien d'aplomb, bien à son affaire, eût inspiré confiance
aux plus craintifs.

Phileas Fogg et Mrs. Aouda passèrent à bord. Fix s'y trouvait
déjà. Par le capot d'arrière de la goélette, on descendait dans une
3750 chambre carrée, dont les parois s'évidaient en forme de cadres,
au-dessus d'un divan circulaire. Au milieu, une table éclairée par
une lampe de roulis. C'était petit, mais propre.

« Je regrette de n'avoir pas mieux à vous offrir », dit Mr. Fogg à
Fix, qui s'inclina sans répondre.

3755 L'inspecteur de police éprouvait comme une sorte d'humiliation
à profiter ainsi des obligeances du sieur Fogg.

« À coup sûr, pensait-il, c'est un coquin fort poli, mais c'est un
coquin ! »

À trois heures dix minutes, les voiles furent hissées. Le pavillon
3760 d'Angleterre battait à la corne de la goélette. Les passagers étaient
assis sur le pont. Mr. Fogg et Mrs. Aouda jetèrent un dernier
regard sur le quai, afin de voir si Passepartout n'apparaîtrait pas.

Fix n'était pas sans appréhension, car le hasard aurait pu
conduire en cet endroit même le malheureux garçon qu'il avait
3765 si indignement traité, et alors une explication eût éclaté, dont le
détective ne se fût pas tiré à son avantage. Mais le Français ne se
montra pas, et, sans doute, l'abrutissant narcotique le tenait encore
sous son influence.

Enfin, le patron John Bunsby passa au large, et la *Tankadère*,
3770 prenant le vent sous sa brigantine, sa misaine et ses focs, s'élança
en bondissant sur les flots.

XXI

Où le patron de la *Tankadère* risque fort de perdre une prime de deux cents livres

C'était une aventureuse expédition que cette navigation de huit cents milles, sur une embarcation de vingt tonneaux, et surtout à cette époque de l'année. Elles sont généralement mauvaises, ces mers de la Chine, exposées à des coups de vent terribles, principalement pendant les équinoxes[1], et on était encore aux premiers jours de novembre.

C'eût été, bien évidemment, l'avantage du pilote de conduire ses passagers jusqu'à Yokohama, puisqu'il était payé tant par jour. Mais son imprudence aurait été grande de tenter une telle traversée dans ces conditions, et c'était déjà faire acte d'audace, sinon de témérité, que de remonter jusqu'à Shangaï. Mais John Bunsby avait confiance en sa *Tankadère*, qui s'élevait à la lame comme une mauve[2], et peut-être n'avait-il pas tort.

Pendant les dernières heures de cette journée, la *Tankadère* navigua dans les passes capricieuses de Hong-kong, et sous toutes les allures, au plus près ou vent arrière, elle se comporta admirablement.

---

1. **Équinoxe** : période de l'année où le jour a une durée égale à celle de la nuit, d'un cercle polaire à l'autre.
2. **Mauve** : mouette.

« Je n'ai pas besoin, pilote, dit Phileas Fogg au moment où la
3790 goélette donnait en pleine mer, de vous recommander toute la
diligence possible.

– Que Votre Honneur s'en rapporte à moi, répondit John Bunsby.
En fait de voiles, nous portons tout ce que le vent permet de porter.
Nos flèches n'y ajouteraient rien, et ne serviraient qu'à assommer
3795 l'embarcation en nuisant à sa marche.

– C'est votre métier, et non le mien, pilote, et je me fie à
vous. »

Phileas Fogg, le corps droit, les jambes écartées, d'aplomb
comme un marin, regardait sans broncher la mer houleuse. La
3800 jeune femme, assise à l'arrière, se sentait émue en contemplant
cet océan, assombri déjà par le crépuscule, qu'elle bravait sur une
frêle embarcation. Au-dessus de sa tête se déployaient les voiles
blanches, qui l'emportaient dans l'espace comme de grandes ailes.
La goélette, soulevée par le vent, semblait voler dans l'air.

3805 La nuit vint. La lune entrait dans son premier quartier, et son
insuffisante lumière devait s'éteindre bientôt dans les brumes
de l'horizon. Des nuages chassaient de l'est et envahissaient déjà
une partie du ciel.

Le pilote avait disposé ses feux de position, précaution indis-
3810 pensable à prendre dans ces mers très fréquentées aux approches
des atterrages[1]. Les rencontres de navires n'y étaient pas rares, et,
avec la vitesse dont elle était animée, la goélette se fût brisée au
moindre choc.

Fix rêvait à l'avant de l'embarcation. Il se tenait à l'écart, sachant
3815 Fogg d'un naturel peu causeur. D'ailleurs, il lui répugnait de parler

---

1. **Atterrage** : proximité de la terre, lorsqu'on est en mer.

à cet homme, dont il acceptait les services. Il songeait aussi à l'avenir. Cela lui paraissait certain que le sieur Fogg ne s'arrêterait pas à Yokohama, qu'il prendrait immédiatement le paquebot de San Francisco afin d'atteindre l'Amérique, dont la vaste étendue lui assurerait l'impunité avec la sécurité. Le plan de Phileas Fogg lui semblait on ne peut plus simple.

Au lieu de s'embarquer en Angleterre pour les États-Unis, comme un coquin vulgaire, ce Fogg avait fait le grand tour et traversé les trois quarts du globe, afin de gagner plus sûrement le continent américain, où il mangerait tranquillement le million de la Banque, après avoir dépisté la police. Mais une fois sur la terre de l'Union[1], que ferait Fix ? Abandonnerait-il cet homme ? Non, cent fois non ! et jusqu'à ce qu'il eût obtenu un acte d'extradition, il ne le quitterait pas d'une semelle. C'était son devoir, et il l'accomplirait jusqu'au bout. En tout cas, une circonstance heureuse s'était produite : Passepartout n'était plus auprès de son maître, et surtout, après les confidences de Fix, il était important que le maître et le serviteur ne se revissent jamais.

Phileas Fogg, lui, n'était pas non plus sans songer à son domestique, si singulièrement disparu. Toutes réflexions faites, il ne lui sembla pas impossible que, par suite d'un malentendu, le pauvre garçon ne se fût embarqué sur le *Carnatic*, au dernier moment. C'était aussi l'opinion de Mrs. Aouda, qui regrettait profondément cet honnête serviteur, auquel elle devait tant. Il pouvait donc se faire qu'on le retrouvât à Yokohama, et, si le *Carnatic* l'y avait transporté, il serait aisé de le savoir.

---

1. **L'Union** : les États-Unis d'Amérique.

Vers dix heures, la brise vint à fraîchir. Peut-être eût-il été prudent de prendre un ris[1], mais le pilote, après avoir soigneusement observé l'état du ciel, laissa la voilure telle qu'elle était établie. D'ailleurs, la *Tankadère* portait admirablement la toile, ayant un grand tirant d'eau, et tout était paré à amener rapidement, en cas de grain[2].

À minuit, Phileas Fogg et Mrs. Aouda descendirent dans la cabine. Fix les y avait précédés, et s'était étendu sur l'un des cadres. Quant au pilote et à ses hommes, ils demeurèrent toute la nuit sur le pont.

Le lendemain, 8 novembre, au lever du soleil, la goélette avait fait plus de cent milles. Le loch[3], souvent jeté, indiquait que la moyenne de sa vitesse était entre huit et neuf milles. La *Tankadère* avait du largue[4] dans ses voiles qui portaient toutes et elle obtenait, sous cette allure, son maximum de rapidité. Si le vent tenait dans ces conditions, les chances étaient pour elle.

La *Tankadère*, pendant toute cette journée, ne s'éloigna pas sensiblement de la côte, dont les courants lui étaient favorables. Elle l'avait à cinq milles au plus par sa hanche de bâbord[5], et cette côte, irrégulièrement profilée, apparaissait parfois à travers quelques éclaircies. Le vent venant de terre, la mer était moins forte par là même : circonstance heureuse pour la goélette, car les embarcations d'un petit tonnage souffrent surtout de la houle

---

1. **Ris** : bande de voile que l'on peut replier ou déplier, selon que l'on désire réduire ou accroître la vitesse d'un bateau.
2. **Grain** : tempête.
3. **Loch** : corde à nœuds, qui, autrefois, servait à mesurer la vitesse du navire.
4. **Avoir du largue** : naviguer par vent oblique.
5. **Bâbord** : côté gauche du bateau.

3865 qui rompt leur vitesse, qui les tue, pour employer l'expression maritime.

Vers midi, la brise mollit un peu et hala[1] le sud-est. Le pilote fit établir les flèches ; mais au bout de deux heures, il fallut les amener, car le vent fraîchissait à nouveau.

3870 Mr. Fogg et la jeune femme, fort heureusement réfractaires au mal de mer, mangèrent avec appétit les conserves et le biscuit du bord. Fix fut invité à partager leur repas et dut accepter, sachant bien qu'il est aussi nécessaire de lester les estomacs que les bateaux, mais cela le vexait ! Voyager aux frais de cet homme, 3875 se nourrir de ses propres vivres, il trouvait à cela quelque chose de peu loyal. Il mangea cependant, sur le pouce, il est vrai, mais enfin il mangea.

Toutefois, ce repas terminé, il crut devoir prendre le sieur Fogg à part, et il lui dit :

3880 « Monsieur... »

Ce « monsieur » lui écorchait les lèvres, et il se retenait pour ne pas mettre la main au collet de ce « monsieur » !

« Monsieur, vous avez été fort obligeant en m'offrant passage à votre bord. Mais, bien que mes ressources ne me permettent pas 3885 d'agir aussi largement que vous, j'entends payer ma part...

– Ne parlons pas de cela, monsieur, répondit Mr. Fogg.

– Mais si, je tiens...

– Non, monsieur, répéta Fogg d'un ton qui n'admettait pas de réplique. Cela entre dans les frais généraux ! »

3890 Fix s'inclina, il étouffait, et, allant s'étendre sur l'avant de la goélette, il ne dit plus un mot de la journée.

---

1. **Haler** : souffler en direction de.

Cependant on filait rapidement. John Bunsby avait bon espoir. Plusieurs fois il dit à Mr. Fogg qu'on arriverait en temps voulu à Shangaï. Mr. Fogg répondit simplement qu'il y comptait. 3895 D'ailleurs, tout l'équipage de la petite goélette y mettait du zèle. La prime affriolait ces braves gens. Aussi, pas une écoute[1] qui ne fût consciencieusement raidie ! Pas une voile qui ne fût vigoureusement étarquée[2] ! Pas une embardée que l'on pût reprocher à l'homme de barre ! On n'eût pas manœuvré plus sévèrement 3900 dans une régate[3] du Royal Yacht Club.

Le soir, le pilote avait relevé au loch un parcours de deux cent vingt milles depuis Hong-kong, et Phileas Fogg pouvait espérer qu'en arrivant à Yokohama, il n'aurait aucun retard à inscrire à son programme. Ainsi donc, le premier contretemps sérieux 3905 qu'il eût éprouvé depuis son départ de Londres ne lui causerait probablement aucun préjudice.

Pendant la nuit, vers les premières heures du matin, la *Tankadère* entrait franchement dans le détroit de Fo-Kien, qui sépare la grande île Formose[4] de la côte chinoise, et elle coupait le tropique 3910 du Cancer. La mer était très dure dans ce détroit, plein de remous formés par les contre-courants. La goélette fatigua beaucoup. Les lames courtes brisaient sa marche. Il devint très difficile de se tenir debout sur le pont.

Avec le lever du jour, le vent fraîchit encore. Il y avait dans le ciel 3915 l'apparence d'un coup de vent. Du reste, le baromètre annonçait un changement prochain de l'atmosphère ; sa marche diurne était

---

1. **Écoute** : cordage permettant de maintenir et de manœuvrer une voile.
2. **Étarquer** : tendre une voile.
3. **Régate** : course de bateaux.
4. **Formose** : ancien nom de Taïwan.

irrégulière, et le mercure oscillait capricieusement. On voyait aussi la mer se soulever vers le sud-est en longues houles « qui sentaient la tempête ». La veille, le soleil s'était couché dans une brume ³⁹²⁰ rouge, au milieu des scintillations phosphorescentes de l'océan.

Le pilote examina longtemps ce mauvais aspect du ciel et murmura entre ses dents des choses peu intelligibles. À un certain moment, se trouvant près de son passager :

« On peut tout dire à Votre Honneur ? dit-il à voix basse.

³⁹²⁵ — Tout, répondit Phileas Fogg.

— Eh bien, nous allons avoir un coup de vent.

— Viendra-t-il du nord ou du sud ? demanda simplement Mr. Fogg.

— Du sud. Voyez. C'est un typhon⁕ qui se prépare !

³⁹³⁰ — Va pour le typhon du sud, puisqu'il nous poussera du bon côté, répondit Mr. Fogg.

— Si vous le prenez comme cela, répliqua le pilote, je n'ai plus rien à dire ! »

Les pressentiments de John Bunsby ne le trompaient pas. À une ³⁹³⁵ époque moins avancée de l'année, le typhon, suivant l'expression d'un célèbre météorologiste, se fût écoulé comme une cascade lumineuse de flammes électriques, mais, en équinoxe d'hiver, il était à craindre qu'il ne se déchaînât avec violence.

Le pilote prit ses précautions par avance. Il fit serrer¹ toutes ³⁹⁴⁰ les voiles de la goélette et amener les vergues² sur le pont. Les mâts de flèche³ furent dépassés. On rentra le bout-dehors⁴.

---

1. **Serrer** : replier.
2. **Vergues** : partie du mât.
3. **Flèche** : voile située sur le mât.
4. **Bout-dehors** : pièce de mât à l'avant du navire.

● Cette scène de tempête est la seule du roman : Jules Verne n'abuse pas de ce procédé, un peu facile, pour retarder les héros.

Les panneaux furent condamnés avec soin. Pas une goutte d'eau ne pouvait, dès lors, pénétrer dans la coque de l'embarcation. Une seule voile triangulaire, un tourmentin de forte toile, fut hissé en guise de trinquette, de manière à maintenir la goélette vent arrière. Et on attendit.

John Bunsby avait engagé ses passagers à descendre dans la cabine ; mais, dans un étroit espace, à peu près privé d'air, et par les secousses de la houle, cet emprisonnement n'avait rien d'agréable. Ni Mr. Fogg, ni Mrs. Aouda, ni Fix lui-même ne consentirent à quitter le pont.

Vers huit heures, la bourrasque de pluie et de rafale tomba à bord. Rien qu'avec son petit morceau de toile, la *Tankadère* fut enlevée comme une plume par ce vent dont on ne saurait donner une idée exacte, quand il souffle en tempête. Comparer sa vitesse à la quadruple vitesse d'une locomotive lancée à toute vapeur, ce serait rester au-dessous de la vérité.

Pendant toute la journée, l'embarcation courut ainsi vers le nord, emportée par les lames monstrueuses, en conservant heureusement une rapidité égale à la leur. Vingt fois elle faillit être coiffée par une de ces montagnes d'eau qui se dressaient à l'arrière ; mais un adroit coup de barre, donné par le pilote, parait la catastrophe. Les passagers étaient quelquefois couverts en grand par les embruns qu'ils recevaient philosophiquement. Fix maugréait sans doute, mais l'intrépide Aouda, les yeux fixés sur son compagnon, dont elle ne pouvait qu'admirer le sang-froid, se montrait digne de lui et bravait la tourmente à ses côtés. Quant à Phileas Fogg, il semblait que ce typhon fût partie de son programme.

Jusqu'alors la *Tankadère* avait toujours fait route au nord ; mais vers le soir, comme on pouvait le craindre, le vent, tournant de trois quarts, hâla le nord-ouest. La goélette, prêtant alors le flanc à la lame, fut effroyablement secouée. La mer la frappait avec une violence bien faite pour effrayer, quand on ne sait pas avec quelle solidité toutes les parties d'un bâtiment sont reliées entre elles.

3975 Avec la nuit, la tempête s'accentua encore. En voyant l'obscurité se faire, et avec l'obscurité s'accroître la tourmente, John Bunsby ressentit de vives inquiétudes. Il se demanda s'il ne serait pas temps de relâcher, et il consulta son équipage.

Ses hommes consultés, John Bunsby s'approcha de Mr. Fogg, 3980 et lui dit :

« Je crois, Votre Honneur, que nous ferions bien de gagner un des ports de la côte.

— Je le crois aussi, répondit Phileas Fogg.

— Ah ! fit le pilote, mais lequel ?

3985   – Je n'en connais qu'un, répondit tranquillement Mr. Fogg.

– Et c'est !...

– Shangaï. »

Cette réponse, le pilote fut d'abord quelques instants sans comprendre ce qu'elle signifiait, ce qu'elle renfermait d'obstina-
3990 tion et de ténacité. Puis il s'écria :

« Eh bien, oui ! Votre Honneur a raison. À Shangaï ! »

Et la direction de la *Tankadère* fut imperturbablement maintenue vers le nord.

Nuit vraiment terrible ! Ce fut un miracle si la petite goélette ne
3995 chavira pas. Deux fois elle fut engagée, et tout aurait été enlevé à bord, si les saisines[1] eussent manqué. Mrs. Aouda était brisée, mais elle ne fit pas entendre une plainte. Plus d'une fois Mr. Fogg dut se précipiter vers elle pour la protéger contre la violence des lames.

4000   Le jour reparut. La tempête se déchaînait encore avec une extrême fureur. Toutefois, le vent retomba dans le sud-est. C'était une modification favorable, et la *Tankadère* fit de nouveau route sur cette mer démontée, dont les lames se heurtaient alors à celles que provoquait la nouvelle aire du vent[2]. De là un choc de
4005 contre-houles[3] qui eût écrasé une embarcation moins solidement construite.

De temps en temps on apercevait la côte à travers les brumes déchirées, mais pas un navire en vue. La *Tankadère* était seule à tenir la mer.

---

1. **Saisine** : cordage de fixation.
2. **Aire du vent** : direction dans laquelle souffle le vent.
3. **Contre-houles** : lorsque le vent change de direction, ce sont les vagues qui se forment dans un sens différent des vagues dominantes.

4010 À midi, il y eut quelques symptômes d'accalmie, qui, avec l'abaissement du soleil sur l'horizon, se prononcèrent plus nettement.

Le peu de durée de la tempête tenait à sa violence même. Les passagers, absolument brisés, purent manger un peu et prendre quelque repos.

4015 La nuit fut relativement paisible. Le pilote fit rétablir ses voiles au bas ris. La vitesse de l'embarcation fut considérable. Le lendemain, 11, au lever du jour, reconnaissance faite de la côte, John Bunsby put affirmer qu'on n'était pas à cent milles de Shangaï.

Cent milles, et il ne restait plus que cette journée pour les faire !
4020 C'était le soir même que Mr. Fogg devait arriver à Shangaï, s'il ne voulait pas manquer le départ du paquebot de Yokohama. Sans cette tempête, pendant laquelle il perdit plusieurs heures, il n'eût pas été en ce moment à trente milles du port.

La brise mollissait sensiblement, mais heureusement la mer
4025 tombait avec elle. La goélette se couvrit de toile. Flèches, voiles d'étais[1], contre-foc, tout portait, et la mer écumait sous l'étrave.

À midi, la *Tankadère* n'était pas à plus de quarante-cinq milles de Shangaï. Il lui restait six heures encore pour gagner ce port avant le départ du paquebot de Yokohama.

4030 Les craintes furent vives à bord. On voulait arriver à tout prix. Tous – Phileas Fogg excepté sans doute – sentaient leur cœur battre d'impatience. Il fallait que la petite goélette se maintînt dans une moyenne de neuf milles à l'heure, et le vent mollissait toujours ! C'était une brise irrégulière, des bouffées capricieuses
4035 venant de la côte. Elles passaient, et la mer se déridait aussitôt après leur passage.

---

1. **Étai** : cordage qui relie l'avant du navire au mât.

Cependant l'embarcation était si légère, ses voiles hautes, d'un fin tissu, ramassaient si bien les folles brises, que, le courant aidant, à six heures, John Bunsby ne comptait plus que dix milles jusqu'à la rivière de Shangaï, car la ville elle-même est située à une distance de douze milles au moins au-dessus de l'embouchure.

À sept heures, on était encore à trois milles de Shangaï. Un formidable juron s'échappa des lèvres du pilote... La prime de deux cents livres allait évidemment lui échapper. Il regarda Mr. Fogg.

Mr. Fogg était impassible, et cependant sa fortune entière se jouait à ce moment...

À ce moment aussi, un long fuseau noir, couronné d'un panache de fumée, apparut au ras de l'eau. C'était le paquebot américain, qui sortait à l'heure réglementaire.

« Malédiction ! s'écria John Bunsby, qui repoussa la barre d'un bras désespéré.

– Des signaux ! » dit simplement Phileas Fogg. Un petit canon de bronze s'allongeait à l'avant de la *Tankadère*. Il servait à faire des signaux par les temps de brume.

Le canon fut chargé jusqu'à la gueule, mais au moment où le pilote allait appliquer un charbon ardent sur la lumière :

« Le pavillon en berne », dit Mr. Fogg.

Le pavillon fut amené à mi-mât. C'était un signal de détresse, et l'on pouvait espérer que le paquebot américain, l'apercevant, modifierait un instant sa route pour rallier l'embarcation.

« Feu ! » dit Mr. Fogg.

Et la détonation du petit canon de bronze éclata dans l'air.

XXII

Le *Carnatic,* ayant quitté Hong-kong le 7 novembre à six heures et demie du soir, se dirigeait à toute vapeur vers les terres du Japon. Il emportait un plein chargement de marchandises et de passagers. Deux cabines de l'arrière restaient inoccupées. C'étaient celles qui avaient été retenues pour le compte de Mr. Phileas Fogg.

Le lendemain matin, les hommes de l'avant pouvaient voir, non sans quelque surprise, un passager, l'œil à demi hébété, la démarche branlante, la tête ébouriffée, qui sortait du capot des secondes[1] et venait en titubant s'asseoir sur une drome[2].

Ce passager, c'était Passepartout en personne. Voici ce qui était arrivé.

Quelques instants après que Fix eut quitté la tabagie[3], deux garçons avaient enlevé Passepartout profondément endormi, et l'avaient couché sur le lit réservé aux fumeurs. Mais trois heures plus tard, Passepartout, poursuivi jusque dans ses cauchemars par une idée fixe, se réveillait et luttait contre l'action stupéfiante du narcotique. La pensée du devoir non accompli secouait sa torpeur. Il quittait ce lit d'ivrognes et, trébuchant, s'appuyant aux murailles, tombant et se relevant, mais toujours et irrésistiblement poussé

---

1. **Capot des secondes** : abri destiné aux passagers de seconde
classe, dans les bateaux.
2. **Drome** : pièce de bois de rechange, sur le pont.
3. **Tabagie** : la fumerie d'opium.

par une sorte d'instinct, il sortait de la tabagie, criant comme dans un rêve : « Le *Carnatic* ! le *Carnatic* ! »

Le paquebot était là fumant, prêt à partir. Passepartout n'avait que quelques pas à faire. Il s'élança sur le pont volant, il franchit la coupée[1] et tomba inanimé à l'avant, au moment où le *Carnatic* larguait ses amarres.

Quelques matelots, en gens habitués à ces sortes de scènes, descendirent le pauvre garçon dans une cabine des secondes, et Passepartout ne se réveilla que le lendemain matin, à cent cinquante milles des terres de la Chine.

Voilà donc pourquoi, ce matin-là, Passepartout se trouvait sur le pont du *Carnatic*, et venait humer à pleine gorgées les fraîches brises de la mer. Cet air pur le dégrisa. Il commença à rassembler ses idées et n'y parvint pas sans peine. Mais, enfin, il se rappela les scènes de la veille, les confidences de Fix, la tabagie, etc.

« Il est évident, se dit-il, que j'ai été abominablement grisé ! Que va dire Mr. Fogg ? En tout cas, je n'ai pas manqué le bateau, et c'est le principal. »

Puis, songeant à Fix :

« Pour celui-là, se dit-il, j'espère bien que nous en sommes débarrassés, et qu'il n'a pas osé, après ce qu'il m'a proposé, nous suivre sur le *Carnatic*. Un inspecteur de police, un détective aux trousses de mon maître, accusé de ce vol commis à la Banque d'Angleterre ! Allons donc ! Mr. Fogg est un voleur comme je suis un assassin ! »

Passepartout devait-il raconter ces choses à son maître ? Convenait-il de lui apprendre le rôle joué par Fix dans cette affaire ?

---

1. **Coupée** : ouverture située dans la coque d'un navire.

Ne ferait-il pas mieux d'attendre son arrivée à Londres, pour lui
dire qu'un agent de la police métropolitaine l'avait filé autour du
monde, et pour en rire avec lui ? Oui, sans doute. En tout cas, question à examiner. Le plus pressé, c'était de rejoindre Mr. Fogg et de
lui faire agréer ses excuses pour cette inqualifiable conduite.

Passepartout se leva donc. La mer était houleuse, et le paquebot
roulait fortement. Le digne garçon, aux jambes peu solides encore,
gagna tant bien que mal l'arrière du navire.

Sur le pont, il ne vit personne qui ressemblât ni à son maître,
ni à Mrs. Aouda.

« Bon, fit-il, Mrs. Aouda est encore couchée à cette heure. Quant
à Mr. Fogg, il aura trouvé quelque joueur de whist, et suivant son
habitude... »

Ce disant, Passepartout descendit au salon. Mr. Fogg n'y était
pas. Passepartout n'avait qu'une chose à faire : c'était de demander
au *purser*[1] quelle cabine occupait Mr. Fogg. Le *purser* lui répondit
qu'il ne connaissait aucun passager de ce nom.

« Pardonnez-moi, dit Passepartout en insistant. Il s'agit d'un
gentleman, grand, froid, peu communicatif, accompagné d'une
jeune dame...

– Nous n'avons pas de jeune dame à bord, répondit le *purser*. Au
surplus, voici la liste des passagers. Vous pouvez la consulter. »

Passepartout consulta la liste... Le nom de son maître n'y figurait pas.

Il eut comme un éblouissement. Puis une idée lui traversa le
cerveau.

« Ah çà ! je suis bien sur le *Carnatic* ? s'écria-t-il.

---

1. **Purser** : responsable des passagers, sur un bateau.

« — Oui, répondit le *purser*.

— En route pour Yokohama ?

— Parfaitement. »

Passepartout avait eu un instant cette crainte de s'être trompé de navire ! Mais s'il était sur le *Carnatic*, il était certain que son maître ne s'y trouvait pas.

Passepartout se laissa tomber sur un fauteuil. C'était un coup de foudre. Et, soudain, la lumière se fit en lui. Il se rappela que l'heure du départ du *Carnatic* avait été avancée, qu'il devait prévenir son maître, et qu'il ne l'avait pas fait ! C'était donc sa faute si Mr. Fogg et Mrs. Aouda avaient manqué ce départ !

Sa faute, oui, mais plus encore celle du traître qui, pour le séparer de son maître, pour retenir celui-ci à Hong-kong, l'avait enivré ! Car il comprit enfin la manœuvre de l'inspecteur de police. Et maintenant, Mr. Fogg, à coup sûr ruiné, son pari perdu, arrêté, emprisonné peut-être !... Passepartout, à cette pensée, s'arracha les cheveux. Ah ! si jamais Fix lui tombait sous la main, quel règlement de comptes !

Enfin, après le premier moment d'accablement, Passepartout reprit son sang-froid et étudia la situation. Elle était peu enviable. Le Français se trouvait en route pour le Japon. Certain d'y arriver, comment en reviendrait-il ? Il avait la poche vide. Pas un shilling, pas un penny ! Toutefois, son passage et sa nourriture à bord étaient payés d'avance. Il avait donc cinq ou six jours devant lui pour prendre un parti. S'il mangea et but pendant cette traversée, cela ne saurait se décrire. Il mangea pour son maître, pour Mrs. Aouda et pour lui-même. Il mangea comme si le Japon, où il allait aborder, eût été un pays désert, dépourvu de toute substance comestible.

4165   Le 13, à la marée du matin, le *Carnatic* entrait dans le port de Yokohama.

     Ce point est une relâche importante du Pacifique, où font escale tous les steamers employés au service de la poste et des voyageurs entre l'Amérique du Nord, la Chine, le Japon et les îles de la
4170 Malaisie. Yokohama est située dans la baie même de Yeddo, à peu de distance de cette immense ville, seconde capitale de l'empire japonais, autrefois résidence du *taïkoun*, du temps que cet empereur civil existait, et rivale de Meako, la grande cité qu'habite le mikado, empereur ecclésiastique, descendant des dieux.

4175   Le *Carnatic* vint se ranger au quai de Yokohama, près des jetées du port et des magasins de la douane, au milieu de nombreux navires appartenant à toutes les nations.

     Passepartout mit le pied, sans aucun enthousiasme, sur cette terre si curieuse des Fils du Soleil[1]. Il n'avait rien de mieux à faire
4180 que de prendre le hasard pour guide, et d'aller à l'aventure par les rues de la ville.

     Passepartout se trouva d'abord dans une cité absolument européenne, avec des maisons à basses façades, ornées de vérandas sous lesquelles se développaient d'élégants péristyles[2], et qui
4185 couvrait de ses rues, de ses places, de ses docks, de ses entrepôts, tout l'espace compris depuis le promontoire du Traité[3] jusqu'à la rivière. Là, comme à Hong-kong, comme à Calcutta, fourmillait un pêle-mêle de gens de toutes races, Américains, Anglais, Chinois, Hollandais, marchands prêts à tout vendre et à tout acheter, au

---

1. **Fils du Soleil** : Japonais.
2. **Péristyles** : colonnes autour d'un édifice.
3. **Traité** : traité de Kanagawa (1854) autorisant les étrangers à des échanges commerciaux au Japon.

4190 milieu desquels le Français se trouvait aussi étranger que s'il eût été jeté au pays des Hottentots[1].

Passepartout avait bien une ressource : c'était de se recommander près des agents consulaires français ou anglais établis à Yokohama ; mais il lui répugnait de raconter son histoire, si
4195 intimement mêlée à celle de son maître, et avant d'en venir là, il voulait avoir épuisé toutes les autres chances.

Donc, après avoir parcouru la partie européenne de la ville, sans que le hasard l'eût en rien servi, il entra dans la partie japonaise, décidé, s'il le fallait, à pousser jusqu'à Yeddo.

4200 Cette portion indigène de Yokohama est appelée Benten, du nom d'une déesse de la mer, adorée sur les îles voisines. Là se voyaient d'admirables allées de sapins et de cèdres, des portes sacrées d'une architecture étrange, des ponts enfouis au milieu des bambous et des roseaux, des temples abrités sous le couvert
4205 immense et mélancolique des cèdres séculaires, des bonzeries[2] au fond desquelles végétaient les prêtres du bouddhisme et les sectateurs de la religion de Confucius[3], des rues interminables où l'on eût pu recueillir une moisson d'enfants au teint rose et aux joues rouges, petits bonshommes qu'on eût dit découpés
4210 dans quelque paravent indigène, et qui se jouaient au milieu de caniches à jambes courtes et de chats jaunâtres, sans queue, très paresseux et très caressants.

Dans les rues, ce n'était que fourmillement, va-et-vient incessant : bonzes passant processionnellement en frappant leurs

---

1. **Hottentots** : peuple vivant en Afrique du Sud-Ouest.
2. **Bonzeries** : monastères bouddhistes. Les prêtres sont appelés des bonzes.
3. **Confucius** (vers 555-479 avant J.-C.) : philosophe chinois.

4215 tambourins monotones, yakounines[1], officiers de douane ou de
police, à chapeaux pointus incrustés de laque et portant deux
sabres à leur ceinture, soldats vêtus de cotonnades bleues à raies
blanches et armés de fusil à percussion, hommes d'armes du
mikado[2], ensachés dans leur pourpoint[3] de soie, avec haubert[4] et
4220 cotte de mailles, et nombre d'autres militaires de toutes conditions, car, au Japon, la profession de soldat est autant estimée
qu'elle est dédaignée en Chine. Puis, des frères quêteurs[5], des
pèlerins en longues robes, de simples civils, chevelure lisse et d'un
noir d'ébène, tête grosse, buste long, jambes grêles, taille peu
4225 élevée, teint coloré depuis les sombres nuances du cuivre jusqu'au
blanc mat, mais jamais jaune comme celui des Chinois, dont les
Japonais diffèrent essentiellement. Enfin, entre les voitures, les
palanquins, les chevaux, les porteurs, les brouettes à voile, les
norimons à parois de laque, les *cangos* moelleux, véritables litières
4230 en bambou, on voyait circuler, à petits pas de leur petit pied,
chaussé de souliers de toile, de sandales de paille ou de socques[6]
en bois ouvragé, quelques femmes peu jolies, les yeux bridés,
la poitrine déprimée, les dents noircies* au goût du jour, mais
portant avec élégance le vêtement national, le *kirimon*, sorte de
4235 robe de chambre croisée d'une écharpe de soie, dont la large ceinture s'épanouissait derrière en un nœud extravagant, que les
modernes Parisiennes semblent avoir emprunté aux Japonaises.

1. **Yakounines** : officiers.
2. **Mikado** : empereur du Japon.
3. **Pourpoint** : sorte de veste.
4. **Haubert** : sorte de chemise à mailles de fer.
5. **Frères quêteurs** : prêtres mendiant des offrandes.
6. **Socques** : chaussures traditionnelles, à grosse semelle de bois.

● Il était de rigueur au Japon jusqu'à l'époque d'Edo pour les jeunes filles d'âge adulte et en particulier pour les femmes mariées, de s'appliquer sur les dents une teinture noire.

Passepartout se promena pendant quelques heures au milieu de cette foule bigarrée, regardant aussi les curieuses et opulentes boutiques, les bazars où s'entasse tout le clinquant de l'orfèvrerie japonaise, les « restaurations » ornées de banderoles et de bannières, dans lesquelles il lui était interdit d'entrer, et ces maisons de thé où se boit à pleine tasse l'eau chaude odorante, avec le *saki*, liqueur tirée du riz en fermentation, et ces confortables tabagies où l'on fume un tabac très fin, et non l'opium, dont l'usage est à peu près inconnu au Japon.

Puis Passepartout se trouva dans les champs, au milieu des immenses rizières. Là s'épanouissaient, avec des fleurs qui jetaient leurs dernières couleurs et leurs derniers parfums, des camélias éclatants, portés non plus sur des arbrisseaux, mais sur des arbres, et, dans les enclos de bambous, des cerisiers, des pruniers, des pommiers, que les indigènes cultivent plutôt pour leurs fleurs que pour leurs fruits, et que des mannequins grimaçants, des tourniquets criards défendent contre le bec des moineaux, des pigeons, des corbeaux et autres volatiles voraces. Pas de cèdre majestueux qui n'abritât quelque grand aigle ; pas de saule pleureur qui ne recouvrît de son feuillage quelque héron mélancoliquement perché sur une patte ; enfin, partout des corneilles, des canards, des éperviers, des oies sauvages, et grand nombre de ces grues que les Japonais traitent de « Seigneuries », et qui symbolisent pour eux la longévité et le bonheur.

En errant ainsi, Passepartout aperçut quelques violettes entre les herbes :

« Bon ! dit-il, voilà mon souper. »

Mais les ayant senties, il ne leur trouva aucun parfum.

« Pas de chance ! » pensa-t-il.

Certes, l'honnête garçon avait, par prévision, aussi copieusement déjeuné qu'il avait pu avant de quitter le *Carnatic* ; mais après une journée de promenade, il se sentit l'estomac très creux. Il avait
4270 bien remarqué que moutons, chèvres ou porcs, manquaient absolument aux étalages des bouchers indigènes, et, comme il savait que c'est un sacrilège de tuer les bœufs, uniquement réservés aux besoins de l'agriculture, il en avait conclu que la viande était rare au Japon. Il ne se trompait pas ; mais à défaut de viande de
4275 boucherie, son estomac se fût fort accommodé des quartiers de sanglier ou de daim, des perdrix ou des cailles, de la volaille ou du poisson, dont les Japonais se nourrissent presque exclusivement avec le produit des rizières. Mais il dut faire contre fortune bon cœur, et remit au lendemain le soin de pourvoir à sa nourriture.
4280 La nuit vint. Passepartout rentra dans la ville indigène, et il erra dans les rues au milieu des lanternes multicolores, regardant les groupes de baladins exécuter leurs prestigieux exercices, et les astrologues en plein vent qui amassaient la foule autour de leur lunette. Puis il revit la rade, émaillée des feux de pêcheurs, qui
4285 attiraient le poisson à la lueur de résines enflammées.

Enfin les rues se dépeuplèrent. À la foule succédèrent les rondes des yakounines. Ces officiers, dans leurs magnifiques costumes et au milieu de leur suite, ressemblaient à des ambassadeurs, et Passepartout répétait plaisamment, chaque fois qu'il rencontrait
4290 quelque patrouille éblouissante :

« Allons, bon ! encore une ambassade japonaise qui part pour l'Europe ! »

XXIII

Dans lequel le nez de Passepartout s'allonge démesurément

Le lendemain, Passepartout, éreinté, affamé, se dit qu'il fallait manger à tout prix, et que le plus tôt serait le mieux. Il avait bien cette ressource de vendre sa montre, mais il fût plutôt mort de faim. C'était alors le cas ou jamais, pour ce brave garçon, d'utiliser la voix forte, sinon mélodieuse, dont la nature l'avait gratifié.

Il savait quelques refrains de France et d'Angleterre, et il résolut de les essayer. Les Japonais devaient certainement être amateurs de musique, puisque tout se fait chez eux aux sons des cymbales, du tam-tam et des tambours, et ils ne pouvaient qu'apprécier les talents d'un virtuose européen.

Mais peut-être était-il un peu matin pour organiser un concert, et les *dilettanti*[1], inopinément réveillés, n'auraient peut-être pas payé le chanteur en monnaie à l'effigie du mikado.

Passepartout se décida donc à attendre quelques heures ; mais, tout en cheminant, il fit cette réflexion qu'il semblerait trop bien vêtu pour un artiste ambulant, et l'idée lui vint alors d'échanger ses vêtements contre une défroque plus en harmonie avec sa position. Cet échange devait, d'ailleurs, produire une soulte[2], qu'il pourrait immédiatement appliquer à satisfaire son appétit.

Cette résolution prise, restait à l'exécuter. Ce ne fut qu'après de longues recherches que Passepartout découvrit un brocanteur

---

1. **Dilettanti** : amateurs de musique (mot italien).
2. **Soulte** : somme d'argent.

indigène, auquel il exposa sa demande. L'habit européen plut au
4315 brocanteur, et bientôt Passepartout sortait affublé d'une vieille
robe japonaise et coiffé d'une sorte de turban à côtes, décoloré
sous l'action du temps. Mais, en retour, quelques piécettes d'argent
résonnaient dans sa poche.

« Bon, pensa-t-il, je me figurerai que nous sommes en
4320 carnaval ! »

Le premier soin de Passepartout, ainsi « japonaisé », fut d'entrer
dans une *tea-house*[1] de modeste apparence, et là, d'un reste de
volaille et de quelques poignées de riz, il déjeuna en homme pour
qui le dîner serait encore un problème à résoudre.

4325 « Maintenant, se dit-il quand il fut copieusement restauré, il
s'agit de ne pas perdre la tête. Je n'ai plus la ressource de vendre
cette défroque contre une autre encore plus japonaise. Il faut donc
aviser au moyen de quitter le plus promptement possible ce pays
du Soleil, dont je ne garderai qu'un lamentable souvenir ! »

4330 Passepartout songea alors à visiter les paquebots en partance
pour l'Amérique. Il comptait s'offrir en qualité de cuisinier ou de
domestique, ne demandant pour toute rétribution que le passage
et la nourriture. Une fois à San Francisco, il verrait à se tirer d'affaire. L'important, c'était de traverser ces quatre mille sept cents
4335 milles du Pacifique qui s'étendent entre le Japon et le Nouveau
Monde.

---

1. Tea-house : maison de thé.

● La cérémonie du thé au Japon est un rituel
traditionnel, dans lequel le thé vert en
poudre est préparé de manière cérémoniale
par une personne expérimentée et est servi
à un petit groupe d'invités.

Passepartout, n'étant point homme à laisser languir une idée, se dirigea vers le port de Yokohama. Mais à mesure qu'il s'approchait des docks, son projet, qui lui avait paru si simple au moment où il en avait eu l'idée, lui semblait de plus en plus inexécutable. Pourquoi aurait-on besoin d'un cuisinier ou d'un domestique à bord d'un paquebot américain, et quelle confiance inspirerait-il, affublé de la sorte ? Quelles recommandations faire valoir ? Quelles références indiquer ?

Comme il réfléchissait ainsi, ses regards tombèrent sur une immense affiche qu'une sorte de clown promenait dans les rues de Yokohama. Cette affiche était ainsi libellée en anglais :

TROUPE JAPONAISE ACROBATIQUE

DE

L'HONORABLE WILLIAM BATULCAR

———

DERNIÈRES REPRÉSENTATIONS
Avant leur départ pour les États-Unis d'Amérique

DES

LONGS-NEZ-LONGS-NEZ

SOUS L'INVOCATION DIRECTE DU DIEU TINGOU

GRANDE ATTRACTION !

« Les États-Unis d'Amérique ! s'écria Passepartout, voilà justement mon affaire !... »

Il suivit l'homme-affiche, et, à sa suite, il rentra bientôt dans la
ville japonaise. Un quart d'heure plus tard, il s'arrêtait devant une
vaste case, que couronnaient plusieurs faisceaux de banderoles, et
dont les parois extérieures représentaient, sans perspective, mais
en couleurs violentes, toute une bande de jongleurs.

C'était l'établissement de l'honorable Batulcar, sorte de Barnum[1]
américain●, directeur d'une troupe de saltimbanques, jongleurs,
clowns, acrobates, équilibristes, gymnastes, qui, suivant l'affiche,
donnait ses dernières représentations avant de quitter l'empire du
Soleil pour les États de l'Union.

Passepartout entra sous un péristyle qui précédait la case, et
demanda Mr. Batulcar. Mr. Batulcar apparut en personne.

« Que voulez-vous ? dit-il à Passepartout, qu'il prit d'abord pour
un indigène.

– Avez-vous besoin d'un domestique ? demanda Passepartout.

– Un domestique ! s'écria le Barnum en caressant l'épaisse
barbiche grise qui foisonnait sous son menton. J'en ai deux,
obéissants, fidèles, qui ne m'ont jamais quitté, et qui me servent
pour rien, à condition que je les nourrisse... Et les voilà, ajouta-t-il
en montrant ses deux bras robustes, sillonnés de veines grosses
comme des cordes de contrebasse.

---

1. **Barnum** : fondateur du cirque Barnum,
en 1871. Vers 1872, Barnum parlait déjà de
son entreprise comme « *The Greatest Show On
Earth* » – le plus grand spectacle au monde !

● L'un des plus grands succès de Barnum
fut en 1882 son acquisition de Jumbo, un
éléphant. Ce dernier attira d'énormes foules
(on a parlé de 9 millions de spectateurs aux
États-Unis et au Canada, en 3 ans). Jumbo
mourut, au summum de sa gloire, en 1885,
à la suite d'une collision avec une locomotive.

4380   – Ainsi, je ne puis vous être bon à rien ?

– À rien.

– Diable ! ça m'aurait pourtant fort convenu de partir avec vous.

– Ah çà ! dit l'honorable Batulcar, vous êtes Japonais comme je
4385 suis un singe ! Pourquoi donc êtes-vous habillé de la sorte ?

– On s'habille comme on peut !

– Vrai, cela. Vous êtes un Français, vous ?

– Oui, un Parisien de Paris.

– Alors, vous devez savoir faire des grimaces ?

4390   – Ma foi, répondit Passepartout, vexé de voir sa nationalité provoquer cette demande, nous autres Français, nous savons faire des
grimaces, c'est vrai, mais pas mieux que les Américains !

– Juste. Eh bien, si je ne vous prends pas comme domestique,
je peux vous prendre comme clown. Vous comprenez, mon brave,
4395 en France, on exhibe des farceurs étrangers, et à l'étranger, des
farceurs français !

– Ah !

– Vous êtes vigoureux, d'ailleurs ?

– Surtout quand je sors de table.

4400   – Et vous savez chanter ?

– Oui, répondit Passepartout, qui avait autrefois fait sa partie
dans quelques concerts de rue.

– Mais savez-vous chanter la tête en bas, avec une toupie tour-
nante sur la plante du pied gauche, et un sabre en équilibre sur
4405 la plante du pied droit ?

– Parbleu ! répondit Passepartout, qui se rappelait les premiers
exercices de son jeune âge.

– C'est que, voyez-vous, tout est là ! » répondit l'honorable Batulcar.

L'engagement fut conclu *hic et nunc*[1].

Enfin, Passepartout avait trouvé une position. Il était engagé pour tout faire dans la célèbre troupe japonaise. C'était peu flatteur, mais avant huit jours il serait en route pour San Francisco.

La représentation, annoncée à grand fracas par l'honorable Batulcar, devait commencer à trois heures, et bientôt les formidables instruments d'un orchestre japonais, tambours et tam-tams, tonnaient à la porte. On comprend bien que Passepartout n'avait pu étudier un rôle, mais il devait prêter l'appui de ses solides épaules dans le grand exercice de la « grappe humaine » exécuté par les Longs-Nez du dieu Tingou. Ce *great attraction*[2] de la représentation devait clore la série des exercices.

Avant trois heures, les spectateurs avaient envahi la vaste case. Européens et indigènes, Chinois et Japonais, hommes, femmes et enfants, se précipitaient sur les étroites banquettes et dans les loges qui faisaient face à la scène. Les musiciens étaient rentrés à l'intérieur, et l'orchestre au complet, gongs, tam-tams, cliquettes[3], flûtes, tambourins et grosses caisses, opéraient avec fureur.

Cette représentation fut ce que sont toutes ces exhibitions d'acrobates. Mais il faut bien avouer que les Japonais sont les premiers équilibristes du monde. L'un, armé de son éventail et de petits morceaux de papier, exécutait l'exercice si gracieux des papillons et des fleurs. Un autre, avec la fumée odorante de sa pipe, traçait rapidement dans l'air une série de mots bleuâtres, qui formaient

1. **Hic et nunc** : locution latine qui signifie « ici et maintenant ».
2. **Great attraction** : le clou du spectacle.
3. **Cliquettes** : crécelles.

un compliment à l'adresse de l'assemblée. Celui-ci jonglait avec
4435 des bougies allumées, qu'il éteignit successivement quand elles
passèrent devant ses lèvres, et qu'il ralluma l'une à l'autre sans
interrompre un seul instant sa prestigieuse jonglerie. Celui-là
reproduisit, au moyen de toupies tournantes, les plus invraisemblables combinaisons ; sous sa main, ces ronflantes machines
4440 semblaient s'animer d'une vie propre dans leur interminable gira-
tion ; elles couraient sur des tuyaux de pipe, sur des tranchants
de sabre, sur des fils de fer, véritables cheveux tendus d'un côté
de la scène à l'autre ; elles faisaient le tour de grands vases de
cristal, elles gravissaient des échelles de bambou, elles se disper-
4445 saient dans tous les coins, produisant des effets harmoniques
d'un étrange caractère en combinant leurs tonalités diverses. Les
jongleurs jonglaient avec elles, et elles tournaient dans l'air ; ils les
lançaient comme des volants, avec des raquettes de bois, et elles
tournaient toujours ; ils les fourraient dans leur poche, et quand
4450 ils les retiraient, elles tournaient encore, jusqu'au moment où un
ressort détendu les faisait s'épanouir en gerbes d'artifice !

Inutile de décrire ici les prodigieux exercices des acrobates et
gymnastes de la troupe. Les tours de l'échelle, de la perche, de
la boule, des tonneaux, etc. furent exécutés avec une précision
4455 remarquable. Mais le principal attrait de la représentation était
l'exhibition de ces Longs-Nez, étonnants équilibristes que l'Europe
ne connaît pas encore.

Ces Longs-Nez forment une corporation particulière placée sous
l'invocation directe du dieu Tingou. Vêtus comme des hérauts[1]
4460 du Moyen Âge, ils portaient une splendide paire d'ailes à leurs

---

1. **Hérauts** : messagers au Moyen Âge.

épaules. Mais ce qui les distinguait plus spécialement, c'était ce long nez dont leur face était agrémentée, et surtout l'usage qu'ils en faisaient. Ces nez n'étaient rien moins que des bambous, longs de cinq, de six, de dix pieds, les uns droits, les autres courbés, ceux-ci
4465 lisses, ceux-là verruqueux. Or, c'était sur ces appendices, fixés d'une façon solide, que s'opéraient tous leurs exercices d'équilibre. Une douzaine de ces sectateurs du dieu Tingou se couchèrent sur le dos, et leurs camarades vinrent s'ébattre sur leurs nez, dressés comme des paratonnerres, sautant, voltigeant de celui-ci à celui-là,
4470 et exécutant les tours les plus invraisemblables.

Pour terminer, on avait spécialement annoncé au public la pyramide humaine●, dans laquelle une cinquantaine de Longs-Nez devaient figurer le char de Jaggernaut. Mais au lieu de former cette pyramide en prenant leurs épaules pour point d'appui, les artistes
4475 de l'honorable Batulcar ne devaient s'emmancher que par leur nez. Or, l'un de ceux qui formaient la base du char avait quitté la troupe, et comme il suffisait d'être vigoureux et adroit, Passepartout avait été choisi pour le remplacer.

Certes, le digne garçon se sentit tout piteux, quand – triste
4480 souvenir de sa jeunesse – il eut endossé son costume du Moyen Âge, orné d'ailes multicolores, et qu'un nez de six pieds lui eut été appliqué sur la face ! Mais enfin, ce nez, c'était son gagne-pain, et il en prit son parti.

● Il existe un petit film muet très drôle, datant de
1907, d'un réalisateur se nommant Segundo de
Chomón, mettant en scène des acrobates japonais :
les Kiriki. Virtuoses de la pyramide humaine, les
équilibristes utilisent un trucage...

Passepartout entra en scène, et vint se ranger avec ceux de ses
4485 collègues qui devaient figurer la base du char de Jaggernaut.
Tous s'étendirent à terre, le nez dressé vers le ciel. Une seconde
section d'équilibristes vint se poser sur ces longs appendices, une
troisième s'étagea au-dessus, puis une quatrième, et sur ces nez
qui ne se touchaient que par leur pointe, un monument humain
4490 s'éleva bientôt jusqu'aux frises du théâtre.

Or, les applaudissements redoublaient, et les instruments de
l'orchestre éclataient comme autant de tonnerres, quand la pyramide s'ébranla, l'équilibre se rompit, un des nez de la base vint
à manquer, et le monument s'écroula comme un château de
4495 cartes...

C'était la faute à Passepartout qui, abandonnant son poste,
franchissant la rampe sans le secours de ses ailes, et grimpant
à la galerie de droite, tombait aux pieds d'un spectateur en
s'écriant :

4500 « Ah ! mon maître ! mon maître !

— Vous ?

— Moi !

— Eh bien ! en ce cas, au paquebot, mon garçon !... »

Mr. Fogg, Mrs. Aouda, qui l'accompagnait, Passepartout s'étaient
4505 précipités par les couloirs au-dehors de la case. Mais, là, ils trouvèrent l'honorable Batulcar, furieux, qui réclamait des dommages-
intérêts pour « la casse ». Phileas Fogg apaisa sa fureur en lui
jetant une poignée de *banknotes*. Et, à six heures et demie, au
moment où il allait partir, Mr. Fogg et Mrs. Aouda mettaient le
4510 pied sur le paquebot américain, suivis de Passepartout, les ailes
au dos, et sur la face ce nez de six pieds qu'il n'avait pas encore
pu arracher de son visage !

XXIV

Pendant lequel s'accomplit la traversée de l'océan Pacifique

Ce qui était arrivé en vue de Shangaï, on le comprend. Les signaux faits par la *Tankadère* avaient été aperçus du paquebot de Yokohama. Le capitaine, voyant un pavillon en berne, s'était dirigé vers la petite goélette. Quelques instants après, Phileas Fogg, soldant son passage au prix convenu, mettait dans la poche du patron John Bunsby cinq cent cinquante livres (13 750 F). Puis l'honorable gentleman, Mrs. Aouda et Fix étaient montés à bord du steamer, qui avait aussitôt fait route pour Nagasaki et Yokohama.

Arrivé le matin même, 14 novembre, à l'heure réglementaire, Phileas Fogg, laissant Fix aller à ses affaires, s'était rendu à bord du *Carnatic*, et là il apprenait, à la grande joie de Mrs. Aouda – et peut-être à la sienne, mais du moins il n'en laissa rien paraître – que le Français Passepartout était effectivement arrivé la veille à Yokohama.

Phileas Fogg, qui devait repartir le soir même pour San Francisco, se mit immédiatement à la recherche de son domestique. Il s'adressa, mais en vain, aux agents consulaires français et anglais, et, après avoir inutilement parcouru les rues de Yokohama, il désespérait de retrouver Passepartout, quand le hasard, ou peut-être une sorte de pressentiment, le fit entrer dans la case de l'honorable Batulcar. Il n'eût certes point reconnu son serviteur sous cet excentrique accoutrement de héraut ; mais celui-ci, dans sa position renversée, aperçut son maître à la galerie. Il ne put retenir un mouvement de son nez. De là rupture de l'équilibre, et ce qui s'ensuivit.

Voilà ce que Passepartout apprit de la bouche même de 4540 Mrs. Aouda, qui lui raconta alors comment s'était faite cette traversée de Hong-kong à Yokohama, en compagnie d'un sieur Fix, sur la goélette la *Tankadère*.

Au nom de Fix, Passepartout ne sourcilla pas. Il pensait que le moment n'était pas venu de dire à son maître ce qui s'était 4545 passé entre l'inspecteur de police et lui. Aussi, dans l'histoire que Passepartout fit de ses aventures, il s'accusa et s'excusa seulement d'avoir été surpris par l'ivresse de l'opium dans une tabagie de Yokohama.

Mr. Fogg écouta froidement ce récit, sans répondre ; puis il 4550 ouvrit à son domestique un crédit suffisant pour que celui-ci pût se procurer à bord des habits plus convenables. Et, en effet, une heure ne s'était pas écoulée, que l'honnête garçon, ayant coupé son nez et rogné ses ailes, n'avait plus rien en lui qui rappelât le sectateur du dieu Tingou.

4555 Le paquebot faisant la traversée de Yokohama à San Francisco appartenait à la Compagnie du Pacific Mail Steam, et se nommait le *General-Grant*. C'était un vaste steamer à roues, jaugeant deux mille cinq cents tonnes, bien aménagé et doué d'une grande vitesse. Un énorme balancier s'élevait et s'abaissait successive- 4560 ment au-dessus du pont ; à l'une de ses extrémités s'articulait la tige d'un piston, et à l'autre celle d'une bielle, qui, transformant le mouvement rectiligne en mouvement circulaire, s'appliquait directement à l'arbre des roues. Le *General-Grant* était gréé en trois-mâts goélette, et il possédait une grande surface de

4565 voilure, qui aidait puissamment la vapeur. À filer ses douze milles à l'heure, le paquebot ne devait pas employer plus de vingt et un jours pour traverser le Pacifique. Phileas Fogg était donc autorisé à croire que, rendu le 2 décembre à San Francisco, il serait le 11 à New York et le 20 à Londres, gagnant ainsi de quelques heures

4570 cette date fatale du 21 décembre.

Les passagers étaient assez nombreux à bord du steamer, des Anglais, beaucoup d'Américains, une véritable émigration de coolies[1] pour l'Amérique●, et un certain nombre d'officiers de l'armée des Indes, qui utilisaient leur congé en faisant le tour du monde.

4575 Pendant cette traversée il ne se produisit aucun incident nautique. Le paquebot, soutenu sur ses larges roues, appuyé par sa forte voilure, roulait peu. L'océan Pacifique justifiait assez son nom. Mr. Fogg était aussi calme, aussi peu communicatif que d'ordinaire. Sa jeune compagne se sentait de plus en plus attachée

4580 à cet homme par d'autres liens que ceux de la reconnaissance. Cette silencieuse nature, si généreuse en somme, l'impressionnait plus qu'elle ne le croyait, et c'était presque à son insu qu'elle se laissait aller à des sentiments dont l'énigmatique Fogg ne semblait aucunement subir l'influence.

---

1. Coolies :
   travailleurs chinois.

● L'émigration chinoise (qui débute au haut Moyen Âge) s'accélère au xixᵉ siècle à l'occasion des troubles politiques liés à la décadence du régime impérial et au dépeçage de la Chine par les puissances occidentales. Le pillage de la Chine commence en 1842 avec le traité de Nankin qui conclut la première guerre de l'opium et qui permet aux Britanniques de s'installer à Hong-kong. Dans le courant du xixᵉ siècle, les transports de coolies chinois s'organisent pour effectuer des travaux divers : percement du canal de Panama, construction du Transsibérien, construction des chemins de fer en Amérique du Nord... La France fait appel aux coolies chinois entre 1917 et 1918 pour creuser les tranchées entre Arras et Verdun.

4585 En outre, Mrs. Aouda s'intéressait prodigieusement aux projets du gentleman. Elle s'inquiétait des contrariétés qui pouvaient compromettre le succès du voyage. Souvent elle causait avec Passepartout, qui n'était point sans lire entre les lignes dans le cœur de Mrs. Aouda. Ce brave garçon avait, maintenant, à l'égard
4590 de son maître, la foi du charbonnier[1] ; il ne tarissait pas en éloges sur l'honnêteté, la générosité, le dévouement de Phileas Fogg ; puis il rassurait Mrs. Aouda sur l'issue du voyage, répétant que le plus difficile était fait, que l'on était sorti de ces pays fantastiques de la Chine et du Japon, que l'on retournait aux contrées civilisées,
4595 et enfin qu'un train de San Francisco à New York et un transatlantique de New York à Londres suffiraient, sans doute, pour achever cet impossible tour du monde dans les délais convenus.

Neuf jours après avoir quitté Yokohama, Phileas Fogg avait exactement parcouru la moitié du globe terrestre.

4600 En effet, le *General-Grant*, le 23 novembre, passait au cent quatre-vingtième méridien, celui sur lequel se trouvent, dans l'hémisphère austral, les antipodes de Londres. Sur quatre-vingts jours mis à sa disposition, Mr. Fogg, il est vrai, en avait employé cinquante-deux, et il ne lui en restait plus que vingt-huit à dépenser. Mais
4605 il faut remarquer que si le gentleman se trouvait à moitié route seulement « par la différence des méridiens », il avait en réalité accompli plus des deux tiers du parcours total. Quels détours forcés, en effet, de Londres à Aden, d'Aden à Bombay, de Calcutta à Singapore, de Singapore à Yokohama ! À suivre circulairement le
4610 cinquantième parallèle, qui est celui de Londres, la distance n'eût été que de douze mille milles environ, tandis que Phileas Fogg était

---

1. **Foi du charbonnier** : confiance absolue.

forcé, par les caprices des moyens de locomotion, d'en parcourir vingt-six mille dont il avait fait environ dix-sept mille cinq cents, à cette date du 23 novembre. Mais maintenant la route était droite, et Fix n'était plus là pour y accumuler les obstacles !

Il arriva aussi que, ce 23 novembre, Passepartout éprouva une grande joie. On se rappelle que l'entêté s'était obstiné à garder l'heure de Londres à sa fameuse montre de famille, tenant pour fausses toutes les heures des pays qu'il traversait. Or, ce jour-là, bien qu'il ne l'eût jamais ni avancée ni retardée, sa montre se trouva d'accord avec les chronomètres du bord.

Si Passepartout triompha, cela se comprend de reste. Il aurait bien voulu savoir ce que Fix aurait pu dire, s'il eût été présent.

« Ce coquin qui me racontait un tas d'histoires sur les méridiens, sur le soleil, sur la lune ! répétait Passepartout. Hein ! ces gens-là ! Si on les écoutait, on ferait de la belle horlogerie ! J'étais bien sûr qu'un jour ou l'autre, le soleil se déciderait à se régler sur ma montre !... »

Passepartout ignorait ceci : c'est que si le cadran de sa montre eût été divisé en vingt-quatre heures comme les horloges italiennes, il n'aurait eu aucun motif de triompher, car les aiguilles de son instrument, quand il était neuf heures du matin à bord, auraient indiqué neuf heures du soir, c'est-à-dire la vingt et unième heure depuis minuit, différence précisément égale à celle qui existe entre Londres et le cent quatre-vingtième méridien.

Mais si Fix avait été capable d'expliquer cet effet purement physique, Passepartout, sans doute, eût été incapable, sinon de le comprendre, du moins de l'admettre. Et en tout cas, si, par

impossible[1], l'inspecteur de police se fût inopinément montré à
4640 bord en ce moment, il est probable que Passepartout, à bon droit
rancunier, eût traité avec lui un sujet tout différent et d'une tout
autre manière.

Or, où était Fix en ce moment ?...

Fix était précisément à bord du *General-Grant*.

4645 En effet, en arrivant à Yokohama, l'agent, abandonnant Mr. Fogg
qu'il comptait retrouver dans la journée, s'était immédiatement
rendu chez le consul anglais. Là, il avait enfin trouvé le mandat,
qui, courant après lui depuis Bombay, avait déjà quarante jours
de date – mandat qui lui avait été expédié de Hong-kong par ce
4650 même *Carnatic* à bord duquel on le croyait. Qu'on juge du désappointement du détective ! Le mandat devenait inutile ! Le sieur
Fogg avait quitté les possessions anglaises ! Un acte d'extradition
était maintenant nécessaire pour l'arrêter !

« Soit ! se dit Fix, après le premier moment de colère, mon
4655 mandat n'est plus bon ici, il le sera en Angleterre. Ce coquin a tout
l'air de revenir dans sa patrie, croyant avoir dépisté la police. Bien.
Je le suivrai jusque-là. Quant à l'argent, Dieu veuille qu'il en reste !
Mais en voyages, en primes, en procès, en amendes, en éléphant,
en frais de toute sorte, mon homme a déjà laissé plus de cinq mille
4660 livres sur sa route. Après tout, la Banque est riche ! »

Son parti pris, il s'embarqua aussitôt sur le *General-Grant*. Il était
à bord, quand Mr. Fogg et Mrs. Aouda y arrivèrent. À son extrême
surprise, il reconnut Passepartout sous son costume de héraut. Il
se cacha aussitôt dans sa cabine, afin d'éviter une explication qui
4665 pouvait tout compromettre, et, grâce au nombre des passagers, il

1. **Par impossible :** si l'impossible se réalisait.

comptait bien n'être point aperçu de son ennemi, lorsque ce jour-là précisément il se trouva face à face avec lui sur l'avant du navire.

Passepartout sauta à la gorge de Fix, sans autre explication, et, au grand plaisir de certains Américains qui parièrent immédiate-
4670 ment pour lui, il administra au malheureux inspecteur une volée superbe, qui démontra la haute supériorité de la boxe française sur la boxe anglaise.

Quand Passepartout eut fini, il se trouva calme et comme soulagé. Fix se releva, en assez mauvais état, et, regardant son
4675 adversaire, il lui dit froidement :

« Est-ce fini ?

– Oui, pour l'instant.

– Alors venez me parler.

– Que je...

4680 – Dans l'intérêt de votre maître. »

Passepartout, comme subjugué par ce sang-froid, suivit l'inspecteur de police, et tous deux s'assirent à l'avant du steamer.

« Vous m'avez rossé, dit Fix. Bien. À présent, écoutez-moi. Jusqu'ici j'ai été l'adversaire de Mr. Fogg, mais maintenant je
4685 suis dans son jeu.

– Enfin ! s'écria Passepartout, vous le croyez un honnête homme ?

– Non, répondit froidement Fix, je le crois un coquin... Chut ! ne bougez pas et laissez-moi dire. Tant que Mr. Fogg a été sur
4690 les possessions anglaises, j'ai eu intérêt à le retenir en attendant un mandat d'arrestation. J'ai tout fait pour cela. J'ai lancé contre lui les prêtres de Bombay, je vous ai enivré à Hong-kong, je vous ai séparé de votre maître, je lui ai fait manquer le paquebot de Yokohama... »

4695 Passepartout écoutait, les poings fermés.

« Maintenant, reprit Fix, Mr. Fogg semble retourner en Angleterre ? Soit, je le suivrai. Mais, désormais, je mettrai à écarter les obstacles de sa route autant de soin et de zèle que j'en ai mis jusqu'ici à les accumuler. Vous le voyez, mon jeu est changé, et 4700 il est changé parce que mon intérêt le veut. J'ajoute que votre intérêt est pareil au mien, car c'est en Angleterre seulement que vous saurez si vous êtes au service d'un criminel ou d'un honnête homme ! »

Passepartout avait très attentivement écouté Fix, et il fut 4705 convaincu que Fix parlait avec une entière bonne foi.

« Sommes-nous amis ? demanda Fix.

– Amis, non, répondit Passepartout. Alliés, oui, et sous bénéfice d'inventaire[1], car, à la moindre apparence de trahison, je vous tords le cou.

4710 – Convenu », dit tranquillement l'inspecteur de police.

Onze jours après, le 3 décembre, le *General-Grant* entrait dans la baie de la Porte-d'Or et arrivait à San Francisco.

Mr. Fogg n'avait encore ni gagné ni perdu un seul jour.

---

1. **Sous bénéfice d'inventaire** : sous réserve de vérification.

XXV

Il était sept heures du matin, quand Phileas Fogg, Mrs. Aouda et
Passepartout prirent pied sur le continent américain, si toutefois
on peut donner ce nom au quai flottant sur lequel ils débarquèrent. Ces quais, montant et descendant avec la marée, facilitent
le chargement et le déchargement des navires. Là s'embossent
les clippers[1] de toutes dimensions, les steamers de toutes nationalités, et ces *steamboats* à plusieurs étages, qui font le service du
Sacramento[2] et de ses affluents. Là s'entassent aussi les produits
d'un commerce qui s'étend au Mexique, au Pérou, au Chili, au
Brésil, à l'Europe, à l'Asie, à toutes les îles de l'océan Pacifique.

Passepartout, dans sa joie de toucher enfin la terre américaine,
avait cru devoir opérer son débarquement en exécutant un saut
périlleux du plus beau style. Mais quand il retomba sur le quai
dont le plancher était vermoulu, il faillit passer au travers. Tout
décontenancé de la façon dont il avait « pris pied » sur le nouveau
continent, l'honnête garçon poussa un cri formidable, qui fit
envoler une innombrable troupe de cormorans et de pélicans,
hôtes habituels des quais mobiles.

Mr. Fogg, aussitôt débarqué, s'informa de l'heure à laquelle
partait le premier train pour New York. C'était à six heures du soir.

1. **S'embossent les clippers** : s'amarrent les voiliers.
2. **Sacramento** : rivière des États-Unis.

Mr. Fogg avait donc une journée entière à dépenser dans la capitale
4735 californienne. Il fit venir une voiture pour Mrs. Aouda et pour lui.
Passepartout monta sur le siège, et le véhicule, à trois dollars la
course, se dirigea vers International Hotel.

De la place élevée qu'il occupait, Passepartout observait avec
curiosité la grande ville américaine : larges rues, maisons basses
4740 bien alignées, églises et temples d'un gothique anglo-saxon, docks
immenses, entrepôts comme des palais, les uns en bois, les autres
en brique ; dans les rues, voitures nombreuses, omnibus, « cars »
de tramways, et sur les trottoirs encombrés, non seulement des
Américains et des Européens, mais aussi des Chinois et des
4745 Indiens●, enfin de quoi composer une population de plus de deux
cent mille habitants.

Passepartout fut assez surpris de ce qu'il voyait. Il en était encore
à la cité légendaire de 1849[1], à la ville des bandits, des incendiaires
et des assassins, accourus à la conquête des pépites, immense
4750 capharnaüm●de tous les déclassés, où l'on jouait la poudre d'or,
un revolver d'une main et un couteau de l'autre. Mais « ce beau
temps » était passé. San Francisco présentait l'aspect d'une grande
ville commerçante. La haute tour de l'hôtel de ville, où veillent les

---

1. **La cité légendaire de 1849** : allusion à la
ruée vers l'or qui attira en Californie des
milliers de chercheurs d'or.

● En 1848, la découverte de pépites d'or en
Californie a provoqué un immense mouvement
d'émigration, qui a transformé San Francisco
en une ville cosmopolite et a permis son
développement.

● Le mot « capharnaüm » (désignant un lieu plein
d'objets entassés confusément) vient du nom
d'une ville de Galilée où, d'après l'Évangile selon
saint Marc, Jésus résida souvent. Son retour attira
tant de personnes devant sa maison « qu'il n'y
avait plus de place même devant sa porte ».

*Magasins dans le quartier chinois
de San Francisco vers 1870.*

guetteurs, dominait tout cet ensemble de rues et d'avenues, se
coupant à angles droits, entre lesquels s'épanouissaient des
squares verdoyants, puis une ville chinoise qui semblait avoir été
importée du Céleste Empire dans une boîte à joujoux. Plus de
sombreros[1], plus de chemises rouges à la mode des coureurs de
placers[2], plus d'Indiens emplumés, mais des chapeaux de soie et
des habits noirs, que portaient un grand nombre de gentlemen
doués d'une activité dévorante. Certaines rues, entre autres
Montgommery Street le Regent Street de Londres, le boulevard

1. **Sombreros** : chapeaux mexicains.
2. **Placers** : gisements d'or.

des Italiens de Paris, le Broadway de New York, étaient bordées de magasins splendides, qui offraient à leur étalage les produits 4765 du monde entier.

Lorsque Passepartout arriva à International Hotel, il ne lui semblait pas qu'il eût quitté l'Angleterre.

Le rez-de-chaussée de l'hôtel était occupé par un immense bar, sorte de buffet ouvert *gratis* à tout passant. Viande sèche, soupe 4770 aux huîtres, biscuit et chester s'y débitaient sans que le consommateur eût à délier sa bourse. Il ne payait que sa boisson, *ale*, porto ou xérès, si sa fantaisie le portait à se rafraîchir. Cela parut « très américain » à Passepartout.

Le restaurant de l'hôtel était confortable. Mr. Fogg et Mrs. Aouda 4775 s'installèrent devant une table et furent abondamment servis dans des plats lilliputiens[1] par des Nègres● du plus beau noir.

Après déjeuner, Phileas Fogg, accompagné de Mrs. Aouda, quitta l'hôtel pour se rendre aux bureaux du consul anglais afin d'y faire viser son passeport. Sur le trottoir, il trouva son domestique, qui 4780 lui demanda si, avant de prendre le chemin de fer du Pacifique, il ne serait pas prudent d'acheter quelques douzaines de carabines Enfield ou de revolvers Colt. Passepartout avait entendu parler de Sioux et de Pawnies[2], qui arrêtent les trains comme de simples voleurs espagnols. Mr. Fogg répondit que c'était là une précaution 4785 inutile, mais il le laissa libre d'agir comme il lui conviendrait. Puis il se dirigea vers les bureaux de l'agent consulaire.

Phileas Fogg n'avait pas fait deux cents pas que, « par le plus grand des hasards », il rencontrait Fix. L'inspecteur se montra

---

1. **Lilliputiens** : minuscules.
2. **Sioux, Pawnies** : Indiens d'Amérique.

● Le terme « Nègres » n'est pas encore perçu comme péjoratif au XIXᵉ siècle.

extrêmement surpris. Comment ! Mr. Fogg et lui avaient fait
4790 ensemble la traversée du Pacifique, et ils ne s'étaient pas rencontrés à bord ! En tout cas, Fix ne pouvait être qu'honoré de revoir
le gentleman auquel il devait tant, et, ses affaires le rappelant en
Europe, il serait enchanté de poursuivre son voyage en une si
agréable compagnie.

4795   Mr. Fogg répondit que l'honneur serait pour lui, et Fix, qui tenait
à ne point le perdre de vue, lui demanda la permission de visiter
avec lui cette curieuse ville de San Francisco. Ce qui fut accordé.

Voici donc Mrs. Aouda, Phileas Fogg et Fix flânant par les
rues. Ils se trouvèrent bientôt dans Montgommery Street, où l'af-
4800 fluence du populaire était énorme. Sur les trottoirs, au milieu de la
chaussée, sur les rails des tramways, malgré le passage incessant
des coaches et des omnibus, au seuil des boutiques, aux fenêtres
de toutes les maisons, et même jusque sur les toits, foule innombrable. Des hommes-affiches circulaient au milieu des groupes.
4805 Des bannières et des banderoles flottaient au vent. Des cris éclataient de toutes parts.

« Hurrah pour Kamerfield !

– Hurrah pour Mandiboy ! »

C'était un meeting[1]. Ce fut du moins la pensée de Fix, et il
4810 communiqua son idée à Mr. Fogg, en ajoutant :

« Nous ferons peut-être bien, monsieur, de ne point nous mêler
à cette cohue. Il n'y a que de mauvais coups à recevoir.

– En effet, répondit Phileas Fogg, et les coups de poing, pour
être politiques, n'en sont pas moins des coups de poing ! »

---

1. **Meeting** : réunion politique.

4815 Fix crut devoir sourire en entendant cette observation, et, afin de voir sans être pris dans la bagarre, Mrs. Aouda, Phileas Fogg et lui prirent place sur le palier supérieur d'un escalier que desservait une terrasse, située en contre-haut de Montgommery Street. Devant eux, de l'autre côté de la rue, entre le wharf d'un marchand 4820 de charbon et le magasin d'un négociant en pétrole, se développait un large bureau en plein vent, vers lequel les divers courants de la foule semblaient converger.

Et maintenant, pourquoi ce meeting[•] ? À quelle occasion se tenait-il ? Phileas Fogg l'ignorait absolument. S'agissait-il de la 4825 nomination d'un haut fonctionnaire militaire ou civil, d'un gouverneur d'État ou d'un membre du Congrès ? Il était permis de le conjecturer, à voir l'animation extraordinaire qui passionnait la ville.

En ce moment un mouvement considérable se produisit dans 4830 la foule. Toutes les mains étaient en l'air. Quelques-unes, solidement fermées, semblaient se lever et s'abattre rapidement au milieu des cris, manière énergique, sans doute, de formuler un vote. Des remous agitaient la masse qui refluait. Les bannières oscillaient, disparaissaient un instant et reparaissaient en loques. 4835 Les ondulations de la houle se propageaient jusqu'à l'escalier, tandis que toutes les têtes moutonnaient à la surface comme une mer soudainement remuée par un grain. Le nombre des chapeaux noirs diminuait à vue d'œil, et la plupart semblaient avoir perdu de leur hauteur normale.

Les élections américaines s'accompagnaient de grands meetings, réunions publiques organisées souvent en plein air, pour discuter d'une question d'ordre public.

4840 « C'est évidemment un meeting, dit Fix, et la question qui l'a provoqué doit être palpitante. Je ne serais point étonné qu'il fût encore question de l'affaire de l'*Alabama*, bien qu'elle soit résolue.

– Peut-être, répondit simplement Mr. Fogg.

4845 – En tout cas, reprit Fix, deux champions sont en présence l'un de l'autre, l'honorable Kamerfield et l'honorable Mandiboy. »

Mrs. Aouda, au bras de Phileas Fogg, regardait avec surprise cette scène tumultueuse, et Fix allait demander à l'un de ses voisins la raison de cette effervescence populaire, quand un 4850 mouvement plus accusé se prononça. Les hurrahs, agrémentés d'injures, redoublèrent. La hampe des bannières se transforma en arme offensive. Plus de mains, des poings partout. Du haut des voitures arrêtées, et des omnibus enrayés dans leur course, s'échangeaient force horions[1]. Tout servait de projectiles. Bottes 4855 et souliers décrivaient dans l'air des trajectoires très tendues, et il sembla même que quelques revolvers mêlaient aux vociférations de la foule leurs détonations nationales.

La cohue se rapprocha de l'escalier et reflua sur les premières marches. L'un des partis était évidemment repoussé, sans que 4860 les simples spectateurs pussent reconnaître si l'avantage restait à Mandiboy ou à Kamerfield.

« Je crois prudent de nous retirer, dit Fix, qui ne tenait pas à ce que "son homme" reçût un mauvais coup ou se fît une mauvaise affaire. S'il est question de l'Angleterre dans tout ceci et qu'on nous 4865 reconnaisse, nous serons fort compromis dans la bagarre !

– Un citoyen anglais... », répondit Phileas Fogg.

---

1. **Horions** : coups.

Mais le gentleman ne put achever sa phrase. Derrière lui, de cette terrasse qui précédait l'escalier, partirent des hurlements épouvantables. On criait : « Hurrah ! Hip ! Hip ! pour Mandiboy ! »
4870 C'était une troupe d'électeurs qui arrivait à la rescousse, prenant en flanc les partisans de Kamerfield.

Mr. Fogg, Mrs. Aouda, Fix se trouvèrent entre deux feux. Il était trop tard pour s'échapper. Ce torrent d'hommes, armés de cannes plombées et de casse-tête, était irrésistible. Phileas Fogg
4875 et Fix, en préservant la jeune femme, furent horriblement bousculés. Mr. Fogg, non moins flegmatique que d'habitude, voulut se défendre avec ces armes naturelles que la nature a mises au bout des bras de tout Anglais, mais inutilement. Un énorme gaillard à barbiche rouge, au teint coloré, large d'épaules, qui paraissait
4880 être le chef de la bande, leva son formidable poing sur Mr. Fogg, et il eût fort endommagé le gentleman, si Fix, par dévouement, n'eût reçu le coup à sa place. Une énorme bosse se développa instantanément sous le chapeau de soie du détective, transformé en simple toque.
4885 « Yankee[1] ! dit Mr. Fogg, en lançant à son adversaire un regard de profond mépris.

– *Englishman*[2] ! répondit l'autre.

– Nous nous retrouverons !

– Quand il vous plaira. Votre nom ?
4890 – Phileas Fogg. Le vôtre ?

– Le colonel Stamp W. Proctor. »

---

1. **Yankee** : habitant des États-Unis. Ce mot est familier et péjoratif.
2. **Englishman** : anglais.

Puis, cela dit, la marée passa. Fix fut renversé et se releva, les habits déchirés, mais sans meurtrissure sérieuse. Son paletot de voyage s'était séparé en deux parties inégales, et son pantalon ressemblait à ces culottes dont certains Indiens, affaire de mode, ne se vêtent qu'après en avoir préalablement enlevé le fond. Mais, en somme, Mrs. Aouda avait été épargnée, et seul Fix en était pour son coup de poing.

« Merci, dit Mr. Fogg à l'inspecteur, dès qu'ils furent hors de la foule.

– Il n'y a pas de quoi, répondit Fix, mais venez.

– Où ?

– Chez un marchand de confection[1]. »

En effet, cette visite était opportune. Les habits de Phileas Fogg et de Fix étaient en lambeaux, comme si ces deux gentlemen se fussent battus pour le compte des honorables Kamerfield et Mandiboy.

Une heure après, ils étaient convenablement vêtus et coiffés. Puis ils revinrent à International Hotel.

Là, Passepartout attendait son maître, armé d'une demi-douzaine de revolvers-poignards à six coups et à inflammation centrale. Quand il aperçut Fix en compagnie de Mr. Fogg, son front s'obscurcit. Mais Mrs. Aouda, ayant fait en quelques mots le récit de ce qui s'était passé, Passepartout se rasséréna. Évidemment Fix n'était plus un ennemi, c'était un allié. Il tenait sa parole.

1. **Marchand de confection** : tailleur.

Le dîner terminé, un coach fut amené, qui devait conduire à la gare les voyageurs et leurs colis. Au moment de monter en voiture, Mr. Fogg dit à Fix :

« Vous n'avez pas revu ce colonel Proctor ?

4920 — Non, répondit Fix.

— Je reviendrai en Amérique pour le retrouver, dit froidement Phileas Fogg. Il ne serait pas convenable qu'un citoyen anglais se laissât traiter de cette façon. »

L'inspecteur sourit et ne répondit pas. Mais, on le voit, Mr. Fogg
4925 était de cette race d'Anglais qui, s'ils ne tolèrent pas le duel chez eux, se battent à l'étranger, quand il s'agit de soutenir leur honneur.

À six heures moins un quart, les voyageurs atteignaient la gare et trouvaient le train prêt à partir. Au moment où Mr. Fogg allait
4930 s'embarquer, il avisa un employé et le rejoignant :

« Mon ami, lui dit-il, n'y a-t-il pas eu quelques troubles aujourd'hui à San Francisco ?

— C'était un meeting, monsieur, répondit l'employé.

— Cependant, j'ai cru remarquer une certaine animation dans
4935 les rues.

— Il s'agissait simplement d'un meeting organisé pour une élection.

— L'élection d'un général en chef, sans doute ? demanda Mr. Fogg.

4940 — Non, monsieur, d'un juge de paix. »

Sur cette réponse, Phileas Fogg monta dans le wagon, et le train partit à toute vapeur.

XXVI

Dans lequel on prend le train express du chemin de fer du Pacifique

Ocean to Ocean – ainsi disent les Américains –, et ces trois mots devraient être la dénomination générale du *grand trunk*[1], qui traverse les États-Unis d'Amérique dans leur plus grande largeur. Mais, en réalité, le Pacific Railroad se divise en deux parties distinctes : Central Pacific entre San Francisco et Ogden, et Union Pacific entre Ogden et Omaha. Là se raccordent cinq lignes distinctes, qui mettent Omaha en communication fréquente avec New York.

New York et San Francisco sont donc présentement réunis par un ruban de métal non interrompu qui ne mesure pas moins de trois mille sept cent quatre-vingt-six milles. Entre Omaha et le Pacifique, le chemin de fer franchit une contrée encore fréquentée par les Indiens et les fauves, vaste étendue de territoire que les mormons[2] commencèrent à coloniser vers 1845, après qu'ils eurent été chassés de l'Illinois.

Autrefois, dans les circonstances les plus favorables, on employait six mois pour aller de New York à San Francisco. Maintenant, on met sept jours.

---

1. **Grand trunk** : ligne de chemin de fer qui va de l'est à l'ouest des États-Unis. On la nomme également « Pacific Railroad ».
2. **Mormons** : communauté religieuse fondée par J. Smith, en 1830, dont la doctrine repose sur une lecture de la Bible et du *Livre de Mormon*, dans lequel J. Smith fait état de la révélation qui lui est apparue.

C'est en 1862 que, malgré l'opposition des députés du Sud, qui
voulaient une ligne plus méridionale, le tracé du *railroad* fut arrêté
entre le quarante et unième et le quarante-deuxième parallèle. Le
président Lincoln, de si regrettée mémoire●, fixa lui-même, dans
4965 l'État de Nebraska, à la ville d'Omaha, la tête de ligne du nouveau
réseau. Les travaux furent aussitôt commencés et poursuivis avec
cette activité américaine, qui n'est ni paperassière ni bureaucra-
tique. La rapidité de la main-d'œuvre ne devait nuire en aucune
façon à la bonne exécution du chemin. Dans la prairie, on avançait
4970 à raison d'un mille et demi par jour. Une locomotive, roulant sur
les rails de la veille, apportait les rails du lendemain, et courait à
leur surface au fur et à mesure qu'ils étaient posés.

Le Pacific Railroad jette plusieurs embranchements sur son
parcours, dans les États de Iowa, du Kansas, du Colorado et de
4975 l'Oregon. En quittant Omaha, il longe la rive gauche de Platte River
jusqu'à l'embouchure de la branche du nord, suit la branche du
sud, traverse les terrains de Laramie et les montagnes Wahsatch,
contourne le lac Salé, arrive à Salt Lake City, la capitale des
mormons, s'enfonce dans la vallée de la Tuilla, longe le désert
4980 américain, les monts de Cédar et Humboldt, Humboldt River, la
Sierra Nevada, et redescend par Sacramento jusqu'au Pacifique,
sans que ce tracé dépasse en pente cent douze pieds par mille,
même dans la traversée des montagnes Rocheuses.

Telle était cette longue artère que les trains parcouraient en sept
4985 jours, et qui allait permettre à l'honorable Phileas Fogg – il l'espérait
du moins – de prendre, le 11, à New York, le paquebot de Liverpool.

● A. Lincoln (1809-1865) est élu président des États-Unis en 1861.
Il a gouverné le pays pendant la guerre de Sécession, avant
d'être assassiné par un acteur à moitié fou, J.-W. Booth.

Le wagon occupé par Phileas Fogg était une sorte de long omnibus qui reposait sur deux trains formés de quatre roues chacun, dont la mobilité permet d'attaquer des courbes de petit rayon. À l'intérieur, point de compartiments : deux files de sièges, disposés de chaque côté, perpendiculairement à l'axe, et entre lesquels était réservé un passage conduisant aux cabinets de toilette et autres, dont chaque wagon est pourvu. Sur toute la longueur du train, les voitures communiquaient entre elles par des passerelles, et les voyageurs pouvaient circuler d'une extrémité à l'autre du convoi, qui mettait à leur disposition des wagons-salons, des wagons-terrasses, des wagons-restaurants et des wagons à cafés. Il n'y manquait que des wagons-théâtres. Mais il y en aura un jour.

Sur les passerelles circulaient incessamment des marchands de livres et de journaux, débitant leur marchandise, et des vendeurs de liqueurs, de comestibles, de cigares, qui ne manquaient point de chalands.

Les voyageurs étaient partis de la station d'Oakland à six heures du soir. Il faisait déjà nuit, une nuit froide, sombre, avec un ciel couvert dont les nuages menaçaient de se résoudre en neige. Le train ne marchait pas avec une grande rapidité. En tenant compte des arrêts, il ne parcourait pas plus de vingt milles à l'heure, vitesse qui devait, cependant, lui permettre de franchir les États-Unis dans les temps réglementaires.

On causait peu dans le wagon. D'ailleurs, le sommeil allait bientôt gagner les voyageurs. Passepartout se trouvait placé auprès de l'inspecteur de police, mais il ne lui parlait pas. Depuis les derniers événements, leurs relations s'étaient notablement refroidies. Plus de sympathie, plus d'intimité. Fix n'avait rien changé à sa manière d'être, mais Passepartout se tenait, au contraire, sur une extrême réserve, prêt au moindre soupçon à étrangler son ancien ami.

Une heure après le départ du train, la neige tomba, neige fine, qui ne pouvait, fort heureusement, retarder la marche du convoi. On n'apercevait plus à travers les fenêtres qu'une immense nappe blanche, sur laquelle, en déroulant ses volutes, la vapeur de la locomotive paraissait grisâtre.

À huit heures, un steward entra dans le wagon et annonça aux voyageurs que l'heure du coucher était sonnée. Ce wagon était un *sleeping-car*[1], qui, en quelques minutes, fut transformé en dortoir. Les dossiers des bancs se replièrent, des couchettes soigneusement paquetées se déroulèrent par un système ingénieux, des cabines furent improvisées en quelques instants, et chaque voyageur eut bientôt à sa disposition un lit confortable, que d'épais rideaux défendaient contre tout regard indiscret. Les draps étaient blancs, les oreillers moelleux. Il n'y avait plus qu'à se coucher et à dormir, ce que chacun fit, comme s'il se fût trouvé dans la cabine confortable d'un paquebot, pendant que le train filait à toute vapeur à travers l'État de Californie.

Dans cette portion du territoire qui s'étend entre San Francisco et Sacramento, le sol est peu accidenté. Cette partie du chemin de fer, sous le nom de Central Pacific Road, prit d'abord Sacramento pour point de départ, et s'avança vers l'est à la rencontre de celui qui partait d'Omaha. De San Francisco à la capitale de la Californie, la ligne courait directement au nord-est, en longeant American River, qui se jette dans la baie de San Pablo. Les cent vingt milles compris entre ces deux importantes cités furent franchis en

---

1. **Sleeping-car** : wagon-lit.

six heures, et vers minuit, pendant qu'ils dormaient de leur premier sommeil, les voyageurs passèrent à Sacramento. Ils ne 5045 virent donc rien de cette ville considérable, siège de la législature[1] de l'État de Californie, ni ses beaux quais, ni ses rues larges, ni ses hôtels splendides, ni ses squares, ni ses temples.

En sortant de Sacramento, le train, après avoir dépassé les stations de Junction, de Roclin, d'Auburn et de Colfax, s'engagea 5050 dans le massif de la Sierra Nevada. Il était sept heures du matin quand fut traversée la station de Cisco. Une heure après, le dortoir était redevenu un wagon ordinaire et les voyageurs pouvaient à travers les vitres entrevoir les points de vue pittoresques de ce montagneux pays. Le tracé du train obéissait aux caprices de 5055 la Sierra, ici accroché aux flancs de la montagne, là suspendu au-dessus des précipices, évitant les angles brusques par des courbes audacieuses, s'élançant dans des gorges étroites que l'on devait croire sans issues. La locomotive, étincelante comme une châsse[2], avec son grand fanal[3] qui jetait de fauves lueurs, sa cloche 5060 argentée, son « chasse-vache[4] », qui s'étendait comme un éperon, mêlait ses sifflements et ses mugissements à ceux des torrents et des cascades, et tordait sa fumée à la noire ramure des sapins.

Peu ou point de tunnels, ni de ponts sur le parcours. Le *railroad* contournait le flanc des montagnes, ne cherchant pas dans la ligne 5065 droite le plus court chemin d'un point à un autre, et ne violentant pas la nature.

1. **Législature** : parlement.
2. **Châsse** : coffre précieux servant à contenir des reliques (ossements de saints par exemple).
3. **Fanal** : lanterne.
4. **Chasse-vache** : pièce de métal à l'avant de la locomotive, destinée à protéger le train d'une éventuelle collision avec les ruminants qui peuplaient les prairies américaines !

Vers neuf heures, par la vallée de Carson, le train pénétrait dans l'État de Nevada, suivant toujours la direction du nord-est. À midi, il quittait Reno, où les voyageurs eurent vingt minutes pour déjeuner.

Depuis ce point, la voie ferrée, côtoyant Humboldt River, s'éleva pendant quelques milles vers le nord, en suivant son cours. Puis elle s'infléchit vers l'est, et ne devait plus quitter le cours d'eau avant d'avoir atteint les Humboldt Ranges, qui lui donnent naissance, presque à l'extrémité orientale de l'État du Nevada.

Après avoir déjeuné, Mr. Fogg, Mrs. Aouda et leurs compagnons reprirent leur place dans le wagon. Phileas Fogg, la jeune femme, Fix et Passepartout, confortablement assis, regardaient le paysage varié qui passait sous leurs yeux, vastes prairies, montagnes se profilant à l'horizon, *creeks*[1] roulant leurs eaux écumeuses. Parfois, un grand troupeau de bisons, se massant au loin, apparaissait comme une digue mobile. Ces innombrables armées de ruminants opposent souvent un insurmontable obstacle au passage des trains. On a vu des milliers de ces animaux défiler pendant plusieurs heures, en rangs pressés, au travers du *railroad*. La locomotive est alors forcée de s'arrêter et d'attendre que la voie soit redevenue libre.

Ce fut même ce qui arriva dans cette occasion. Vers trois heures du soir, un troupeau de dix à douze mille têtes barra le *railroad*. La machine, après avoir modéré sa vitesse, essaya d'engager son éperon dans le flanc de l'immense colonne, mais elle dut s'arrêter devant l'impénétrable masse.

---

1. **Creeks** : torrents.

*Chasse au bison
sur la ligne Kansas-
Pacifique vers 1870.*

On voyait ces ruminants – ces *buffalos*, comme les appellent improprement les Américains – marcher ainsi de leur pas tran-
5095 quille, poussant parfois des beuglements formidables. Ils avaient une taille supérieure à celle des taureaux d'Europe, les jambes et la queue courtes, le garrot saillant qui formait une bosse muscu-laire, les cornes écartées à la base, la tête, le cou et les épaules recouverts d'une crinière à longs poils. Il ne fallait pas songer à
5100 arrêter cette migration. Quand les bisons° ont adopté une direc-tion, rien ne pourrait ni enrayer ni modifier leur marche. C'est un torrent de chair vivante qu'aucune digue ne saurait contenir.

● Les Indiens chassaient les bisons pour se nourrir,
⋮ mais ce sont les colons qui les ont massacrés.

Les voyageurs, dispersés sur les passerelles, regardaient ce curieux spectacle. Mais celui qui devait être le plus pressé de tous, 5105 Phileas Fogg, était demeuré à sa place et attendait philosophiquement qu'il plût aux buffles de lui livrer passage. Passepartout était furieux du retard que causait cette agglomération d'animaux. Il eût voulu décharger contre eux son arsenal de revolvers.

« Quel pays ! s'écria-t-il. De simples bœufs qui arrêtent des 5110 trains, et qui s'en vont là, processionnellement, sans plus se hâter que s'ils ne gênaient pas la circulation ! Pardieu ! je voudrais bien savoir si Mr. Fogg avait prévu ce contretemps dans son programme ! Et ce mécanicien qui n'ose pas lancer sa machine à travers ce bétail encombrant ! »

5115 Le mécanicien n'avait point tenté de renverser l'obstacle, et il avait prudemment agi. Il eût écrasé sans doute les premiers buffles attaqués par l'éperon de la locomotive ; mais, si puissante qu'elle fût, la machine eût été arrêtée bientôt, un déraillement se serait inévitablement produit, et le train fût resté en détresse.

5120 Le mieux était donc d'attendre patiemment, quitte ensuite à regagner le temps perdu par une accélération de la marche du train. Le défilé des bisons dura trois grandes heures, et la voie ne redevint libre qu'à la nuit tombante. À ce moment, les derniers rangs du troupeau traversaient les rails, tandis que les premiers 5125 disparaissaient au-dessous de l'horizon du sud.

Il était donc huit heures quand le train franchit les défilés des Humboldt Ranges, et neuf heures et demie lorsqu'il pénétra sur le territoire de l'Utah, la région du grand lac Salé, le curieux pays des mormons.

XXVII

Dans lequel Passepartout suit, avec une vitesse de vingt milles à l'heure, un cours d'histoire mormone

⁓

Pendant la nuit du 5 au 6 décembre, le train courut au sud-est sur un espace de cinquante milles environ ; puis il remonta d'autant vers le nord-est, en s'approchant du grand lac Salé.

Passepartout, vers neuf heures du matin, vint prendre l'air sur les passerelles. Le temps était froid, le ciel gris, mais il ne neigeait plus. Le disque du soleil, élargi par les brumes, apparaissait comme une énorme pièce d'or, et Passepartout s'occupait à en calculer la valeur en livres sterling, quand il fut distrait de cet utile travail par l'apparition d'un personnage assez étrange.

Ce personnage, qui avait pris le train à la station d'Elko, était un homme de haute taille, très brun, moustaches noires, bas noirs, chapeau de soie noir, gilet noir, pantalon noir, cravate blanche, gants de peau de chien. On eût dit un révérend[1]. Il allait d'une extrémité du train à l'autre, et, sur la portière de chaque wagon, il collait avec des pains à cacheter une notice écrite à la main.

Passepartout s'approcha et lut sur une de ces notices que l'honorable *elder*[2] William Hitch, missionnaire mormon, profitant de sa présence sur le train n° 48, ferait, de onze heures à midi, dans le car n° 117, une conférence sur le mormonisme, invitant à l'entendre tous les gentlemen soucieux de s'instruire touchant les mystères de la religion des Saints des derniers jours.

1. **Révérend** : pasteur dans la religion anglicane.
2. **Elder** : ancien.

« Certes, j'irai », se dit Passepartout, qui ne connaissait guère du mormonisme que ses usages polygames[1], base de la société mormone.

La nouvelle se répandit rapidement dans le train, qui emportait une centaine de voyageurs. Sur ce nombre, trente au plus, alléchés par l'appât de la conférence, occupaient à onze heures les banquettes du car n° 117. Passepartout figurait au premier rang des fidèles. Ni son maître ni Fix n'avaient cru devoir se déranger.

À l'heure dite, l'*elder* William Hitch se leva, et d'une voix assez irritée, comme s'il eût été contredit d'avance, il s'écria :

« Je vous dis, moi, que Joe Smyth[2] est un martyr, que son frère Hvram est un martyr, et que les persécutions du gouvernement de l'Union contre les prophètes vont faire également un martyr de Brigham Young ! Qui oserait soutenir le contraire ? »

Personne ne se hasarda à contredire le missionnaire, dont l'exaltation contrastait avec sa physionomie naturellement calme. Mais, sans doute, sa colère s'expliquait par ce fait que le mormonisme était actuellement soumis à de dures épreuves. Et, en effet, le gouvernement des États-Unis venait, non sans peine, de réduire ces fanatiques indépendants. Il s'était rendu maître de l'Utah, et l'avait soumis aux lois de l'Union, après avoir emprisonné Brigham Young, accusé de rébellion et de polygamie. Depuis cette époque, les disciples du prophète redoublaient leurs efforts, et, en attendant les actes, ils résistaient par la parole aux prétentions du Congrès.

1. **Polygame** : homme marié à plusieurs femmes.
2. **Smyth ou Smith** : fondateur du mormonisme.

On le voit, l'*elder* William Hitch faisait du prosélytisme[1] jusqu'en chemin de fer.

Et alors il raconta, en passionnant son récit par les éclats de sa voix et la violence de ses gestes, l'histoire du mormonisme, depuis
5180 les temps bibliques, « comment, dans Israël, un prophète mormon de la tribu de Joseph publia les annales de la religion nouvelle, et les légua à son fils Morom ; comment, bien des siècles plus tard, une traduction de ce précieux livre, écrit en caractères égyptiens, fut faite par Joseph Smyth junior, fermier de l'État de Vermont,
5185 qui se révéla comme prophète mystique en 1825 ; comment, enfin, un messager céleste lui apparut dans une forêt lumineuse et lui remit les annales[2] du Seigneur. »

En ce moment, quelques auditeurs, peu intéressés par le récit rétrospectif du missionnaire, quittèrent le wagon ; mais William
5190 Hitch, continuant, raconta « comment Smyth junior, réunissant son père, ses deux frères et quelques disciples, fonda la religion des Saints des derniers jours, religion qui, adoptée non seulement en Amérique, mais en Angleterre, en Scandinavie, en Allemagne, compte parmi ses fidèles des artisans et aussi nombre de gens
5195 exerçant des professions libérales ; comment une colonie fut fondée dans l'Ohio ; comment un temple fut élevé au prix de deux cent mille dollars et une ville bâtie à Kirkland ; comment Smyth devint un audacieux banquier et reçut d'un simple montreur de momies un papyrus contenant un récit écrit de la main d'Abraham
5200 et autres célèbres Égyptiens. »

1. **Prosélytisme** : propagande religieuse utilisée afin de gagner
   de nouveaux adeptes.
2. **Annales** : archives.

Cette narration devenant un peu longue, les rangs des auditeurs s'éclaircirent encore, et le public ne se composa plus que d'une vingtaine de personnes.

Mais l'*elder*, sans s'inquiéter de cette désertion, raconta avec détail
5205 « comme quoi Joe Smyth fit banqueroute en 1837 ; comme quoi ses actionnaires ruinés l'enduisirent de goudron et le roulèrent dans la plume ; comme quoi on le retrouva, plus honorable et plus honoré que jamais, quelques années après, à Independance, dans le Missouri, et chef d'une communauté florissante, qui ne comp-
5210 tait pas moins de trois mille disciples, et qu'alors, poursuivi par la haine des gentils[1], il dut fuir dans le Far West américain. »

Dix auditeurs étaient encore là, et parmi eux l'honnête Passepartout, qui écoutait de toutes ses oreilles. Ce fut ainsi qu'il apprit « comment, après de longues persécutions, Smyth reparut
5215 dans l'Illinois et fonda en 1839, sur les bords du Mississippi, Nauvoo-la-Belle, dont la population s'éleva jusqu'à vingt-cinq mille âmes ; comment Smyth en devint le maire, le juge suprême et le général en chef ; comment, en 1843, il posa sa candidature à la présidence des États-Unis, et comment enfin, attiré dans un
5220 guet-apens, à Carthage, il fut jeté en prison et assassiné par une bande d'hommes masqués. »

En ce moment, Passepartout était absolument seul dans le wagon, et l'*elder*, le regardant en face, le fascinant par ses paroles, lui rappela que, deux ans après l'assassinat de Smyth, son succes-
5225 seur, le prophète inspiré, Brigham Young, abandonnant Nauvoo, vint s'établir aux bords du lac Salé, et que là, sur cet admirable

---

1. **Gentils** : à l'origine, nom donné par les juifs aux non-juifs ;
puis le terme a été utilisé par les premiers chrétiens pour
désigner les païens.

territoire, au milieu de cette contrée fertile, sur le chemin des émigrants qui traversaient l'Utah pour se rendre en Californie, la nouvelle colonie, grâce aux principes polygames du mormonisme,
5230 prit une extension énorme.

« Et voilà, ajouta William Hitch, voilà pourquoi la jalousie du Congrès s'est exercée contre nous ! pourquoi les soldats de l'Union ont foulé le sol de l'Utah ! pourquoi notre chef, le prophète Brigham Young, a été emprisonné au mépris de toute justice ! Céderons-
5235 nous à la force ? Jamais ! Chassés du Vermont, chassés de l'Illinois, chassés de l'Ohio, chassés du Missouri, chassés de l'Utah, nous retrouverons encore quelque territoire indépendant où nous planterons notre tente... Et vous, mon fidèle, ajouta l'*elder* en fixant sur son unique auditeur des regards courroucés, planterez-vous
5240 la vôtre à l'ombre de notre drapeau ?

– Non », répondit bravement Passepartout, qui s'enfuit à son tour, laissant l'énergumène prêcher dans le désert.

Mais pendant cette conférence, le train avait marché rapidement, et, vers midi et demi, il touchait à sa pointe nord-ouest le grand lac
5245 Salé. De là, on pouvait embrasser, sur un vaste périmètre, l'aspect de cette mer intérieure, qui porte aussi le nom de mer Morte et dans laquelle se jette un Jourdain[1] d'Amérique. Lac admirable, encadré de belles roches sauvages, à larges assises, encroûtées de sel blanc, superbe nappe d'eau qui couvrait autrefois un espace
5250 plus considérable ; mais avec le temps, ses bords, montant peu à peu, ont réduit sa superficie en accroissant sa profondeur.

Le lac Salé, long de soixante-dix milles environ, large de trente-cinq, est situé à trois mille huit cents pieds au-dessus du niveau

---

1. **Jourdain** : fleuve du Proche-Orient.

de la mer. Bien différent du lac Asphaltite, dont la dépression
accuse douze cents pieds au-dessous, sa salure est considérable, et
ses eaux tiennent en dissolution le quart de leur poids de matière
solide. Leur pesanteur spécifique est de 1 170, celle de l'eau distillée
étant 1 000. Aussi les poissons n'y peuvent vivre. Ceux qu'y jettent
le Jourdain, le Weber et autres *creeks*, y périssent bientôt ; mais il
n'est pas vrai que la densité de ses eaux soit telle qu'un homme
n'y puisse plonger.

Autour du lac, la campagne était admirablement cultivée, car
les mormons s'entendent aux travaux de la terre : des ranchos et
des corrals[1] pour les animaux domestiques, des champs de blé,
de maïs, de sorgho[2], des prairies luxuriantes, partout des haies
de rosiers sauvages, des bouquets d'acacias et d'euphorbes[3], tel
eût été l'aspect de cette contrée, six mois plus tard ; mais en ce
moment le sol disparaissait sous une mince couche de neige, qui
le poudrait légèrement.

À deux heures, les voyageurs descendaient à la station d'Ogden.
Le train ne devant repartir qu'à six heures, Mr. Fogg, Mrs. Aouda
et leurs deux compagnons avaient donc le temps de se rendre à la
Cité des Saints par le petit embranchement qui se détache de la
station d'Ogden. Deux heures suffisaient à visiter cette ville absolument américaine et, comme telle, bâtie sur le patron de toutes
les villes de l'Union, vastes échiquiers à longues lignes froides,
avec la « tristesse lugubre des angles droits », suivant l'expression
de Victor Hugo. Le fondateur de la Cité des Saints ne pouvait
échapper à ce besoin de symétrie qui distingue les Anglo-Saxons.

1. **Ranchos** : ranches. **Corrals** : enclos.
2. **Sorgho** : céréale.
3. **Euphorbe** : plante.

5280 Dans ce singulier pays, où les hommes ne sont certainement pas à la hauteur des institutions, tout se fait « carrément », les villes, les maisons et les sottises.

À trois heures, les voyageurs se promenaient donc par les rues de la cité, bâtie entre la rive du Jourdain et les premières ondu-
5285 lations des monts Wahsatch. Ils y remarquèrent peu ou point d'églises, mais, comme monuments, la maison du prophète, la *court-house* et l'arsenal[1] ; puis, des maisons de brique bleuâtre avec vérandas et galeries, entourées de jardins, bordées d'acacias, de palmiers et de caroubiers. Un mur d'argile et de cailloux, construit
5290 en 1853, ceignait la ville. Dans la principale rue, où se tient le marché, s'élevaient quelques hôtels ornés de pavillons[2], et entre autres Salt Lake house.

Mr. Fogg et ses compagnons ne trouvèrent pas la cité fort peuplée. Les rues étaient presque désertes, sauf toutefois la
5295 partie du Temple, qu'ils n'atteignirent qu'après avoir traversé plusieurs quartiers entourés de palissades. Les femmes étaient assez nombreuses, ce qui s'explique par la composition singu-lière des ménages mormons. Il ne faut pas croire, cependant, que tous les mormons soient polygames. On est libre, mais il est bon
5300 de remarquer que ce sont les citoyennes de l'Utah qui tiennent surtout à être épousées, car, suivant la religion du pays, le ciel mormon n'admet point à la possession de ses béatitudes les céli-bataires du sexe féminin. Ces pauvres créatures ne paraissaient ni aisées ni heureuses. Quelques-unes, les plus riches sans doute,
5305 portaient une jaquette de soie noire ouverte à la taille, sous une

---

1. **Court-house** : tribunal. **Arsenal** : réserve d'armes pour l'armée.
2. **Pavillons** : drapeaux.

capuche ou un châle fort modeste. Les autres n'étaient vêtues que d'indienne[1].

Passepartout, lui, en sa qualité de garçon convaincu, ne regardait pas sans un certain effroi ces mormones chargées de faire à plusieurs le bonheur d'un seul mormon. Dans son bon sens, c'était le mari qu'il plaignait surtout. Cela lui paraissait terrible d'avoir à guider tant de dames à la fois au travers des vicissitudes[2] de la vie, à les conduire ainsi en troupe jusqu'au paradis mormon, avec cette perspective de les y retrouver pour l'éternité en compagnie du glorieux Smyth, qui devait faire l'ornement de ce lieu de délices. Décidément, il ne se sentait pas la vocation, et il trouvait – peut-être s'abusait-il en ceci – que les citoyennes de Great Lake City jetaient sur sa personne des regards un peu inquiétants.

Très heureusement, son séjour dans la Cité des Saints ne devait pas se prolonger. À quatre heures moins quelques minutes, les voyageurs se retrouvaient à la gare et reprenaient leur place dans leurs wagons.

Le coup de sifflet se fit entendre ; mais au moment où les roues motrices de la locomotive, patinant sur les rails, commençaient à imprimer au train quelque vitesse, ces cris : « Arrêtez ! arrêtez ! » retentirent.

On n'arrête pas un train en marche. Le gentleman qui proférait ces cris était évidemment un mormon attardé. Il courait à perdre haleine. Heureusement pour lui, la gare n'avait ni portes ni barrières. Il s'élança donc sur la voie, sauta sur le marchepied de la dernière voiture, et tomba essoufflé sur une des banquettes du wagon.

---

1. **Indienne** : étoffe de coton.
2. **Vicissitudes** : variations dues au changement.

Passepartout, qui avait suivi avec émotion les incidents de cette gymnastique, vint contempler ce retardataire, auquel il s'intéressa vivement, quand il apprit que ce citoyen de l'Utah n'avait ainsi pris la fuite qu'à la suite d'une scène de ménage.

Lorsque le mormon eut repris haleine, Passepartout se hasarda à lui demander poliment combien il avait de femmes, à lui tout seul et, à la façon dont il venait de décamper, il lui en supposait une vingtaine au moins.

« Une, monsieur ! répondit le mormon en levant les bras au ciel, une, et c'était assez !

Une famille de mormons, aux environs du lac Salé, 1871.

XXVIII

Dans lequel Passepartout ne put parvenir à faire entendre le langage de la raison

Le train, en quittant Great Salt Lake et la station d'Ogden, s'éleva pendant une heure vers le nord, jusqu'à Weber River, ayant franchi neuf cents milles environ depuis San Francisco. À partir de ce point, il reprit la direction de l'est à travers le massif accidenté des monts Wahsatch. C'est dans cette partie du territoire, comprise entre ces montagnes et les montagnes Rocheuses proprement dites, que les ingénieurs américains ont été aux prises avec les plus sérieuses difficultés. Aussi, dans ce parcours, la subvention du gouvernement de l'Union s'est-elle élevée à quarante-huit mille dollars par mille, tandis qu'elle n'était que de seize mille dollars en plaine ; mais les ingénieurs, ainsi qu'il a été dit, n'ont pas violenté la nature, ils ont rusé avec elle, tournant les difficultés, et pour atteindre le grand bassin, un seul tunnel, long de quatorze mille pieds, a été percé dans tout le parcours du *railroad*.

C'était au lac Salé même que le tracé avait atteint jusqu'alors sa plus haute cote d'altitude. Depuis ce point, son profil décrivait une courbe très allongée, s'abaissant vers la vallée du Bitter Creek, pour remonter jusqu'au point de partage des eaux entre l'Atlantique et le Pacifique. Les rios étaient nombreux dans cette montagneuse région. Il fallut franchir sur des ponceaux[1] le Muddy, le Green et autres.

1. Ponceaux : petits ponts.

Passepartout était devenu plus impatient à mesure qu'il s'approchait du but. Mais Fix, à son tour, aurait voulu être déjà sorti de cette difficile contrée. Il craignait les retards, il redoutait les accidents, et était plus pressé que Phileas Fogg lui-même de mettre le pied sur la terre anglaise !

À dix heures du soir, le train s'arrêtait à la station de Fort Bridger, qu'il quitta presque aussitôt, et, vingt milles plus loin, il entrait dans l'État de Wyoming, l'ancien Dakota, en suivant toute la vallée du Bitter Creek, d'où s'écoulent une partie des eaux qui forment le système hydrographique du Colorado.

Le lendemain, 7 décembre, il y eut un quart d'heure d'arrêt à la station de Green River. La neige avait tombé pendant la nuit assez abondamment, mais, mêlée à de la pluie, à demi fondue, elle ne pouvait gêner la marche du train. Toutefois, ce mauvais temps ne laissa pas d'inquiéter Passepartout, car l'accumulation des neiges, en embourbant les roues des wagons, eût certainement compromis le voyage.

« Aussi, quelle idée, se disait-il, mon maître a-t-il eue de voyager pendant l'hiver ! Ne pouvait-il attendre la belle saison pour augmenter ses chances ? »

Mais, en ce moment, où l'honnête garçon ne se préoccupait que de l'état du ciel et de l'abaissement de la température, Mrs. Aouda éprouvait des craintes plus vives, qui provenaient d'une tout autre cause.

En effet, quelques voyageurs étaient descendus de leur wagon, et se promenaient sur le quai de la gare de Green River, en attendant le départ du train. Or, à travers la vitre, la jeune femme reconnut

parmi eux le colonel Stamp W. Proctor, cet Américain qui s'était
5390 si grossièrement comporté à l'égard de Phileas Fogg pendant le
meeting de San Francisco. Mrs. Aouda, ne voulant pas être vue,
se rejeta en arrière.

Cette circonstance impressionna vivement la jeune femme. Elle
s'était attachée à l'homme qui, si froidement que ce fût, lui donnait
5395 chaque jour les marques du plus absolu dévouement. Elle ne
comprenait pas, sans doute, toute la profondeur du sentiment que
lui inspirait son sauveur, et à ce sentiment elle ne donnait encore
que le nom de reconnaissance, mais, à son insu, il y avait plus que
cela. Aussi son cœur se serra-t-il, quand elle reconnut le grossier
5400 personnage auquel Mr. Fogg voulait tôt ou tard demander raison
de sa conduite. Évidemment, c'était le hasard seul qui avait amené
dans ce train le colonel Proctor, mais enfin il y était, et il fallait
empêcher à tout prix que Phileas Fogg aperçût son adversaire.

Mrs. Aouda, lorsque le train se fut remis en route, profita d'un
5405 moment où sommeillait Mr. Fogg pour mettre Fix et Passepartout
au courant de la situation.

« Ce Proctor est dans le train ! s'écria Fix. Eh bien, rassurez-vous,
madame, avant d'avoir affaire au sieur… à Mr. Fogg, il aura affaire
à moi ! Il me semble que, dans tout ceci, c'est encore moi qui ai
5410 reçu les plus graves insultes !

– Et, de plus, ajouta Passepartout, je me charge de lui, tout
colonel qu'il est.

– Monsieur Fix, reprit Mrs. Aouda, Mr. Fogg ne laissera à personne
le soin de le venger. Il est homme, il l'a dit, à revenir en Amérique
5415 pour retrouver cet insulteur. Si donc il aperçoit le colonel Proctor,
nous ne pourrons empêcher une rencontre, qui peut amener de
déplorables résultats. Il faut donc qu'il ne le voie pas.

– Vous avez raison, madame, répondit Fix, une rencontre pourrait tout perdre. Vainqueur ou vaincu, Mr. Fogg serait retardé, et...

– Et, ajouta Passepartout, cela ferait le jeu des gentlemen du Reform Club. Dans quatre jours nous serons à New York ! Eh bien, si pendant quatre jours mon maître ne quitte pas son wagon, on peut espérer que le hasard ne le mettra pas face à face avec ce maudit Américain, que Dieu confonde ! Or, nous saurons bien l'empêcher... »

La conversation fut suspendue. Mr. Fogg s'était réveillé, et regardait la campagne à travers la vitre tachetée de neige. Mais, plus tard, et sans être entendu de son maître ni de Mrs. Aouda, Passepartout dit à l'inspecteur de police :

« Est-ce que vraiment vous vous battriez pour lui ?

– Je ferai tout pour le ramener vivant en Europe ! » répondit simplement Fix, d'un ton qui marquait une implacable volonté.

Passepartout sentit comme un frisson lui courir par le corps, mais ses convictions à l'endroit de son maître ne faiblirent pas.

Et maintenant, y avait-il un moyen quelconque de retenir Mr. Fogg dans ce compartiment pour prévenir toute rencontre entre le colonel et lui ? Cela ne pouvait être difficile, le gentleman étant d'un naturel peu remuant et peu curieux. En tout cas, l'inspecteur de police crut avoir trouvé ce moyen, car, quelques instants plus tard, il disait à Phileas Fogg :

« Ce sont de longues et lentes heures, monsieur, que celles que l'on passe ainsi en chemin de fer.

– En effet, répondit le gentleman, mais elles passent.

– À bord des paquebots, reprit l'inspecteur, vous aviez l'habitude de faire votre whist ?

– Oui, répondit Phileas Fogg, mais ici ce serait difficile. Je n'ai ni cartes ni partenaires.

– Oh ! les cartes, nous trouverons bien à les acheter. On vend
5450 de tout dans les wagons américains. Quant aux partenaires, si, par hasard, madame...

– Certainement, monsieur, répondit vivement la jeune femme, je connais le whist. Cela fait partie de l'éducation anglaise.

– Et moi, reprit Fix, j'ai quelques prétentions à bien jouer ce jeu.
5455 Or, à nous trois et un mort...

– Comme il vous plaira, monsieur », répondit Phileas Fogg, enchanté de reprendre son jeu favori, même en chemin de fer.

Passepartout fut dépêché à la recherche du steward, et il revint bientôt avec deux jeux complets, des fiches, des jetons et une
5460 tablette recouverte de drap. Rien ne manquait. Le jeu commença. Mrs. Aouda savait très suffisamment le whist, et elle reçut même quelques compliments du sévère Phileas Fogg. Quant à l'inspecteur, il était tout simplement de première force, et digne de tenir tête au gentleman.

5465 « Maintenant, se dit Passepartout à lui-même, nous le tenons. Il ne bougera plus ! »

À onze heures du matin, le train avait atteint le point de partage des eaux[1] des deux océans. C'était à Passe Bridger, à une hauteur de sept mille cinq cent vingt-quatre pieds anglais au-dessus du
5470 niveau de la mer, un des plus hauts points touchés par le profil du tracé dans ce passage à travers les montagnes Rocheuses. Après deux cents milles environ, les voyageurs se trouveraient enfin sur

---

1. **Point de partage des eaux** : limite géographique. D'un côté de cette ligne, les eaux s'écoulent vers l'océan Pacifique ; de l'autre, elles s'écoulent vers l'océan Atlantique.

ces longues plaines qui s'étendent jusqu'à l'Atlantique, et que la nature rendait si propices à l'établissement d'une voie ferrée.

5475 Sur le versant du bassin atlantique se développaient déjà les premiers rios, affluents ou sous-affluents de North Platte River. Tout l'horizon du nord et de l'est était couvert par cette immense courtine[1] semi-circulaire, qui forme la portion septentrionale des Rocky Mountains, dominée par le pic de Laramie. Entre cette
5480 courbure et la ligne de fer s'étendaient de vastes plaines, largement arrosées. Sur la droite du *railroad* s'étageaient les premières rampes du massif montagneux qui s'arrondit au sud jusqu'aux sources de la rivière de l'Arkansas, l'un des grands tributaires du Missouri.

5485 À midi et demi, les voyageurs entrevoyaient un instant le fort Halleck, qui commande cette contrée. Encore quelques heures, et la traversée des montagnes Rocheuses serait accomplie. On pouvait donc espérer qu'aucun accident ne signalerait le passage du train à travers cette difficile région. La neige avait cessé de
5490 tomber. Le temps se mettait au froid sec. De grands oiseaux, effrayés par la locomotive, s'enfuyaient au loin. Aucun fauve, ours ou loup, ne se montrait sur la plaine. C'était le désert dans son immense nudité.

Après un déjeuner assez confortable, servi dans le wagon même,
5495 Mr. Fogg et ses partenaires venaient de reprendre leur interminable whist, quand de violents coups de sifflet se firent entendre. Le train s'arrêta.

Passepartout mit la tête à la portière et ne vit rien qui motivât cet arrêt. Aucune station n'était en vue.

---

1. **Courtine** : mur intérieur d'un château fort.

5500 Mrs. Aouda et Fix purent craindre un instant que Mr. Fogg ne songeât à descendre sur la voie. Mais le gentleman se contenta de dire à son domestique :

« Voyez donc ce que c'est. »

Passepartout s'élança hors du wagon. Une quarantaine de voya-
5505 geurs avaient déjà quitté leurs places, et parmi eux le colonel Stamp W. Proctor.

Le train était arrêté devant un signal tourné au rouge, qui fermait la voie. Le mécanicien et le conducteur, étant descendus, discutaient assez vivement avec un garde-voie, que le chef de gare de
5510 Medicine Bow, la station prochaine, avait envoyé au-devant du train. Des voyageurs s'étaient approchés et prenaient part à la discussion, entre autres le susdit colonel Proctor, avec son verbe haut et ses gestes impérieux.

Passepartout, ayant rejoint le groupe, entendit le garde-voie qui
5515 disait :

« Non ! il n'y a pas moyen de passer ! Le pont de Medicine Bow est ébranlé et ne supporterait pas le poids du train. »

Ce pont, dont il était question, était un pont suspendu, jeté sur un rapide, à un mille de l'endroit où le convoi s'était arrêté. Au dire
5520 du garde-voie, il menaçait ruine, plusieurs des fils étaient rompus, et il était impossible d'en risquer le passage. Le garde-voie n'exa-
gérait donc en aucune façon en affirmant qu'on ne pouvait passer. Et d'ailleurs, avec les habitudes d'insouciance des Américains, on peut dire que, quand ils se mettent à être prudents, il y aurait
5525 folie à ne pas l'être.

Passepartout, n'osant aller prévenir son maître, écoutait, les dents serrées, immobile comme une statue.

« Ah ça ! s'écria le colonel Proctor, nous n'allons pas, j'imagine, rester ici à prendre racine dans la neige !

5530 — Colonel, répondit le conducteur, on a télégraphié à la station d'Omaha pour demander un train, mais il n'est pas probable qu'il arrive à Medicine Bow avant six heures.

— Six heures ! s'écria Passepartout.

— Sans doute, répondit le conducteur. D'ailleurs, ce temps nous

5535 sera nécessaire pour gagner à pied la station.

— À pied ! s'écrièrent tous les voyageurs.

— Mais à quelle distance est donc cette station ? demanda l'un d'eux au conducteur.

— À douze milles, de l'autre côté de la rivière.

5540 — Douze milles dans la neige ! » s'écria Stamp W. Proctor.

Le colonel lança une bordée de jurons, s'en prenant à la compagnie, s'en prenant au conducteur, et Passepartout, furieux, n'était pas loin de faire chorus avec lui. Il y avait là un obstacle matériel contre lequel échoueraient, cette fois, toutes les *banknotes* de son

5545 maître.

Au surplus, le désappointement était général parmi les voyageurs, qui, sans compter le retard, se voyaient obligés à faire une quinzaine de milles à travers la plaine couverte de neige. Aussi était-ce un brouhaha, des exclamations, des vociférations, qui

5550 auraient certainement attiré l'attention de Phileas Fogg, si ce gentleman n'eût été absorbé par son jeu.

Cependant Passepartout se trouvait dans la nécessité de le prévenir, et, la tête basse, il se dirigeait vers le wagon, quand le mécanicien du train – un vrai Yankee, nommé Forster –, élevant

5555 la voix, dit :

« Messieurs, il y aurait peut-être moyen de passer.

– Sur le pont ? répondit un voyageur.

– Sur le pont.

– Avec notre train ? demanda le colonel.

5560 – Avec notre train. »

Passepartout s'était arrêté, et dévorait les paroles du mécanicien.

« Mais le pont menace ruine ! reprit le conducteur.

– N'importe, répondit Forster. Je crois qu'en lançant le train avec
5565 son maximum de vitesse, on aurait quelques chances de passer.

– Diable ! » fit Passepartout.

Mais un certain nombre de voyageurs avaient été immédiatement séduits par la proposition. Elle plaisait particulièrement au colonel Proctor. Ce cerveau brûlé trouvait la chose très faisable. Il
5570 rappela même que des ingénieurs avaient eu l'idée de passer des rivières « sans pont » avec des trains rigides lancés à toute vitesse, etc. Et, en fin de compte, tous les intéressés dans la question se rangèrent à l'avis du mécanicien.

« Nous avons cinquante chances pour passer, disait l'un.

5575 – Soixante, disait l'autre.

– Quatre-vingts !... quatre-vingt-dix sur cent ! »

Passepartout était ahuri, quoiqu'il fût prêt à tout tenter pour opérer le passage du Medicine Creek, mais la tentative lui semblait un peu trop « américaine ».

5580 « D'ailleurs, pensa-t-il, il y a une chose bien plus simple à faire, et ces gens-là n'y songent même pas !... »

« Monsieur, dit-il à un des voyageurs, le moyen proposé par le mécanicien me paraît un peu hasardé, mais...

– Quatre-vingts chances ! répondit le voyageur, qui lui tourna le dos.

– Je sais bien, répondit Passepartout en s'adressant à un autre gentleman, mais une simple réflexion...

– Pas de réflexion, c'est inutile ! répondit l'Américain interpellé en haussant les épaules, puisque le mécanicien assure qu'on passera !

– Sans doute, reprit Passepartout, on passera, mais il serait peut-être plus prudent...

– Quoi ! prudent ! s'écria le colonel Proctor, que ce mot, entendu par hasard, fit bondir. À grande vitesse, on vous dit ! Comprenez-vous ? À grande vitesse !

– Je sais... je comprends..., répétait Passepartout, auquel personne ne laissait achever sa phrase, mais il serait, sinon plus prudent, puisque le mot vous choque, du moins plus naturel...

– Qui ? que ? quoi ? Qu'a-t-il donc, celui-là, avec son naturel ?... » s'écria-t-on de toutes parts.

Le pauvre garçon ne savait plus de qui se faire entendre.

« Est-ce que vous avez peur ? lui demanda le colonel Proctor.

– Moi, peur ! s'écria Passepartout. Eh bien, soit ! Je montrerai à ces gens-là qu'un Français peut être aussi américain qu'eux !

– En voiture ! en voiture ! criait le conducteur.

– Oui ! en voiture, répétait Passepartout, en voiture ! Et tout de suite ! Mais on ne m'empêchera pas de penser qu'il eût été plus naturel de nous faire d'abord passer à pied sur ce pont, nous autres voyageurs, puis le train ensuite !... »

Mais personne n'entendit cette sage réflexion, et personne n'eût voulu en reconnaître la justesse.

Les voyageurs étaient réintégrés dans leur wagon. Passepartout reprit sa place, sans rien dire de ce qui s'était passé. Les joueurs étaient tout entiers à leur whist.

5615 La locomotive siffla vigoureusement. Le mécanicien, renversant la vapeur, ramena son train en arrière pendant près d'un mille, reculant comme un sauteur qui veut prendre son élan.

Puis, à un second coup de sifflet, la marche en avant recommença : elle s'accéléra ; bientôt la vitesse devint effroyable ; on
5620 n'entendait plus qu'un seul hennissement sortant de la locomotive ; les pistons battaient vingt coups à la seconde ; les essieux des roues fumaient dans les boîtes à graisse. On sentait, pour ainsi dire, que le train tout entier, marchant avec une rapidité de cent milles à l'heure, ne pesait plus sur les rails. La vitesse mangeait
5625 la pesanteur.

Et l'on passa ! Et ce fut comme un éclair. On ne vit rien du pont. Le convoi sauta, on peut le dire, d'une rive à l'autre, et le mécanicien ne parvint à arrêter sa machine emportée qu'à cinq milles au-delà de la station.

5630 Mais à peine le train avait-il franchi la rivière, que le pont, définitivement ruiné, s'abîmait avec fracas dans le rapide de Medicine Bow.

XXIX

Où il sera fait le récit d'incidents divers qui ne se rencontrent que sur les *railroads* de l'Union

Le soir même, le train poursuivait sa route sans obstacles, dépassait le fort Sauders, franchissait la passe de Cheyenne et arrivait
5635 à la passe d'Evans. En cet endroit, le *railroad* atteignait le plus haut point du parcours, soit huit mille quatre-vingt-onze pieds au-dessus du niveau de l'océan. Les voyageurs n'avaient plus qu'à descendre jusqu'à l'Atlantique sur ces plaines sans limites, nivelées[1] par la nature.

5640 Là se trouvait sur le *grand trunk* l'embranchement de Denver City, la principale ville du Colorado. Ce territoire est riche en mines d'or et d'argent, et plus de cinquante mille habitants y ont déjà fixé leur demeure.

À ce moment, treize cent quatre-vingt-deux milles avaient été
5645 faits depuis San Francisco, en trois jours et trois nuits. Quatre nuits et quatre jours, selon toute prévision, devaient suffire pour atteindre New York. Phileas Fogg se maintenait donc dans les délais réglementaires.

Pendant la nuit, on laissa sur la gauche le camp Walbah. Le Lodge
5650 Pole Creek[2] courait parallèlement à la voie, en suivant la frontière rectiligne commune aux États du Wyoming et du Colorado.

---

1. **Nivelées :** rendues horizontales, unies.
2. **Lodge Pole Creek :** rivière du centre des États-Unis.

À onze heures, on entrait dans le Nebraska, on passait près du Sedgwick, et l'on touchait à Julesburgh, placé sur la branche sud de Platte River.

5655 C'est à ce point que se fit l'inauguration de l'Union Pacific Road, le 23 octobre 1867, et dont l'ingénieur en chef fut le général J. M. Dodge. Là s'arrêtèrent les deux puissantes locomotives, remorquant les neuf wagons des invités, au nombre desquels figurait le vice-président, Mr. Thomas C. Durant ; là retentirent 5660 les acclamations ; là, les Sioux et les Pawnies donnèrent le spectacle d'une petite guerre indienne● ; là, les feux d'artifice éclatèrent ; là, enfin, se publia, au moyen d'une imprimerie portative, le premier numéro du journal *Railway Pioneer*. Ainsi fut célébrée l'inauguration de ce grand chemin de fer, instrument de progrès 5665 et de civilisation, jeté à travers le désert et destiné à relier entre elles des villes et des cités qui n'existaient pas encore. Le sifflet de la locomotive, plus puissant que la lyre d'Amphion[1], allait bientôt les faire surgir du sol américain.

À huit heures du matin, le fort Mac-Pherson● était laissé en 5670 arrière. Trois cent cinquante-sept milles séparent ce point d'Omaha. La voie ferrée suivait, sur sa rive gauche, les capricieuses

---

1. **Amphion** : personnage de la mythologie grecque qui construisit la ville de Thèbes en attirant les pierres avec sa lyre.

● Les guerres indiennes sont l'ensemble des soixante-cinq guerres opposant les colons européens puis les Américains aux peuples nord-amérindiens. L'armée fut constamment en guerre contre ces peuples de 1778 à 1890. Ces guerres se sont prolongées par des violences et de nombreux massacres de la part des deux camps.

● Établi en 1863 dans l'actuel État du Nebraska, le fort Mac-Pherson était destiné à protéger les voyageurs et fut utilisé comme avant-poste pendant les guerres indiennes.

sinuosités de la branche sud de Platte River. À neuf heures, on arrivait à l'importante ville de North-Platte, bâtie entre ces deux bras du grand cours d'eau, qui se rejoignent autour d'elle pour ne
5675 plus former qu'une seule artère, affluent considérable dont les eaux se confondent avec celles du Missouri, un peu au-dessus d'Omaha.

Le cent-unième méridien était franchi.

Mr. Fogg et ses partenaires avaient repris leur jeu. Aucun d'eux
5680 ne se plaignait de la longueur de la route, pas même le mort. Fix avait commencé par gagner quelques guinées, qu'il était en train de reperdre, mais il ne se montrait pas moins passionné que Mr. Fogg. Pendant cette matinée, la chance favorisa singulièrement ce gentleman. Les atouts et les honneurs pleuvaient
5685 dans ses mains. À un certain moment, après avoir combiné un coup audacieux, il se préparait à jouer pique, quand, derrière la banquette, une voix se fit entendre, qui disait :

« Moi, je jouerais carreau... »

Mr. Fogg, Mrs. Aouda, Fix levèrent la tête. Le colonel Proctor
5690 était près d'eux.

Stamp W. Proctor et Phileas Fogg se reconnurent aussitôt.

« Ah ! c'est vous, monsieur l'Anglais, s'écria le colonel, c'est vous qui voulez jouer pique !

– Et qui le joue, répondit froidement Phileas Fogg, en abattant
5695 un dix de cette couleur.

– Eh bien, il me plaît que ce soit carreau », répliqua le colonel Proctor d'une voix irritée.

Et il fit un geste pour saisir la carte jouée, en ajoutant :

« Vous n'entendez rien à ce jeu.

5700   — Peut-être serai-je plus habile à un autre, dit Phileas Fogg, qui se leva.

    — Il ne tient qu'à vous d'en essayer, fils de John Bull[1] ! » répliqua le grossier personnage.

    Mrs. Aouda était devenue pâle. Tout son sang lui refluait au 5705 cœur. Elle avait saisi le bras de Phileas Fogg, qui la repoussa doucement. Passepartout était prêt à se jeter sur l'Américain, qui regardait son adversaire de l'air le plus insultant. Mais Fix s'était levé, et, allant au colonel Proctor, il lui dit :

    « Vous oubliez que c'est moi à qui vous avez affaire, monsieur, 5710 moi que vous avez, non seulement injurié, mais frappé !

    — Monsieur Fix, dit Mr. Fogg, je vous demande pardon, mais ceci me regarde seul. En prétendant que j'avais tort de jouer pique, le colonel m'a fait une nouvelle injure, et il m'en rendra raison.

    — Quand vous voudrez, et où vous voudrez, répondit l'Américain, 5715 et à l'arme qu'il vous plaira ! »

    Mrs. Aouda essaya vainement de retenir Mr. Fogg. L'inspecteur tenta inutilement de reprendre la querelle à son compte. Passepartout voulait jeter le colonel par la portière, mais un signe de son maître l'arrêta. Phileas Fogg quitta le wagon, et l'Américain 5720 le suivit sur la passerelle.

    « Monsieur, dit Mr. Fogg à son adversaire, je suis fort pressé de retourner en Europe, et un retard quelconque préjudicierait beaucoup à mes intérêts.

    — Eh bien ! qu'est-ce que cela me fait ? répondit le colonel 5725 Proctor.

---

1. **John Bull** : personnage de la littérature anglaise du
XVIIIe siècle, représentant le peuple anglais.

248

– Monsieur, reprit très poliment Mr. Fogg, après notre rencontre à San Francisco, j'avais formé le projet de venir vous retrouver en Amérique, dès que j'aurais terminé les affaires qui m'appellent sur l'ancien continent.

5730 – Vraiment !

– Voulez-vous me donner rendez-vous dans six mois ?

– Pourquoi pas dans six ans ?

– Je dis six mois, répondit Mr. Fogg, et je serai exact au rendez-vous.

5735 – Des défaites, tout cela ! s'écria Stamp W. Proctor. Tout de suite ou pas.

– Soit, répondit Mr. Fogg. Vous allez à New York ?

– Non.

– À Chicago ?

5740 – Non.

– À Omaha ?

– Peu vous importe ! Connaissez-vous Plum Creek ?

– Non, répondit Mr. Fogg.

– C'est la station prochaine. Le train y sera dans une heure.
5745 Il y stationnera dix minutes. En dix minutes, on peut échanger quelques coups de revolver.

– Soit, répondit Mr. Fogg. Je m'arrêterai à Plum Creek.

– Et je crois même que vous y resterez ! ajouta l'Américain avec une insolence sans pareille.

5750 – Qui sait, monsieur ? » répondit Mr. Fogg, et il rentra dans son wagon, aussi froid que d'habitude.

Là, le gentleman commença par rassurer Mrs. Aouda, lui disant que les fanfarons n'étaient jamais à craindre. Puis il pria Fix de

lui servir de témoin dans la rencontre qui allait avoir lieu. Fix ne
pouvait refuser, et Phileas Fogg reprit tranquillement son jeu
interrompu, en jouant pique avec un calme parfait.

À onze heures, le sifflet de la locomotive annonça l'approche
de la station de Plum Creek. Mr. Fogg se leva, et, suivi de Fix, il
se rendit sur la passerelle. Passepartout l'accompagnait, portant
une paire de revolvers. Mrs. Aouda était restée dans le wagon,
pâle comme une morte.

En ce moment, la porte de l'autre wagon s'ouvrit, et le colonel
Proctor apparut également sur la passerelle, suivi de son témoin,
un Yankee de sa trempe. Mais à l'instant où les deux adversaires
allaient descendre sur la voie, le conducteur accourut et leur
cria :

« On ne descend pas, messieurs.

— Et pourquoi ? demanda le colonel.

— Nous avons vingt minutes de retard, et le train ne s'arrête
pas.

— Mais je dois me battre avec monsieur.

— Je le regrette, répondit l'employé, mais nous repartons immédiatement. Voici la cloche qui sonne ! »

La cloche sonnait, en effet, et le train se remit en route.

« Je suis vraiment désolé, messieurs, dit alors le conducteur. En
toute autre circonstance, j'aurais pu vous obliger. Mais, après tout,
puisque vous n'avez pas eu le temps de vous battre ici, qui vous
empêche de vous battre en route ?

— Cela ne conviendra peut-être pas à monsieur ! dit le colonel
Proctor d'un air goguenard.

— Cela me convient parfaitement », répondit Phileas Fogg.

« Allons, décidément, nous sommes en Amérique ! pensa Passepartout, et le conducteur de train est un gentleman du meilleur monde ! »

5785   Et ce disant il suivit son maître.

Les deux adversaires, leurs témoins, précédés du conducteur, se rendirent, en passant d'un wagon à l'autre, à l'arrière du train. Le dernier wagon n'était occupé que par une dizaine de voyageurs. Le conducteur leur demanda s'ils voulaient bien, pour quelques 5790 instants, laisser la place libre à deux gentlemen qui avaient une affaire d'honneur à vider.

Comment donc ! Mais les voyageurs étaient trop heureux de pouvoir être agréables aux deux gentlemen, et ils se retirèrent sur les passerelles.

5795   Ce wagon, long d'une cinquantaine de pieds, se prêtait très convenablement à la circonstance. Les deux adversaires pouvaient marcher l'un sur l'autre entre les banquettes et s'arquebuser[1] à leur aise. Jamais duel ne fut plus facile à régler. Mr. Fogg et le colonel Proctor, munis chacun de deux revolvers à six coups, 5800 entrèrent dans le wagon. Leurs témoins, restés en dehors, les y enfermèrent. Au premier coup de sifflet de la locomotive, ils devaient commencer le feu... Puis, après un laps de deux minutes, on retirerait du wagon ce qui resterait des deux gentlemen.

Rien de plus simple en vérité. C'était même si simple que Fix et 5805 Passepartout sentaient leur cœur battre à se briser.

On attendait donc le coup de sifflet convenu, quand soudain des cris sauvages retentirent. Des détonations les accompagnèrent, mais elles ne venaient point du wagon réservé aux duellistes. Ces

---

1. **S'arquebuser** : se tirer dessus.

détonations se prolongeaient, au contraire, jusqu'à l'avant et sur
5810 toute la ligne du train. Des cris de frayeur se faisaient entendre à
l'intérieur du convoi.

Le colonel Proctor et Mr. Fogg, revolver au poing, sortirent
aussitôt du wagon et se précipitèrent vers l'avant, où retentissaient
plus bruyamment les détonations et les cris.

5815 Ils avaient compris que le train était attaqué par une bande de
Sioux.

Ces hardis Indiens n'en étaient pas à leur coup d'essai*, et plus
d'une fois déjà ils avaient arrêté les convois. Suivant leur habitude,
sans attendre l'arrêt du train, s'élançant sur les marchepieds au
5820 nombre d'une centaine, ils avaient escaladé les wagons comme
fait un clown d'un cheval au galop.

Ces Sioux étaient munis de fusils. De là les détonations
auxquelles les voyageurs, presque tous armés, ripostaient par des
coups de revolver. Tout d'abord, les Indiens s'étaient précipités
5825 sur la machine. Le mécanicien et le chauffeur[1] avaient été à demi
assommés à coups de casse-tête. Un chef sioux, voulant arrêter
le train, mais ne sachant pas manœuvrer la manette du régula-
teur, avait largement ouvert l'introduction de la vapeur au lieu
de la fermer, et la locomotive, emportée, courait avec une vitesse
5830 effroyable.

1. **Chauffeur** : homme chargé d'alimenter le moteur en charbon.

● Au début du chemin de fer, les Indiens craignaient ce qu'ils appelaient le « cheval de fer ». Ayant pris conscience que les compagnies ferroviaires les dépouillaient de leurs terrains de chasse pour faire passer des milliers de kilomètres de rails, ils systématisèrent les attaques de convois.

Attaque des Sioux.

En même temps, les Sioux avaient envahi les wagons, ils couraient comme des singes en fureur sur les impériales[1], ils enfonçaient les portières et luttaient corps à corps avec les voyageurs. Hors du wagon de bagages, forcé et pillé, les colis étaient précipités sur la voie. Cris et coups de feu ne discontinuaient pas.

5835

1. **Impériale** : étage surmontant le toit des trains, diligences...

Cependant les voyageurs se défendaient avec courage. Certains wagons, barricadés, soutenaient un siège, comme de véritables forts ambulants, emportés avec une rapidité de cent milles à
5840 l'heure.

Dès le début de l'attaque, Mrs. Aouda s'était courageusement comportée. Le revolver à la main, elle se défendait héroïquement, tirant à travers les vitres brisées, lorsque quelque sauvage se présentait à elle. Une vingtaine de Sioux, frappés à mort, étaient
5845 tombés sur la voie, et les roues des wagons écrasaient comme des vers● ceux d'entre eux qui glissaient sur les rails du haut des passerelles.

Plusieurs voyageurs, grièvement atteints par les balles ou les casse-tête, gisaient sur les banquettes.

5850 Cependant il fallait en finir. Cette lutte durait déjà depuis dix minutes, et ne pouvait que se terminer à l'avantage des Sioux, si le train ne s'arrêtait pas. En effet, la station du fort Kearney n'était pas à deux milles de distance. Là se trouvait un poste américain ; mais ce poste passé, entre le fort Kearney et la station suivante les
5855 Sioux seraient les maîtres du train.

Le conducteur se battait aux côtés de Mr. Fogg, quand une balle le renversa. En tombant, cet homme s'écria :

« Nous sommes perdus, si le train ne s'arrête pas avant cinq minutes !

5860 – Il s'arrêtera ! dit Phileas Fogg, qui voulut s'élancer hors du wagon.

● Jules Verne semble considérer les Indiens comme des animaux malfaisants. Cette idéologie, qui, rappelons-le, est celle de son époque, rejoint celle des premiers westerns, dans lesquels de vertueux cow-boys combattent de « méchants » Indiens.

– Restez, monsieur, lui cria Passepartout. Cela me regarde ! »

Phileas Fogg n'eut pas le temps d'arrêter ce courageux garçon, qui, ouvrant une portière sans être vu des Indiens, parvint à se glisser sous le wagon. Et alors, tandis que la lutte continuait, pendant que les balles se croisaient au-dessus de sa tête, retrouvant son agilité, sa souplesse de clown, se faufilant sous les wagons, s'accrochant aux chaînes, s'aidant du levier des freins et des longerons[1] des châssis, rampant d'une voiture à l'autre avec une adresse merveilleuse, il gagna ainsi l'avant du train. Il n'avait pas été vu, il n'avait pu l'être.

Là, suspendu d'une main entre le wagon des bagages et le tender[2], de l'autre il décrocha les chaînes de sûreté ; mais par suite de la traction opérée, il n'aurait jamais pu parvenir à dévisser la barre d'attelage, si une secousse que la machine éprouva n'eût fait sauter cette barre, et le train, détaché, resta peu à peu en arrière, tandis que la locomotive s'enfuyait avec une nouvelle vitesse.

Emporté par la force acquise, le train roula encore pendant quelques minutes, mais les freins furent manœuvrés à l'intérieur des wagons, et le convoi s'arrêta enfin, à moins de cent pas de la station de Kearney.

Là, les soldats du fort, attirés par les coups de feu, accoururent en hâte. Les Sioux ne les avaient pas attendus, et, avant l'arrêt complet du train, toute la bande avait décampé.

Mais quand les voyageurs se comptèrent sur le quai de la station, ils reconnurent que plusieurs manquaient à l'appel, et entre autres le courageux Français dont le dévouement venait de les sauver.

---

1. **Longerons** : pièces des châssis.
2. **Tender** : wagon accroché à la locomotive, contenant du charbon et une réserve d'eau.

XXX

Dans lequel Phileas Fogg fait tout simplement son devoir

Trois voyageurs, Passepartout compris, avaient disparu. Avaient-ils été tués dans la lutte ? Étaient-ils prisonniers des Sioux ? On ne pouvait encore le savoir.

Les blessés étaient assez nombreux, mais on reconnut qu'aucun n'était atteint mortellement. Un dès plus grièvement frappé, c'était le colonel Proctor, qui s'était bravement battu, et qu'une balle à l'aine avait renversé. Il fut transporté à la gare avec d'autres voyageurs, dont l'état réclamait des soins immédiats.

Mrs. Aouda était sauve. Phileas Fogg, qui ne s'était pas épargné, n'avait pas une égratignure. Fix était blessé au bras, blessure sans importance. Mais Passepartout manquait, et des larmes coulaient des yeux de la jeune femme.

Cependant tous les voyageurs avaient quitté le train. Les roues des wagons étaient tachées de sang. Aux moyeux et aux rayons pendaient d'informes lambeaux de chair. On voyait à perte de vue sur la plaine blanche de longues traînées rouges. Les derniers Indiens disparaissaient alors dans le sud, du côté de Republican River.

Mr. Fogg, les bras croisés, restait immobile. Il avait une grave décision à prendre. Mrs. Aouda, près de lui, le regardait sans prononcer une parole... Il comprit ce regard. Si son serviteur était prisonnier, ne devait-il pas tout risquer pour l'arracher aux Indiens ?...

« Je le retrouverai mort ou vivant, dit-il simplement à Mrs. Aouda.

– Ah ! monsieur... monsieur Fogg ! s'écria la jeune femme, en saisissant les mains de son compagnon qu'elle couvrit de larmes.

– Vivant ! ajouta Mr. Fogg, si nous ne perdons pas une minute ! »

Par cette résolution, Phileas Fogg se sacrifiait tout entier. Il venait de prononcer sa ruine. Un seul jour de retard lui faisait manquer le paquebot à New York. Son pari était irrévocablement perdu. Mais devant cette pensée : « C'est mon devoir ! » il n'avait pas hésité.

Le capitaine commandant le fort Kearney était là. Ses soldats – une centaine d'hommes environ – s'étaient mis sur la défensive pour le cas où les Sioux auraient dirigé une attaque directe contre la gare.

« Monsieur, dit Mr. Fogg au capitaine, trois voyageurs ont disparu.

– Morts ? demanda le capitaine.

– Morts ou prisonniers, répondit Phileas Fogg. Là est une incertitude qu'il faut faire cesser. Votre intention est-elle de poursuivre les Sioux ?

– Cela est grave, monsieur, dit le capitaine. Ces Indiens peuvent fuir jusqu'au-delà de l'Arkansas ! Je ne saurais abandonner le fort qui m'est confié.

– Monsieur, reprit Phileas Fogg, il s'agit de la vie de trois hommes.

– Sans doute... mais puis-je risquer la vie de cinquante pour en sauver trois ?

5940 — Je ne sais si vous le pouvez, monsieur, mais vous le devez.

— Monsieur, répondit le capitaine, personne ici n'a à m'apprendre quel est mon devoir.

— Soit, dit froidement Phileas Fogg. J'irai seul !

— Vous, monsieur ! s'écria Fix, qui s'était approché, aller seul à
5945 la poursuite des Indiens !

— Voulez-vous donc que je laisse périr ce malheureux, à qui tout ce qui est vivant ici doit la vie ? J'irai.

— Eh bien, non, vous n'irez pas seul ! s'écria le capitaine, ému malgré lui. Non ! Vous êtes un brave cœur !... Trente hommes de
5950 bonne volonté ! » ajouta-t-il en se tournant vers ses soldats.

Toute la compagnie s'avança en masse. Le capitaine n'eut qu'à choisir parmi ces braves gens. Trente soldats furent désignés, et un vieux sergent se mit à leur tête.

« Merci, capitaine ! dit Mr. Fogg.

5955 — Vous me permettrez de vous accompagner ? demanda Fix au gentleman.

— Vous ferez comme il vous plaira, monsieur, lui répondit Phileas Fogg. Mais si vous voulez me rendre service, vous resterez près de Mrs. Aouda. Au cas où il m'arriverait malheur... »

5960 Une pâleur subite envahit la figure de l'inspecteur de police. Se séparer de l'homme qu'il avait suivi pas à pas et avec tant de persistance ! Le laisser s'aventurer ainsi dans ce désert ! Fix regarda attentivement le gentleman, et, quoi qu'il en eût[1], malgré ses préventions, en dépit du combat qui se livrait en lui, il baissa
5965 les yeux devant ce regard calme et franc.

« Je resterai », dit-il.

---

1. **Quoi qu'il en eût** : malgré lui.

Quelques instants après, Mr. Fogg avait serré la main de la jeune femme ; puis, après lui avoir remis son précieux sac de voyage, il partait avec le sergent et sa petite troupe.

5970 Mais avant de partir, il avait dit aux soldats :

« Mes amis, il y a mille livres pour vous si nous sauvons les prisonniers ! »

Il était alors midi et quelques minutes.

Mrs. Aouda s'était retirée dans une chambre de la gare, et là,
5975 seule, elle attendait, songeant à Phileas Fogg, à cette générosité simple et grande, à ce tranquille courage. Mr. Fogg avait sacrifié sa fortune, et maintenant il jouait sa vie, tout cela sans hésitation, par devoir, sans phrases. Phileas Fogg était un héros à ses yeux.

L'inspecteur Fix, lui, ne pensait pas ainsi, et il ne pouvait contenir
5980 son agitation. Il se promenait fébrilement sur le quai de la gare. Un moment subjugué, il redevenait lui-même. Fogg parti, il comprenait la sottise qu'il avait faite de le laisser partir. Quoi ! cet homme qu'il venait de suivre autour du monde, il avait consenti à s'en séparer ! Sa nature reprenait le dessus, il s'incriminait, il
5985 s'accusait, il se traitait comme s'il eût été le directeur de la police métropolitaine, admonestant[1] un agent pris en flagrant délit de naïveté.

« J'ai été inepte ! pensait-il. L'autre lui aura appris qui j'étais ! Il est parti, il ne reviendra pas ! Où le reprendre maintenant ? Mais
5990 comment ai-je pu me laisser fasciner ainsi, moi, Fix, moi, qui ai en poche son ordre d'arrestation ! Décidément je ne suis qu'une bête ! »

---

1. **Admonester** : réprimander, gronder.

Ainsi raisonnait l'inspecteur de police, tandis que les heures s'écoulaient si lentement à son gré. Il ne savait que faire. Quelquefois, il avait envie de tout dire à Mrs. Aouda. Mais il comprenait comment il serait reçu par la jeune femme. Quel parti prendre ? Il était tenté de s'en aller à travers les longues plaines blanches, à la poursuite de ce Fogg ! Il ne lui semblait pas impossible de le retrouver. Les pas du détachement étaient encore imprimés sur la neige !... Mais bientôt, sous une couche nouvelle, toute empreinte s'effaça.

Alors le découragement prit Fix. Il éprouva comme une insurmontable envie d'abandonner la partie. Or, précisément, cette occasion de quitter la station de Kearney et de poursuivre ce voyage, si fécond en déconvenues, lui fut offerte.

En effet, vers deux heures après midi, pendant que la neige tombait à gros flocons, on entendit de longs sifflets qui venaient de l'est. Une énorme ombre, précédée d'une lueur fauve, s'avançait lentement, considérablement grandie par les brumes, qui lui donnaient un aspect fantastique.

Cependant on n'attendait encore aucun train venant de l'est. Les secours réclamés par le télégraphe ne pouvaient arriver sitôt, et le train d'Omaha à San Francisco ne devait passer que le lendemain. On fut bientôt fixé.

Cette locomotive qui marchait à petite vapeur, en jetant de grands coups de sifflet, c'était celle qui, après avoir été détachée du train, avait continué sa route avec une si effrayante vitesse, emportant le chauffeur et le mécanicien inanimés. Elle avait couru sur les rails pendant plusieurs milles ; puis, le feu avait baissé, faute de combustible ; la vapeur s'était détendue, et une heure après, ralentissant peu à peu sa marche, la machine s'arrêtait enfin à vingt milles au-delà de la station de Kearney.

Ni le mécanicien ni le chauffeur n'avaient succombé, et, après un évanouissement assez prolongé, ils étaient revenus à eux.

6025 La machine était alors arrêtée. Quand il se vit dans le désert, la locomotive seule, n'ayant plus de wagons à sa suite, le mécanicien comprit ce qui s'était passé. Comment la locomotive avait été détachée du train, il ne put le deviner, mais il n'était pas douteux, pour lui, que le train, resté en arrière, se trouvât en détresse.

6030 Le mécanicien n'hésita pas sur ce qu'il devait faire. Continuer la route dans la direction d'Omaha était prudent ; retourner vers le train, que les Indiens pillaient peut-être encore, était dangereux... N'importe ! Des pelletées de charbon et de bois furent engouffrées dans le foyer de sa chaudière, le feu se ranima, la pression monta 6035 de nouveau, et, vers deux heures après midi, la machine revenait en arrière vers la station de Kearney. C'était elle qui sifflait dans la brume.

Ce fut une grande satisfaction pour les voyageurs, quand ils virent la locomotive se mettre en tête du train. Ils allaient pouvoir 6040 continuer ce voyage si malheureusement interrompu.

À l'arrivée de la machine, Mrs. Aouda avait quitté la gare et, s'adressant au conducteur :

« Vous allez partir ? lui demanda-t-elle.

– À l'instant, madame.

6045 – Mais ces prisonniers... nos malheureux compagnons...

– Je ne puis interrompre le service, répondit le conducteur. Nous avons déjà trois heures de retard.

– Et quand passera l'autre train venant de San Francisco ?

– Demain soir, madame.

6050 – Demain soir ! mais il sera trop tard. Il faut attendre...

– C'est impossible, répondit le conducteur. Si vous voulez partir, montez en voiture.

– Je ne partirai pas », répondit la jeune femme. Fix avait entendu cette conversation. Quelques instants auparavant, quand 6055 tout moyen de locomotion lui manquait, il était décidé à quitter Kearney, et maintenant que le train était là, prêt à s'élancer, qu'il n'avait plus qu'à reprendre sa place dans le wagon, une irrésistible force le rattachait au sol. Ce quai de la gare lui brûlait les pieds, et il ne pouvait s'en arracher. Le combat recommençait en lui. La 6060 colère de l'insuccès l'étouffait. Il voulait lutter jusqu'au bout.

Cependant les voyageurs et quelques blessés – entre autres le colonel Proctor, dont l'état était grave – avaient pris place dans les wagons. On entendait les bourdonnements de la chaudière surchauffée, et la vapeur s'échappait par les soupapes. Le méca-6065 nicien siffla, le train se mit en marche, et disparut bientôt, mêlant sa fumée blanche au tourbillon des neiges.

L'inspecteur Fix était resté.

Quelques heures s'écoulèrent. Le temps était fort mauvais, le froid très vif. Fix, assis sur un banc dans la gare, restait immo-6070 bile. On eût pu croire qu'il dormait. Mrs. Aouda, malgré la rafale, quittait à chaque instant la chambre qui avait été mise à sa disposition. Elle venait à l'extrémité du quai, cherchant à voir à travers la tempête de neige, voulant percer cette brume qui réduisait l'horizon autour d'elle, écoutant si quelque bruit se ferait entendre. 6075 Mais rien. Elle rentrait alors, toute transie, pour revenir quelques moments plus tard, et toujours inutilement.

Le soir se fit. Le petit détachement n'était pas de retour. Où était-il en ce moment ? Avait-il pu rejoindre les Indiens ? Y avait-il eu lutte, ou ces soldats, perdus dans la brume, erraient-ils au hasard ? Le capitaine du fort Kearney était très inquiet, bien qu'il ne voulût rien laisser paraître de son inquiétude.

La nuit vint, la neige tomba moins abondamment, mais l'intensité du froid s'accrut. Le regard le plus intrépide n'eût pas considéré sans épouvante cette obscure immensité. Un absolu silence régnait sur la plaine. Ni le vol d'un oiseau, ni la passée d'un fauve n'en troublait le calme infini.

Pendant toute cette nuit, Mrs. Aouda, l'esprit plein de pressentiments sinistres, le cœur rempli d'angoisses, erra sur la lisière de la prairie. Son imagination l'emportait au loin et lui montrait mille dangers. Ce qu'elle souffrit pendant ces longues heures ne saurait s'exprimer.

Fix était toujours immobile à la même place, mais, lui non plus, il ne dormait pas. À un certain moment, un homme s'était approché, lui avait parlé même, mais l'agent l'avait renvoyé, après avoir répondu à ses paroles par un signe négatif.

La nuit s'écoula ainsi. À l'aube, le disque à demi éteint du soleil se leva sur un horizon embrumé. Cependant la portée du regard pouvait s'étendre à une distance de deux milles. C'était vers le sud que Phileas Fogg et le détachement s'étaient dirigés... Le sud était absolument désert. Il était alors sept heures du matin.

Le capitaine, extrêmement soucieux, ne savait quel parti prendre. Devait-il envoyer un second détachement au secours du premier ? Devait-il sacrifier de nouveaux hommes avec si peu de chances de sauver ceux qui étaient sacrifiés tout d'abord ? Mais son hésitation ne dura pas, et d'un geste, appelant un de ses lieutenants, il lui donnait l'ordre de pousser une reconnaissance dans le sud, quand des coups de feu éclatèrent. Était-ce un signal ? Les soldats se jetèrent hors du fort, et à un demi-mille ils aperçurent une petite troupe qui revenait en bon ordre.

6110 Mr. Fogg marchait en tête, et près de lui Passepartout et les deux autres voyageurs, arrachés aux mains des Sioux.

Il y avait eu combat à dix milles au sud de Kearney. Peu d'instants avant l'arrivée du détachement, Passepartout et ses deux compagnons luttaient déjà contre leurs gardiens, et le Français 6115 en avait assommé trois à coups de poing, quand son maître et les soldats se précipitèrent à leur secours.

Tous, les sauveurs et les sauvés furent accueillis par des cris de joie, et Phileas Fogg distribua aux soldats la prime qu'il leur avait promise, tandis que Passepartout se répétait, non sans quelque 6120 raison :

« Décidément, il faut avouer que je coûte cher à mon maître ! »

Fix, sans prononcer une parole, regardait Mr. Fogg, et il eût été difficile d'analyser les impressions qui se combattaient alors en lui. Quant à Mrs. Aouda, elle avait pris la main du gentleman, et elle 6125 la serrait dans les siennes, sans pouvoir prononcer une parole !

Cependant Passepartout, dès son arrivée, avait cherché le train dans la gare. Il croyait le trouver là, prêt à filer sur Omaha, et il espérait que l'on pourrait encore regagner le temps perdu.

« Le train, le train ! s'écria-t-il.

6130 — Parti, répondit Fix.

— Et le train suivant, quand passera-t-il ? demanda Phileas Fogg.

— Ce soir seulement.

— Ah ! » répondit simplement l'impassible gentleman.

XXXI

DANS LEQUEL L'INSPECTEUR FIX PREND TRÈS SÉRIEUSEMENT
LES INTÉRÊTS DE PHILEAS FOGG

Phileas Fogg se trouvait en retard de vingt heures. Passepartout, la cause involontaire de ce retard, était désespéré. Il avait décidément ruiné son maître !

En ce moment, l'inspecteur s'approcha de Mr. Fogg, et, le regardant bien en face :

« Très sérieusement, monsieur, lui demanda-t-il, vous êtes pressé ?

– Très sérieusement, répondit Phileas Fogg.

– J'insiste, reprit Fix. Vous avez bien intérêt à être à New York le 11, avant neuf heures du soir, heure du départ du paquebot de Liverpool ?

– Un intérêt majeur.

– Et si votre voyage n'eût pas été interrompu par cette attaque d'Indiens, vous seriez arrivé à New York le 11, dès le matin ?

– Oui, avec douze heures d'avance sur le paquebot.

– Bien. Vous avez donc vingt heures de retard. Entre vingt et douze, l'écart est de huit. C'est huit heures à regagner. Voulez-vous tenter de le faire ?

– À pied ? demanda Mr. Fogg.

– Non, en traîneau, répondit Fix, en traîneau à voiles. Un homme m'a proposé ce moyen de transport. »

⁶¹⁵⁵ C'était l'homme qui avait parlé à l'inspecteur de police pendant la nuit, et dont Fix avait refusé l'offre.

Phileas Fogg ne répondit pas à Fix ; mais Fix lui ayant montré l'homme en question qui se promenait devant la gare, le gentleman alla à lui. Un instant après, Phileas Fogg et cet Américain, ⁶¹⁶⁰ nommé Mudge, entraient dans une hutte construite au bas du fort Kearney.

Là, Mr. Fogg examina un assez singulier véhicule, sorte de châssis établi sur deux longues poutres, un peu relevées à l'avant comme les semelles d'un traîneau, et sur lequel cinq ou ⁶¹⁶⁵ six personnes pouvaient prendre place. Au tiers du châssis, sur l'avant, se dressait un mât très élevé, sur lequel s'enverguait une immense brigantine[1]. Ce mât, solidement retenu par des haubans métalliques, tendait un étai de fer qui servait à guinder un foc[2] de grande dimension. À l'arrière, une sorte de gouvernail-godille[3] ⁶¹⁷⁰ permettait de diriger l'appareil.

C'était, on le voit, un traîneau gréé en sloop[4]. Pendant l'hiver, sur la plaine glacée, lorsque les trains sont arrêtés par les neiges, ces véhicules font des traversées extrêmement rapides d'une station à l'autre. Ils sont, d'ailleurs, prodigieusement voilés – plus voilés ⁶¹⁷⁵ même que ne peut l'être un cotre[5] de course, exposé à chavirer –, et, vent arrière, ils glissent à la surface des prairies avec une rapidité égale, sinon supérieure, à celle des express.

---

1. **Brigantine** : voile trapézoïdale.
2. **Guinder un foc** : dresser une voile.
3. **Godille** : aviron à l'arrière d'un bateau servant à sa propulsion.
4. **Sloop** : petit voilier.
5. **Cotre** : voilier à un mât.

En quelques instants, un marché fut conclu entre Mr. Fogg et le patron de cette embarcation de terre. Le vent était bon. Il souf-
6180 flait de l'ouest en grande brise. La neige était durcie, et Mudge se faisait fort de conduire Mr. Fogg en quelques heures à la station d'Omaha. Là, les trains sont fréquents et les voies nombreuses, qui conduisent à Chicago et à New York. Il n'était pas impossible que le retard fût regagné. Il n'y avait donc pas à hésiter à tenter
6185 l'aventure.

Mr. Fogg, ne voulant pas exposer Mrs. Aouda aux tortures d'une traversée en plein air, par ce froid que la vitesse rendrait plus insupportable encore, lui proposa de rester sous la garde de Passepartout à la station de Kearney. L'honnête garçon se charge-
6190 rait de ramener la jeune femme en Europe par une route meilleure et dans des conditions plus acceptables.

Mrs. Aouda refusa de se séparer de Mr. Fogg, et Passepartout se sentit très heureux de cette détermination. En effet, pour rien au monde il n'eût voulu quitter son maître, puisque Fix devait
6195 l'accompagner.

Quant à ce que pensait alors l'inspecteur de police, ce serait difficile à dire. Sa conviction avait-elle été ébranlée par le retour de Philéas Fogg, ou bien le tenait-il pour un coquin extrêmement fort, qui, son tour du monde accompli, devait croire qu'il serait
6200 absolument en sûreté en Angleterre ? Peut-être l'opinion de Fix touchant Philéas Fogg était-elle en effet modifiée. Mais il n'en était pas moins décidé à faire son devoir et, plus impatient que tous, à presser de tout son pouvoir le retour en Angleterre.

À huit heures, le traîneau était prêt à partir. Les voyageurs – on serait tenté de dire les passagers – y prenaient place et se serraient étroitement dans leurs couvertures de voyage. Les deux immenses voiles étaient hissées, et, sous l'impulsion du vent, le véhicule filait sur la neige durcie avec une rapidité de quarante milles à l'heure.

La distance qui sépare le fort Kearney d'Omaha est, en droite ligne – à vol d'abeille, comme disent les Américains –, de deux cents milles au plus. Si le vent tenait, en cinq heures cette distance pouvait être franchie. Si aucun incident ne se produisait, à une heure après midi le traîneau devait avoir atteint Omaha.

Quelle traversée ! Les voyageurs, pressés les uns contre les autres, ne pouvaient se parler. Le froid, accru par la vitesse, leur eût coupé la parole. Le traîneau glissait aussi légèrement à la surface de la plaine qu'une embarcation à la surface des eaux, avec la houle en moins. Quand la brise arrivait en rasant la terre, il semblait que le traîneau fût enlevé du sol par ses voiles, vastes ailes d'une immense envergure. Mudge, au gouvernail, se maintenait dans la ligne droite, et, d'un coup de godille, il rectifiait les embardées que l'appareil tendait à faire. Toute la toile portait. Le foc avait été perqué et n'était plus abrité par la brigantine. Un mât de hune fut guindé, et une flèche, tendue au vent, ajouta sa puissance d'impulsion à celle des autres voiles. On ne pouvait l'estimer, mathématiquement, mais certainement la vitesse du traîneau ne devait pas être moindre de quarante milles à l'heure.

« Si rien ne casse, dit Mudge, nous arriverons ! »

Et Mudge avait intérêt à arriver dans le délai convenu, car Mr. Fogg, fidèle à son système, l'avait alléché par une forte prime.

La prairie, que le traîneau coupait en ligne droite, était plate comme une mer. On eût dit un immense étang glacé. Le *railroad* qui desservait cette partie du territoire remontait, du sud-ouest au nord-ouest, par Grand Island, Columbus, ville importante du Nebraska, Schuyler, Fremont, puis Omaha. Il suivait pendant tout son parcours la rive droite de Platte River. Le traîneau, abrégeant cette route, prenait la corde de l'arc décrit par le chemin de fer. Mudge ne pouvait craindre d'être arrêté par la Platte River, à ce petit coude qu'elle fait en avant de Fremont, puisque ses eaux étaient glacées. Le chemin était donc entièrement débarrassé d'obstacles, et Phileas Fogg n'avait donc que deux circonstances à redouter : une avarie à l'appareil, un changement ou une tombée du vent.

Mais la brise ne mollissait pas. Au contraire. Elle soufflait à courber le mât, que les haubans de fer maintenaient solidement. Ces filins métalliques, semblables aux cordes d'un instrument, résonnaient comme si un archet eût provoqué leurs vibrations. Le traîneau s'enlevait au milieu d'une harmonie plaintive, d'une intensité toute particulière.

« Ces cordes donnent la quinte et l'octave », dit Mr. Fogg.

Et ce furent les seules paroles qu'il prononça pendant cette traversée. Mrs. Aouda, soigneusement empaquetée dans les fourrures et les couvertures de voyage, était, autant que possible, préservée des atteintes du froid.

Quant à Passepartout, la face rouge comme le disque solaire quand il se couche dans les brumes, il humait cet air piquant. Avec le fond d'imperturbable confiance qu'il possédait, il s'était repris à espérer. Au lieu d'arriver le matin à New York, on y arriverait le soir, mais il y avait encore quelques chances pour que ce fût avant le départ du paquebot de Liverpool.

Passepartout avait même éprouvé une forte envie de serrer la main de son allié Fix. Il n'oubliait pas que c'était l'inspecteur lui-même qui avait procuré le traîneau à voiles, et, par consé-quent, le seul moyen qu'il y eût de gagner Omaha en temps utile. Mais, par on ne sait quel pressentiment, il se tint dans sa réserve accoutumée.

En tout cas, une chose que Passepartout n'oublierait jamais, c'était le sacrifice que Mr. Fogg avait fait, sans hésiter, pour l'arra-cher aux mains des Sioux. À cela, Mr. Fogg avait risqué sa fortune et sa vie... Non ! son serviteur ne l'oublierait pas !

Pendant que chacun des voyageurs se laissait aller à des réflexions si diverses, le traîneau volait sur l'immense tapis de neige. S'il passait quelques *creeks*, affluents ou sous-affluents de la Little Blue River, on ne s'en apercevait pas. Les champs et les cours d'eau disparaissaient sous une blancheur uniforme. La plaine était absolument déserte. Comprise entre l'Union Pacific Road et l'embranchement qui doit réunir Kearney à Saint-Joseph, elle formait comme une grande île inhabitée. Pas un village, pas une station, pas même un fort. De temps en temps, on voyait passer comme un éclair quelque arbre grimaçant, dont le blanc squelette se tordait sous la brise. Parfois, des bandes d'oiseaux sauvages s'enlevaient du même vol. Parfois aussi, quelques loups de prairies, en troupes nombreuses, maigres, affamés, poussés par un besoin féroce, luttaient de vitesse avec le traîneau. Alors Passepartout, le revolver à la main, se tenait prêt à faire feu sur les plus rapprochés. Si quelque accident eût alors arrêté le traîneau, les voyageurs, atta-qués par ces féroces carnassiers, auraient couru les plus grands risques. Mais le traîneau tenait bon, il ne tardait pas à prendre de l'avance, et bientôt toute la bande hurlante restait en arrière.

À midi, Mudge reconnut à quelques indices qu'il passait le cours glacé de la Platte River. Il ne dit rien, mais il était déjà sûr que, vingt milles plus loin, il aurait atteint la station d'Omaha.

Et, en effet, il n'était pas une heure que ce guide habile, aban-
6295 donnant la barre, se précipitait aux drisses des voiles et les amenait en bande, pendant que le traîneau, emporté par son irrésistible élan, franchissait encore un demi-mille à sec de toile. Enfin il s'arrêta, et Mudge, montrant un amas de toits blancs de neige, disait :

6300 « Nous sommes arrivés. »

Arrivés ! Arrivés, en effet, à cette station qui, par des trains nombreux, est quotidiennement en communication avec l'est des États-Unis !

Passepartout et Fix avaient sauté à terre et secouaient leurs
6305 membres engourdis. Ils aidèrent Mr. Fogg et la jeune femme à descendre du traîneau. Phileas Fogg régla généreusement avec Mudge, auquel Passepartout serra la main comme à un ami, et tous se précipitèrent vers la gare d'Omaha.

C'est à cette importante cité du Nebraska que s'arrête le
6310 chemin de fer du Pacifique proprement dit, qui met le bassin du Mississippi en communication avec le grand océan. Pour aller d'Omaha à Chicago, le *railroad*, sous le nom de Chicago Rock Island Road, court directement dans l'est en desservant cinquante stations.

6315 Un train direct était prêt à partir. Phileas Fogg et ses compagnons n'eurent que le temps de se précipiter dans un wagon. Ils n'avaient rien vu d'Omaha, mais Passepartout s'avoua à lui-même qu'il n'y avait pas lieu de le regretter, et que ce n'était pas de voir qu'il s'agissait.

6320 Avec une extrême rapidité, ce train passa dans l'État d'Iowa, par Council Bluffs, Des Moines, Iowa City. Pendant la nuit, il traversait le Mississippi à Davenport, et par Rock Island, il entrait dans l'Illinois. Le lendemain, 10, à quatre heures du soir il arrivait à Chicago, déjà relevée de ses ruines●, et plus fièrement assise que

6325 jamais sur les bords de son beau lac Michigan.

Neuf cents milles séparent Chicago de New York. Les trains ne manquaient pas à Chicago. Mr. Fogg passa immédiatement de l'un dans l'autre. La fringante locomotive du Pittsburg-Fort Wayne-Chicago Railroad partit à toute vitesse, comme si elle eût

6330 compris que l'honorable gentleman n'avait pas de temps à perdre. Elle traversa comme un éclair l'Indiana, l'Ohio, la Pennsylvanie, le New Jersey, passant par des villes aux noms antiques, dont quelques-unes avaient des rues et des tramways, mais pas de maisons encore. Enfin l'Hudson apparut, et, le 11 décembre, à

6335 onze heures un quart du soir, le train s'arrêtait dans la gare, sur la rive droite du fleuve, devant le *pier*[1] même des steamers de la ligne Cunard, autrement dite British and North American Royal Mail Steam Packet Co.

Le *China*, à destination de Liverpool, était parti depuis quarante-

6340 cinq minutes !

---

1. Pier : quai, en anglais.

● Chicago, au temps de Jules Verne, était surnommée « la reine des lacs », mais aussi « Porcopolis », en raison de son florissant marché du porc ! En 1871, un incendie l'a ravagée.

XXXII

Dans lequel Phileas Fogg engage une lutte directe contre la mauvaise chance

En partant, le *China* semblait avoir emporté avec lui le dernier espoir de Phileas Fogg.

En effet, aucun des autres paquebots qui font le service direct entre l'Amérique et l'Europe, ni les transatlantiques français, ni les navires du White Star Line, ni les steamers de la Compagnie Imman, ni ceux de la Ligne hambourgeoise, ni autres, ne pouvaient servir les projets du gentleman.

En effet, le *Pereire*, de la Compagnie transatlantique française, dont les admirables bâtiments égalent en vitesse et surpassent en confortable tous ceux des autres lignes, sans exception, ne partait que le surlendemain, 14 décembre. Et d'ailleurs, de même que ceux de la Compagnie hambourgeoise, il n'allait pas directement à Liverpool ou à Londres, mais au Havre, et cette traversée supplémentaire du Havre à Southampton, en retardant Phileas Fogg, eût annulé ses derniers efforts.

Quant aux paquebots Imman, dont l'un, le *City-of-Paris*, mettait en mer le lendemain, il n'y fallait pas songer. Ces navires sont particulièrement affectés au transport des émigrants, leurs machines sont faibles, ils naviguent autant à la voile qu'à la vapeur, et leur vitesse est médiocre. Ils employaient à cette traversée de New York à l'Angleterre plus de temps qu'il n'en restait à Mr. Fogg pour gagner son pari.

De tout ceci le gentleman se rendit parfaitement compte en consultant son *Bradshaw*, qui lui donnait, jour par jour, les mouvements de la navigation transocéanienne.

Passepartout était anéanti. Avoir manqué le paquebot de quarante-cinq minutes, cela le tuait. C'était sa faute à lui, qui, au lieu d'aider son maître, n'avait cessé de semer des obstacles sur sa route ! Et quand il revoyait dans son esprit tous les incidents du voyage, quand il supputait les sommes dépensées en pure perte et dans son seul intérêt, quand il songeait que cet énorme pari, en y joignant les frais considérables de ce voyage devenu inutile, ruinait complètement Mr. Fogg, il s'accablait d'injures.

Mr. Fogg ne lui fit, cependant, aucun reproche, et, en quittant le *pier* des paquebots transatlantiques, il ne dit que ces mots :

« Nous aviserons demain. Venez. »

Mr. Fogg, Mrs. Aouda, Fix, Passepartout traversèrent l'Hudson dans le Jersey City Ferry-boat, et montèrent dans un fiacre, qui les conduisit à l'hôtel Saint-Nicolas, dans Broadway. Des chambres furent mises à leur disposition, et la nuit se passa, courte pour Phileas Fogg, qui dormit d'un sommeil parfait, mais bien longue pour Mrs. Aouda et ses compagnons, auxquels leur agitation ne permit pas de reposer.

Le lendemain, c'était le 12 décembre. Du 12, sept heures du matin, au 21, huit heures quarante-cinq minutes du soir, il restait neuf jours treize heures et quarante-cinq minutes. Si donc Phileas Fogg fût parti la veille par le *China*, l'un des meilleurs marcheurs de la ligne Cunard, il serait arrivé à Liverpool, puis à Londres, dans les délais voulus !

⁶³⁹⁰   Mr. Fogg quitta l'hôtel, seul, après avoir recommandé à son domestique de l'attendre et de prévenir Mrs. Aouda de se tenir prête à tout instant.

Mr. Fogg se rendit aux rives de l'Hudson, et parmi les navires amarrés au quai ou ancrés dans le fleuve, il rechercha avec soin

⁶³⁹⁵ ceux qui étaient en partance. Plusieurs bâtiments avaient leur guidon[1] de départ et se préparaient à prendre la mer à la marée du matin, car dans cet immense et admirable port de New York, il n'est pas de jour où cent navires ne fassent route pour tous les points du monde ; mais la plupart étaient des bâtiments à voiles,

⁶⁴⁰⁰ et ils ne pouvaient convenir à Phileas Fogg.

Ce gentleman semblait devoir échouer dans sa dernière tentative, quand il aperçut, mouillé devant la Batterie, à une encablure[2] au plus, un navire de commerce à hélice, de formes fines, dont la cheminée, laissant échapper de gros flocons de fumée, indiquait

⁶⁴⁰⁵ qu'il se préparait à appareiller.

Phileas Fogg héla un canot, s'y embarqua, et, en quelques coups d'aviron, il se trouvait à l'échelle de l'*Henrietta*, steamer à coque de fer, dont tous les hauts étaient en bois.

Le capitaine de l'*Henrietta* était à bord. Phileas Fogg monta sur le

⁶⁴¹⁰ pont et fit demander le capitaine. Celui-ci se présenta aussitôt.

C'était un homme de cinquante ans, une sorte de loup de mer, un bougon qui ne devait pas être commode. Gros yeux, teint de cuivre oxydé, cheveux rouges, forte encolure, rien de l'aspect d'un homme du monde.

⁶⁴¹⁵   « Le capitaine ? demanda Mr. Fogg.

---

1. **Guidon** : drapeau.
2. **Une encablure** : 180 mètres.

– C'est moi.

– Je suis Phileas Fogg, de Londres.

– Et moi, Andrew Speedy, de Cardif.

– Vous allez partir ?...

6420 – Dans une heure.

– Vous êtes chargé pour... ?

– Bordeaux.

– Et votre cargaison ?

– Des cailloux dans le ventre. Pas de fret[1]. Je pars sur lest[2].

6425 – Vous avez des passagers ?

– Pas de passagers. Jamais de passagers. Marchandise encombrante et raisonnante.

– Votre navire marche bien ?

– Entre onze et douze nœuds. L'*Henrietta*, bien connue.

6430 – Voulez-vous me transporter à Liverpool, moi et trois personnes ?

– À Liverpool ? Pourquoi pas en Chine ?

– Je dis Liverpool.

– Non !

6435 – Non ?

– Non. Je suis en partance pour Bordeaux, et je vais à Bordeaux.

– N'importe quel prix ?

– N'importe quel prix. »

6440 Le capitaine avait parlé d'un ton qui n'admettait pas de réplique.

---

1. **Fret** : marchandises.
2. **Lest** : poids qui sert à stabiliser un bateau vide.

« Mais les armateurs de l'*Henrietta*... reprit Phileas Fogg.

– Les armateurs, c'est moi, répondit le capitaine. Le navire m'appartient.

6445 – Je vous l'affrète[1].

– Non.

– Je vous l'achète.

– Non. »

Phileas Fogg ne sourcilla pas. Cependant la situation était grave.
6450 Il n'en était pas de New York comme de Hong-kong, ni du capitaine de l'*Henrietta* comme du patron de la *Tankadère*. Jusqu'ici l'argent du gentleman avait toujours eu raison des obstacles. Cette fois-ci, l'argent échouait.

Cependant, il fallait trouver le moyen de traverser l'Atlantique
6455 en bateau – à moins de le traverser en ballon, ce qui eût été fort aventureux, et ce qui, d'ailleurs, n'était pas réalisable.

Il paraît, pourtant, que Phileas Fogg eut une idée, car il dit au capitaine :

« Eh bien, voulez-vous me mener à Bordeaux ?

6460 – Non, quand même vous me paieriez deux cents dollars !

– Je vous en offre deux mille (10 000 F).

– Par personne ?

– Par personne.

– Et vous êtes quatre ?

6465 – Quatre. »

Le capitaine Speedy commença à se gratter le front, comme s'il eût voulu en arracher l'épiderme. Huit mille dollars à gagner, sans modifier son voyage, cela valait bien la peine qu'il mît de côté son

---

1. **Affrète** : loue.

antipathie prononcée pour toute espèce de passager. Des passagers
6470 à deux mille dollars, d'ailleurs, ce ne sont plus des passagers, c'est
de la marchandise précieuse.

« Je pars à neuf heures, dit simplement le capitaine Speedy, et
si vous et les vôtres, vous êtes là...

– À neuf heures, nous serons à bord ! » répondit non moins
6475 simplement Mr. Fogg.

Il était huit heures et demie. Débarquer de l'*Henrietta*, monter
dans une voiture, se rendre à l'hôtel Saint-Nicolas, en ramener
Mrs. Aouda, Passepartout, et même l'inséparable Fix, auquel il
offrait gracieusement le passage, cela fut fait par le gentleman avec
6480 ce calme qui ne l'abandonnait en aucune circonstance.

Au moment où l'*Henrietta* appareillait, tous quatre étaient à
bord.

Lorsque Passepartout apprit ce que coûterait cette dernière
traversée, il poussa un de ces « Oh ! » prolongés qui parcourent
6485 tous les intervalles de la gamme chromatique descendante[1] !

Quant à l'inspecteur Fix, il se dit que décidément la Banque
d'Angleterre ne sortirait pas indemne de cette affaire. En effet, en
arrivant et en admettant que le sieur Fogg n'en jetât pas encore
quelques poignées à la mer, plus de sept mille livres (175 000 F)
6490 manqueraient au sac à *banknotes* !

---

1. **Gamme chromatique descendante** : gamme de 12 notes.

XXXIII

Où Phileas Fogg se montre à la hauteur des circonstances

Une heure après, le steamer *Henrietta* dépassait le Light Boat[1] qui marque l'entrée de l'Hudson, tournait la pointe de Sandy Hook et donnait en mer. Pendant la journée, il prolongea Long Island, au large du feu de Fire Island, et courut rapidement vers l'est.

Le lendemain, 13 décembre, à midi, un homme monta sur la passerelle pour faire le point. Certes, on doit croire que cet homme était le capitaine Speedy ! Pas le moins du monde. C'était Phileas Fogg, *esq.*

Quant au capitaine Speedy, il était tout bonnement enfermé à clef dans sa cabine, et poussait des hurlements qui dénotaient une colère, bien pardonnable, poussée jusqu'au paroxysme●.

Ce qui s'était passé était très simple. Phileas Fogg voulait aller à Liverpool, le capitaine ne voulait pas l'y conduire. Alors Phileas Fogg avait accepté de prendre passage pour Bordeaux, et, depuis trente heures qu'il était à bord, il avait si bien manœuvré à coups de *banknotes*, que l'équipage, matelots et chauffeurs – équipage un peu interlope, qui était en assez mauvais termes avec le capitaine –, lui appartenait. Et voilà pourquoi Phileas Fogg commandait au lieu et place du capitaine Speedy, pourquoi le capitaine était enfermé dans sa cabine, et pourquoi enfin l'*Henrietta*

---

1. **Light Boat** : bateau-phare.

● C'est à un acte de piraterie que s'est livré Fogg ! En effet, il a pris le contrôle du bateau, en enfermant le capitaine.

se dirigeait vers Liverpool. Seulement, il était très clair, à voir manœuvrer Mr. Fogg, que Mr. Fogg avait été marin.

Maintenant, comment finirait l'aventure, on le saurait plus tard. Toutefois, Mrs. Aouda ne laissait pas d'être inquiète, sans en rien dire. Fix, lui, avait été abasourdi tout d'abord. Quant à Passepartout, il trouvait la chose tout simplement adorable.

« Entre onze et douze nœuds », avait dit le capitaine Speedy, et en effet l'*Henrietta* se maintenait dans cette moyenne de vitesse.

Si donc – que de « si » encore ! – si donc la mer ne devenait pas trop mauvaise, si le vent ne sautait pas dans l'est, s'il ne survenait aucune avarie au bâtiment, aucun accident à la machine, l'*Henrietta*, dans les neuf jours comptés du 12 décembre au 21, pouvait franchir les trois mille milles qui séparent New York de Liverpool. Il est vrai qu'une fois arrivé, l'affaire de l'*Henrietta* brochant sur l'affaire de la Banque, cela pouvait mener le gentleman un peu plus loin qu'il ne voudrait.

Pendant les premiers jours, la navigation se fit dans d'excellentes conditions. La mer n'était pas trop dure ; le vent paraissait fixé au nord-est ; les voiles furent établies, et, sous ses goélettes, l'*Henrietta* marcha comme un vrai transatlantique.

Passepartout était enchanté. Le dernier exploit de son maître, dont il ne voulait pas voir les conséquences, l'enthousiasmait. Jamais l'équipage n'avait vu un garçon plus gai, plus agile. Il faisait mille amitiés aux matelots et les étonnait par ses tours de voltige. Il leur prodiguait les meilleurs noms et les boissons les plus attrayantes. Pour lui, ils manœuvraient comme des gentlemen, et les chauffeurs chauffaient comme des héros. Sa bonne humeur, très communicative, s'imprégnait à tous. Il avait oublié le passé, les ennuis, les périls. Il ne songeait qu'à ce but, si près

6540 d'être atteint, et parfois il bouillait d'impatience, comme s'il eût été chauffé par les fourneaux de l'*Henrietta*. Souvent aussi, le digne garçon tournait autour de Fix ; il le regardait d'un œil « qui en disait long » ! mais il ne lui parlait pas, car il n'existait plus aucune intimité entre les deux anciens amis.

6545 D'ailleurs Fix, il faut le dire, n'y comprenait plus rien ! La conquête de l'*Henrietta*, l'achat de son équipage, ce Fogg manœuvrant comme un marin consommé, tout cet ensemble de choses l'étourdissait. Il ne savait plus que penser ! Mais, après tout, un gentleman qui commençait par voler cinquante-cinq mille livres
6550 pouvait bien finir par voler un bâtiment. Et Fix fut naturellement amené à croire que l'*Henrietta*, dirigée par Fogg, n'allait point du tout à Liverpool, mais dans quelque point du monde où le voleur, devenu pirate, se mettrait tranquillement en sûreté ! Cette hypothèse, il faut bien l'avouer, était on ne peut plus plausible, et
6555 le détective commençait à regretter très sérieusement de s'être embarqué dans cette affaire.

Quant au capitaine Speedy, il continuait à hurler dans sa cabine, et Passepartout, chargé de pourvoir à sa nourriture, ne le faisait qu'en prenant les plus grandes précautions, quelque vigoureux
6560 qu'il fût. Mr. Fogg, lui, n'avait plus même l'air de se douter qu'il y eût un capitaine à bord.

Le 13, on passe sur la queue du banc de Terre-Neuve. Ce sont là de mauvais parages. Pendant l'hiver surtout, les brumes y sont fréquentes, les coups de vent redoutables. Depuis la veille, le baro-
6565 mètre, brusquement abaissé, faisait pressentir un changement prochain dans l'atmosphère. En effet, pendant la nuit, la température se modifia, le froid devint plus vif, et en même temps le vent sauta dans le sud-est.

C'était un contretemps. Mr. Fogg, afin de ne point s'écarter de
6570 sa route, dut serrer ses voiles et forcer de vapeur. Néanmoins,
la marche du navire fut ralentie, attendu l'état de la mer, dont
les longues lames brisaient contre son étrave[1]. Il éprouva des
mouvements de tangage très violents, et cela au détriment de sa
vitesse. La brise tournait peu à peu à l'ouragan, et l'on prévoyait
6575 déjà le cas où l'*Henrietta* ne pourrait plus se maintenir debout à la
lame. Or, s'il fallait fuir, c'était l'inconnu avec toutes ses mauvaises
chances.

Le visage de Passepartout se rembrunit en même temps que le
ciel, et, pendant deux jours, l'honnête garçon éprouva de mortelles
6580 transes. Mais Phileas Fogg était un marin hardi, qui savait tenir
tête à la mer, et il fit toujours route, même sans se mettre sous
petite vapeur. L'*Henrietta*, quand elle ne pouvait s'élever à la lame,
passait au travers, et son pont était balayé en grand, mais elle
passait. Quelquefois aussi l'hélice émergeait, battant l'air de ses
6585 branches affolées, lorsqu'une montagne d'eau soulevait l'arrière
hors des flots, mais le navire allait toujours de l'avant.

Toutefois le vent ne fraîchit pas autant qu'on aurait pu le craindre.
Ce ne fut pas un de ces ouragans qui passent avec une vitesse de
quatre-vingt-dix milles à l'heure. Il se tint au grand frais, mais
6590 malheureusement il souffla avec obstination de la partie du sud-est
et ne permit pas de faire de la toile. Et cependant, ainsi qu'on va
le voir, il eût été bien utile de venir en aide à la vapeur !

Le 16 décembre, c'était le soixante-quinzième jour écoulé depuis
le départ de Londres. En somme, l'*Henrietta* n'avait pas encore un
6595 retard inquiétant. La moitié de la traversée était à peu près faite,

1. **Étrave :** pièce qui forme la proue d'un bateau.

et les plus mauvais parages avaient été franchis. En été, on eût répondu du succès. En hiver, on était à la merci de la mauvaise saison. Passepartout ne se prononçait pas. Au fond, il avait espoir, et, si le vent faisait défaut, du moins il comptait sur la vapeur.

6600 Or, ce jour-là, le mécanicien étant monté sur le pont, rencontra Mr. Fogg et s'entretint assez vivement avec lui.

Sans savoir pourquoi – par un pressentiment sans doute –, Passepartout éprouva comme une vague inquiétude. Il eût donné une de ses oreilles pour entendre de l'autre ce qui se disait là. 6605 Cependant, il put saisir quelques mots, ceux-ci entre autres, prononcés par son maître :

« Vous êtes certain de ce que vous avancez ?

– Certain, monsieur, répondit le mécanicien. N'oubliez pas que, depuis notre départ, nous chauffons avec tous nos fourneaux 6610 allumés, et si nous avions assez de charbon pour aller à petite vapeur de New York à Bordeaux, nous n'en avons pas assez pour aller à toute vapeur de New York à Liverpool !

– J'aviserai », répondit Mr. Fogg.

Passepartout avait compris. Il fut pris d'une inquiétude 6615 mortelle.

Le charbon allait manquer !

« Ah ! si mon maître pare celle-là, se dit-il, décidément ce sera un fameux homme ! »

Et, ayant rencontré Fix, il ne put s'empêcher de le mettre au 6620 courant de la situation.

« Alors, lui répondit l'agent les dents serrées, vous croyez que nous allons à Liverpool !

– Parbleu !

– Imbécile ! » répondit l'inspecteur, qui s'en alla, haussant les 6625 épaules.

Passepartout fut sur le point de relever vertement le qualificatif, dont il ne pouvait d'ailleurs comprendre la vraie signification ; mais il se dit que l'infortuné Fix devait être très désappointé, très humilié dans son amour-propre, après avoir si maladroitement suivi une 6630 fausse piste autour du monde, et il passa condamnation[1].

Et maintenant quel parti allait prendre Phileas Fogg ? Cela était difficile à imaginer. Cependant, il paraît que le flegmatique gentleman en prit un, car le soir même il fit venir le mécanicien et lui dit :

6635 « Poussez les feux et faites route jusqu'à complet épuisement du combustible. »

Quelques instants après, la cheminée de l'*Henrietta* vomissait des torrents de fumée.

Le navire continua donc de marcher à toute vapeur ; mais ainsi 6640 qu'il l'avait annoncé, deux jours plus tard, le 18, le mécanicien fit savoir que le charbon manquerait dans la journée.

« Que l'on ne laisse pas baisser les feux, répondit Mr. Fogg. Au contraire. Que l'on charge les soupapes. »

Ce jour-là, vers midi, après avoir pris hauteur et calculé la posi6645 tion du navire, Phileas Fogg fit venir Passepartout, et il lui donna l'ordre d'aller chercher le capitaine Speedy. C'était comme si on eût commandé à ce brave garçon d'aller déchaîner un tigre, et il descendit dans la dunette, se disant :

« Positivement il sera enragé ! »

---

1. **Il passa condamnation** : il ne lui en voulut pas.

6650   En effet, quelques minutes plus tard, au milieu de cris et de jurons, une bombe arrivait sur la dunette[1]. Cette bombe, c'était le capitaine Speedy. Il était évident qu'elle allait éclater.

« Où sommes-nous ? » Telles furent les premières paroles qu'il prononça au milieu des suffocations de la colère, et certes, pour
6655 peu que le digne homme eût été apoplectique[2], il n'en serait jamais revenu.

« Où sommes-nous ? répéta-t-il, la face congestionnée.

– À sept cent soixante-dix milles de Liverpool (300 lieues), répondit Mr. Fogg avec un calme imperturbable.

6660   – Pirate ! s'écria Andrew Speedy.

– Je vous ai fait venir, monsieur...

– Écumeur de mer !

– ... monsieur, reprit Phileas Fogg, pour vous prier de me vendre votre navire.

6665   – Non ! de par tous les diables, non !

– C'est que je vais être obligé de le brûler.

– Brûler mon navire !

– Oui, du moins dans ses hauts, car nous manquons de combustible.

6670   – Brûler mon navire ! s'écria le capitaine Speedy, qui ne pouvait même plus prononcer les syllabes. Un navire qui vaut cinquante mille dollars (250 000 F).

– En voici soixante mille (300 000 F) ! répondit Phileas Fogg, en offrant au capitaine une liasse de *banknotes*.

---

1. **Dunette** : élévation du pont arrière.
2. **Apoplectique** : sujet à une attaque cérébrale.

⁶⁶⁷⁵ Cela fit un effet prodigieux sur Andrew Speedy. On n'est pas américain sans que la vue de soixante mille dollars vous cause une certaine émotion. Le capitaine oublia en un instant sa colère, son emprisonnement, tous ses griefs contre son passager. Son navire avait vingt ans. Cela pouvait devenir une affaire d'or !... La bombe
⁶⁶⁸⁰ ne pouvait déjà plus éclater. Mr. Fogg en avait arraché la mèche.

« Et la coque en fer me restera, dit-il d'un ton singulièrement radouci.

– La coque en fer et la machine, monsieur. Est-ce conclu ?

– Conclu. »

⁶⁶⁸⁵ Et Andrew Speedy, saisissant la liasse de *banknotes*, les compta et les fit disparaître dans sa poche.

Pendant cette scène, Passepartout était blanc. Quant à Fix, il faillit avoir un coup de sang. Près de vingt mille livres dépensées, et encore ce Fogg qui abandonnait à son vendeur la coque et la
⁶⁶⁹⁰ machine, c'est-à-dire presque la valeur totale du navire ! Il est vrai que la somme volée à la banque s'élevait à cinquante-cinq mille livres !

Quand Andrew Speedy eut empoché l'argent :

« Monsieur, lui dit Mr. Fogg, que tout ceci ne vous étonne pas.
⁶⁶⁹⁵ Sachez que je perds vingt mille livres, si je ne suis pas rendu à Londres le 21 décembre, à huit heures quarante-cinq du soir. Or, j'avais manqué le paquebot de New York, et comme vous refusiez de me conduire à Liverpool...

– Et j'ai bien fait, par les cinquante mille diables de l'enfer,
⁶⁷⁰⁰ s'écria Andrew Speedy, puisque j'y gagne au moins quarante mille dollars. »

Puis, plus posément :

« Savez-vous une chose, ajouta-t-il, capitaine ?...

– Fogg.

6705 – Capitaine Fogg, eh bien, il y a du Yankee en vous ».

Et après avoir fait à son passager ce qu'il croyait être un compliment, il s'en allait, quand Phileas Fogg lui dit :

« Maintenant ce navire m'appartient ?

– Certes, de la quille à la pomme des mâts[1], pour tout ce qui est

6710 bois, s'entend !

– Bien. Faites démolir les aménagements intérieurs et chauffez avec ces débris. »

On juge ce qu'il fallut consommer de ce bois sec pour maintenir la vapeur en suffisante pression. Ce jour-là, la dunette, les rouf-

6715 fles[2], les cabines, les logements, le faux pont[3], tout y passa.

Le lendemain, 19 décembre, on brûla la mâture, les dromes, les esparres[4]. On abattit les mâts, on les débita à coups de hache. L'équipage y mettait un zèle incroyable. Passepartout, taillant, coupant, sciant, faisait l'ouvrage de dix hommes. C'était une fureur

6720 de démolition.

Le lendemain, 20, les bastingages, les pavois, les œuvres-mortes[5], la plus grande partie du pont, furent dévorés. L'*Henrietta* n'était plus qu'un bâtiment rasé comme un ponton.

Mais, ce jour-là, on avait eu connaissance de la côte d'Irlande

6725 et du feu de Fastenet[6].

---

1. **Quille** : pièce située sous le bateau, à laquelle on fixe la charpente. **Pomme des mâts** : extrémité des mâts.
2. **Rouffle** : cabine sur le pont.
3. **Faux pont** : pont situé au-dessus de la cale.
4. **Esparre** : pièce de bois.
5. **Bastingages** : garde-fou entourant le pont. **Pavois** : pièces de bois situées au-dessus du pont. **Œuvres-mortes** : partie de la coque du navire.
6. **Fastenet** : îlot au large de l'Irlande.

Toutefois, à dix heures du soir, le navire n'était encore que par le travers de Queenstown. Phileas Fogg n'avait plus que vingt-quatre heures pour atteindre Londres ! Or, c'était le temps qu'il fallait à l'*Henrietta* pour gagner Liverpool, même en marchant à toute vapeur. Et la vapeur allait manquer enfin à l'audacieux gentleman !

« Monsieur, lui dit alors le capitaine Speedy, qui avait fini par s'intéresser à ses projets, je vous plains vraiment. Tout est contre vous ! Nous ne sommes encore que devant Queenstown.

– Ah ! fit Mr. Fogg, c'est Queenstown, cette ville dont nous apercevons les feux ?

– Oui.

– Pouvons-nous entrer dans le port ?

– Pas avant trois heures. À pleine mer seulement.

– Attendons ! » répondit tranquillement Phileas Fogg, sans laisser voir sur son visage que, par une suprême inspiration, il allait tenter de vaincre encore une fois la chance contraire !

En effet, Queenstown est un port de la côte d'Irlande dans lequel les transatlantiques qui viennent des États-Unis jettent en passant leur sac aux lettres. Ces lettres sont emportées à Dublin par des express toujours prêts à partir. De Dublin elles arrivent à Liverpool par des steamers de grande vitesse, devançant ainsi de douze heures les marcheurs les plus rapides des compagnies maritimes.

Ces douze heures que gagnait ainsi le courrier d'Amérique, Phileas Fogg prétendait les gagner aussi. Au lieu d'arriver sur l'*Henrietta*, le lendemain soir, à Liverpool, il y serait à midi, et, par conséquent, il aurait le temps d'être à Londres avant huit heures quarante-cinq minutes du soir.

⁶⁷⁵⁵ Vers une heure du matin, l'*Henrietta* entrait à haute mer dans le port de Queenstown, et Phileas Fogg, après avoir reçu une vigoureuse poignée de main du capitaine Speedy, le laissait sur la carcasse rasée de son navire, qui valait encore la moitié de ce qu'il l'avait vendue !

⁶⁷⁶⁰ Les passagers débarquèrent aussitôt. Fix, à ce moment, eut une envie féroce d'arrêter le sieur Fogg. Il ne le fit pas, pourtant ! Pourquoi ? Quel combat se livrait donc en lui ? Était-il revenu sur le compte de Mr. Fogg ? Comprenait-il enfin qu'il s'était trompé ? Toutefois, Fix n'abandonna pas Mr. Fogg. Avec lui, avec ⁶⁷⁶⁵ Mrs. Aouda, avec Passepartout, qui ne prenait plus le temps de respirer, il montait dans le train de Queenstown à une heure et demie du matin, arrivait à Dublin au jour naissant, et s'embarquait aussitôt sur un des steamers, vrais fuseaux d'acier, tout en machine, qui, dédaignant de s'élever à la lame, passent invaria-⁶⁷⁷⁰ blement au travers.

À midi moins vingt, le 21 décembre, Phileas Fogg débarquait enfin sur le quai de Liverpool. Il n'était plus qu'à six heures de Londres.

Mais à ce moment, Fix s'approcha, lui mit la main sur l'épaule, ⁶⁷⁷⁵ et, exhibant son mandat :

« Vous êtes le sieur Phileas Fogg ? dit-il.

– Oui, monsieur.

– Au nom de la reine, je vous arrête ! »

XXXIV

Qui procure à Passepartout l'occasion de faire
un jeu de mots atroce, mais peut-être inédit

ఢ

Phileas Fogg était en prison. On l'avait enfermé dans le poste de *custom-house*, la douane de Liverpool, et il devait y passer la nuit en attendant son transfèrement à Londres.

Au moment de l'arrestation, Passepartout avait voulu se précipiter sur le détective. Des *policemen* le retinrent. Mrs. Aouda, épouvantée par la brutalité du fait, ne sachant rien, n'y pouvait rien comprendre. Passepartout lui expliqua la situation. Mr. Fogg, cet honnête et courageux gentleman, auquel elle devait la vie, était arrêté comme voleur. La jeune femme protesta contre une telle allégation, son cœur s'indigna, et des pleurs coulèrent de ses yeux, quand elle vit qu'elle ne pouvait rien faire, rien tenter, pour sauver son sauveur.

Quant à Fix, il avait arrêté le gentleman parce que son devoir lui commandait de l'arrêter, fût-il coupable ou non. La justice en déciderait.

Mais alors une pensée vint à Passepartout, cette pensée terrible qu'il était décidément la cause de tout ce malheur ! En effet, pourquoi avait-il caché cette aventure à Mr. Fogg ? Quand Fix avait révélé et sa qualité d'inspecteur de police et la mission dont il était chargé, pourquoi avait-il pris sur lui de ne point avertir son maître ? Celui-ci, prévenu, aurait sans doute donné à Fix des preuves de son innocence ; il lui aurait démontré son erreur ;

en tout cas, il n'eût pas véhiculé à ses frais et à ses trousses ce malencontreux agent, dont le premier soin avait été de l'arrêter, au moment où il mettait le pied sur le sol du Royaume-Uni. En songeant à ses fautes, à ses imprudences, le pauvre garçon était pris d'irrésistibles remords. Il pleurait, il faisait peine à voir. Il voulait se briser la tête !

Mrs. Aouda et lui étaient restés, malgré le froid, sous le péristyle de la douane. Ils ne voulaient ni l'un ni l'autre quitter la place. Ils voulaient revoir encore une fois Mr. Fogg.

Quant à ce gentleman, il était bien et dûment ruiné, et cela au moment où il allait atteindre son but. Cette arrestation le perdait sans retour. Arrivé à midi moins vingt à Liverpool, le 21 décembre, il avait jusqu'à huit heures quarante-cinq minutes pour se présenter au Reform Club, soit neuf heures quinze minutes, et il ne lui en fallait que six pour atteindre Londres.

En ce moment, qui eût pénétré dans le poste de la douane eût trouvé Mr. Fogg, immobile, assis sur un banc de bois, sans colère, imperturbable. Résigné, on n'eût pu le dire, mais ce dernier coup n'avait pu l'émouvoir, au moins en apparence. S'était-il formé en lui une de ces rages secrètes, terribles parce qu'elles sont contenues, et qui n'éclatent qu'au dernier moment avec une force irrésistible ? On ne sait. Mais Phileas Fogg était là, calme, attendant... quoi ? Conservait-il quelque espoir ? Croyait-il encore au succès, quand la porte de cette prison était fermée sur lui ?

Quoi qu'il en soit, Mr. Fogg avait soigneusement posé sa montre sur une table et il en regardait les aiguilles marcher. Pas une parole ne s'échappait de ses lèvres, mais son regard avait une fixité singulière.

6830 En tout cas, la situation était terrible, et, pour qui ne pouvait lire dans cette conscience, elle se résumait ainsi :

Honnête homme, Phileas Fogg était ruiné.

Malhonnête homme, il était pris.

Eut-il alors la pensée de se sauver ? Songea-t-il à chercher si ce 6835 poste présentait une issue praticable ? Pensa-t-il à fuir ? On serait tenté de le croire, car, à un certain moment, il fit le tour de la chambre. Mais la porte était solidement fermée et la fenêtre garnie de barreaux de fer. Il vint donc se rasseoir, et il tira de son porte-feuille l'itinéraire du voyage. Sur la ligne qui portait ces mots :

6840 « 21 décembre, samedi, Liverpool », il ajouta :

« 80ᵉ jour, 11 h 40 du matin », et il attendit.

Une heure sonna à l'horloge de *custom-house*. Mr. Fogg constata que sa montre avançait de deux minutes sur cette horloge.

Deux heures ! En admettant qu'il montât en ce moment dans un express, il pouvait encore arriver à Londres et au Reform Club avant huit heures quarante-cinq du soir. Son front se plissa légèrement...

À deux heures trente-trois minutes, un bruit retentit au-dehors, un vacarme de portes qui s'ouvraient. On entendait la voix de Passepartout, on entendait la voix de Fix.

Le regard de Phileas Fogg brilla un instant.

La porte du poste s'ouvrit, et il vit Mrs. Aouda, Passepartout, Fix, qui se précipitèrent vers lui.

Fix était hors d'haleine, les cheveux en désordre... Il ne pouvait parler !

« Monsieur, balbutia-t-il, monsieur... pardon... une ressemblance déplorable... Voleur arrêté depuis trois jours... vous... libre !... »

Phileas Fogg était libre ! Il alla au détective. Il le regarda bien en face, et, faisant le seul mouvement rapide qu'il eût jamais fait et qu'il dût jamais faire de sa vie, il ramena ses deux bras en arrière, puis, avec la précision d'un automate, il frappa de ses deux poings le malheureux inspecteur.

« Bien tapé ! » s'écria Passepartout, qui, se permettant un atroce jeu de mots, bien digne d'un Français, ajouta : « Pardieu ! voilà ce qu'on peut appeler une belle application de poings d'Angleterre[1] ! »

---

1. **Poings d'Angleterre** : jeu de mots sur le « point d'Angleterre », technique de dentelle.

Fix, renversé, ne prononça pas un mot. Il n'avait que ce qu'il méritait. Mais aussitôt Mr. Fogg, Mrs. Aouda, Passepartout quittèrent la douane. Ils se jetèrent dans une voiture, et, en quelques minutes, ils arrivèrent à la gare de Liverpool.

Phileas Fogg demanda s'il y avait un express prêt à partir pour Londres...

Il était deux heures quarante... L'express était parti depuis trente-cinq minutes.

Phileas Fogg commanda alors un train spécial.

Il y avait plusieurs locomotives de grande vitesse en pression ; mais, attendu les exigences du service, le train spécial ne put quitter la gare avant trois heures.

À trois heures, Phileas Fogg, après avoir dit quelques mots au mécanicien d'une certaine prime à gagner, filait dans la direction de Londres, en compagnie de la jeune femme et de son fidèle serviteur.

Il fallait franchir en cinq heures et demie la distance qui sépare Liverpool de Londres, chose très faisable, quand la voie est libre sur tout le parcours. Mais il y eut des retards forcés, et, quand le gentleman arriva à la gare, neuf heures moins dix sonnaient à toutes les horloges de Londres.

Phileas Fogg, après avoir accompli ce voyage autour du monde, arrivait avec un retard de cinq minutes !...

Il avait perdu.

XXXV

Dans lequel Passepartout ne se fait pas répéter deux fois l'ordre que son maître lui donne

Le lendemain, les habitants de Saville Row auraient été bien surpris, si on leur eût affirmé que Mr. Fogg avait réintégré son domicile. Portes et fenêtres, tout était clos. Aucun changement ne s'était produit à l'extérieur.

6895 En effet, après avoir quitté la gare, Phileas Fogg avait donné à Passepartout l'ordre d'acheter quelques provisions, et il était rentré dans sa maison.

Ce gentleman avait reçu avec son impassibilité habituelle le coup qui le frappait. Ruiné ! et par la faute de ce maladroit inspec-
6900 teur de police ! Après avoir marché d'un pas sûr pendant ce long parcours, après avoir renversé mille obstacles, bravé mille dangers, ayant encore trouvé le temps de faire quelque bien sur sa route, échouer au port devant un fait brutal, qu'il ne pouvait prévoir, et contre lequel il était désarmé : cela était terrible ! De la somme
6905 considérable qu'il avait emportée au départ, il ne lui restait qu'un reliquat[1] insignifiant. Sa fortune ne se composait plus que des vingt mille livres déposées chez Baring frères, et ces vingt mille livres, il les devait à ses collègues du Reform Club. Après tant de dépenses faites, ce pari gagné ne l'eût pas enrichi sans doute, et
6910 il est probable qu'il n'avait pas cherché à s'enrichir, étant de ces

---

1. **Reliquat** : somme restante.

hommes qui parient pour l'honneur, mais ce pari perdu le ruinait totalement. Au surplus, le parti du gentleman était pris. Il savait ce qui lui restait à faire.

Une chambre de la maison de Saville Row avait été réservée à Mrs. Aouda. La jeune femme était désespérée. À certaines paroles prononcées par Mr. Fogg, elle avait compris que celui-ci méditait quelque projet funeste.

On sait, en effet, à quelles déplorables extrémités se portent quelquefois ces Anglais monomanes sous la pression d'une idée fixe. Aussi Passepartout, sans en avoir l'air, surveillait-il son maître.

Mais, tout d'abord, l'honnête garçon était monté dans sa chambre et avait éteint le bec qui brûlait depuis quatre-vingts jours. Il avait trouvé dans la boîte aux lettres une note de la Compagnie du gaz, et il pensa qu'il était plus que temps d'arrêter ces frais dont il était responsable.

La nuit se passa. Mr. Fogg s'était couché, mais avait-il dormi ? Quant à Mrs. Aouda, elle ne put prendre un seul instant de repos. Passepartout, lui, avait veillé comme un chien à la porte de son maître.

Le lendemain, Mr. Fogg le fit venir et lui recommanda, en termes fort brefs, de s'occuper du déjeuner de Mrs. Aouda. Pour lui, il se contenterait d'une tasse de thé et d'une rôtie. Mrs. Aouda voudrait bien l'excuser pour le déjeuner et le dîner, car tout son temps était consacré à mettre ordre à ses affaires. Il ne descendrait pas. Le soir seulement, il demanderait à Mrs. Aouda la permission de l'entretenir pendant quelques instants.

Passepartout, ayant communication du programme de la journée, n'avait plus qu'à s'y conformer. Il regardait son maître toujours impassible, et il ne pouvait se décider à quitter sa chambre. Son cœur était gros, sa conscience bourrelée de remords, car il s'accusait plus que jamais de cet irréparable désastre. Oui ! s'il eût prévenu Mr. Fogg, s'il lui eût dévoilé les projets de l'agent Fix, Mr. Fogg n'aurait certainement pas traîné l'agent Fix jusqu'à Liverpool, et alors...

Passepartout ne put plus y tenir.

« Mon maître ! monsieur Fogg ! s'écria-t-il, maudissez-moi. C'est par ma faute que...

– Je n'accuse personne, répondit Phileas Fogg du ton le plus calme. Allez. »

Passepartout quitta la chambre et vint trouver la jeune femme, à laquelle il fit connaître les intentions de son maître.

« Madame, ajouta-t-il, je ne puis rien par moi-même, rien ! Je n'ai aucune influence sur l'esprit de mon maître. Vous, peut-être...

– Quelle influence aurais-je, répondit Mrs. Aouda. Mr. Fogg n'en subit aucune ! A-t-il jamais compris que ma reconnaissance pour lui était prête à déborder ! A-t-il jamais lu dans mon cœur !... Mon ami, il ne faudra pas le quitter, pas un seul instant. Vous dites qu'il a manifesté l'intention de me parler ce soir ?

– Oui, madame. Il s'agit sans doute de sauvegarder votre situation en Angleterre.

– Attendons », répondit la jeune femme, qui demeura toute pensive.

Ainsi, pendant cette journée du dimanche, la maison de Saville Row fut comme si elle eût été inhabitée, et, pour la première fois depuis qu'il demeurait dans cette maison, Phileas Fogg n'alla pas à son club, quand onze heures et demie sonnèrent à la tour du Parlement.

Et pourquoi ce gentleman se fût-il présenté au Reform Club ? Ses collègues ne l'y attendaient plus. Puisque, la veille au soir, à cette date fatale du samedi 21 décembre, à huit heures quarante-cinq, Phileas Fogg n'avait pas paru dans le salon du Reform Club, son pari était perdu. Il n'était même pas nécessaire qu'il allât chez son banquier pour y prendre cette somme de vingt mille livres. Ses adversaires avaient entre les mains un chèque signé de lui, et il suffisait d'une simple écriture à passer chez Baring frères, pour que les vingt mille livres fussent portées à leur crédit.

Mr. Fogg n'avait donc pas à sortir, et il ne sortit pas. Il demeura dans sa chambre et mit ordre à ses affaires. Passepartout ne cessa de monter et de descendre l'escalier de la maison de Saville Row. Les heures ne marchaient pas pour ce pauvre garçon. Il écoutait à la porte de la chambre de son maître, et, ce faisant, il ne pensait pas commettre la moindre indiscrétion ! Il regardait par le trou de la serrure, et il s'imaginait avoir ce droit ! Passepartout redoutait à chaque instant quelque catastrophe. Parfois, il songeait à Fix, mais un revirement s'était fait dans son esprit. Il n'en voulait plus à l'inspecteur de police. Fix s'était trompé comme tout le monde à l'égard de Phileas Fogg, et, en le filant, en l'arrêtant, il n'avait fait que son devoir, tandis que lui... Cette pensée l'accablait, et il se tenait pour le dernier des misérables.

Quand, enfin, Passepartout se trouvait trop malheureux d'être seul, il frappait à la porte de Mrs. Aouda, il entrait dans sa chambre, il s'asseyait dans un coin sans mot dire, et il regardait la jeune femme toujours pensive.

6995 Vers sept heures et demie du soir, Mr. Fogg fit demander à Mrs. Aouda si elle pouvait le recevoir, et quelques instants après, la jeune femme et lui étaient seuls dans cette chambre.

Phileas Fogg prit une chaise et s'assit près de la cheminée, en face de Mrs. Aouda. Son visage ne reflétait aucune émotion. Le 7000 Fogg du retour était exactement le Fogg du départ. Même calme, même impassibilité.

Il resta sans parler pendant cinq minutes. Puis, levant les yeux sur Mrs. Aouda :

« Madame, dit-il, me pardonnerez-vous de vous avoir amenée 7005 en Angleterre ?

– Moi, monsieur Fogg !... répondit Mrs. Aouda, en comprimant les battements de son cœur.

– Veuillez me permettre d'achever, reprit Mr. Fogg. Lorsque j'eus la pensée de vous entraîner loin de cette contrée, devenue 7010 si dangereuse pour vous, j'étais riche, et je comptais mettre une partie de ma fortune à votre disposition. Votre existence eût été heureuse et libre. Maintenant, je suis ruiné.

– Je le sais, monsieur Fogg, répondit la jeune femme, et je vous demanderai à mon tour : me pardonnerez-vous de vous avoir suivi, 7015 et – qui sait ? – d'avoir peut-être, en vous retardant, contribué à votre ruine ?

– Madame, vous ne pouviez rester dans l'Inde, et votre salut n'était assuré que si vous vous éloigniez assez pour que ces fanatiques ne pussent vous reprendre.

7020 – Ainsi, monsieur Fogg, reprit Mrs. Aouda, non content de m'arracher à une mort horrible, vous vous croyiez encore obligé d'assurer ma position à l'étranger ?

– Oui, madame, répondit Fogg, mais les événements ont tourné contre moi. Cependant, du peu qui me reste, je vous demande la 7025 permission de disposer en votre faveur.

– Mais, vous, monsieur Fogg, que deviendrez-vous ? demanda Mrs. Aouda.

– Moi, madame, répondit froidement le gentleman, je n'ai besoin de rien.

7030 – Mais comment, monsieur, envisagez-vous donc le sort qui vous attend ?

– Comme il convient de le faire, répondit Mr. Fogg.

– En tout cas, reprit Mrs. Aouda, la misère ne saurait atteindre un homme tel que vous. Vos amis...

7035 – Je n'ai point d'amis, madame.

– Vos parents...

– Je n'ai plus de parents.

– Je vous plains alors, monsieur Fogg, car l'isolement est une triste chose. Quoi ! pas un cœur pour y verser vos peines. On 7040 dit cependant qu'à deux la misère elle-même est supportable encore !

– On le dit, madame.

– Monsieur Fogg, dit alors Mrs. Aouda, qui se leva et tendit sa main au gentleman, voulez-vous à la fois d'une parente et d'une 7045 amie ? Voulez-vous de moi pour votre femme ? »

Mr. Fogg, à cette parole, s'était levé à son tour. Il y avait comme un reflet inaccoutumé dans ses yeux, comme un tremblement sur ses lèvres. Mrs. Aouda le regardait. La sincérité, la droiture, la fermeté et la douceur de ce beau regard d'une noble femme qui ose tout pour sauver celui auquel elle doit tout, l'étonnèrent d'abord, puis le pénétrèrent. Il ferma les yeux un instant, comme pour éviter que ce regard ne s'enfonçât plus avant... Quand il les rouvrit :

« Je vous aime ! dit-il simplement. Oui, en vérité, par tout ce qu'il y a de plus sacré au monde, je vous aime, et je suis tout à vous !

– Ah !... » s'écria Mrs. Aouda, en portant la main à son cœur.

Passepartout fut sonné. Il arriva aussitôt. Mr. Fogg tenait encore dans sa main la main de Mrs. Aouda. Passepartout comprit, et sa large face rayonna comme le soleil au zénith des régions tropicales.

Mr. Fogg lui demanda s'il ne serait pas trop tard pour aller prévenir le révérend Samuel Wilson, de la paroisse de Mary-le-Bone.

Passepartout sourit de son meilleur sourire.

« Jamais trop tard », dit-il.

Il n'était que huit heures cinq.

« Ce serait pour demain, lundi ! dit-il.

– Pour demain lundi ? demanda Mr. Fogg en regardant la jeune femme.

– Pour demain lundi ! » répondit Mrs. Aouda. Passepartout sortit, tout courant.

XXXVI

DANS LEQUEL PHILEAS FOGG FAIT DE NOUVEAU PRIME SUR LE MARCHÉ

Il est temps de dire ici quel revirement de l'opinion s'était produit dans le Royaume-Uni, quand on apprit l'arrestation du vrai voleur de la Banque, un certain James Strand, qui avait eu lieu le 17 décembre, à Édimbourg.

Trois jours avant, Phileas Fogg était un criminel que la police poursuivait à outrance, et maintenant c'était le plus honnête gentleman, qui accomplissait mathématiquement son excentrique voyage autour du monde.

Quel effet, quel bruit dans les journaux ! Tous les parieurs pour ou contre, qui avaient déjà oublié cette affaire, ressuscitèrent comme par magie. Toutes les transactions redevenaient valables. Tous les engagements revivaient, et, il faut le dire, les paris reprirent avec une nouvelle énergie. Le nom de Phileas Fogg fit de nouveau prime sur le marché.

Les cinq collègues du gentleman, au Reform Club, passèrent ces trois jours dans une certaine inquiétude. Ce Phileas Fogg qu'ils avaient oublié reparaissait à leurs yeux ! Où était-il en ce moment ? Le 17 décembre, jour où James Strand fut arrêté, il y avait soixante-seize jours que Phileas Fogg était parti, et pas une nouvelle de lui ! Avait-il succombé ? Avait-il renoncé à la lutte, ou continuait-il sa marche suivant l'itinéraire convenu ? Et le samedi 21 décembre, à huit heures quarante-cinq du soir, allait-il apparaître, comme le dieu de l'exactitude, sur le seuil du salon du Reform Club ?

₇₀₉₅ Il faut renoncer à peindre l'anxiété dans laquelle, pendant trois jours, vécut tout ce monde de la société anglaise. On lança des dépêches en Amérique, en Asie, pour avoir des nouvelles de Phileas Fogg ! On envoya matin et soir observer la maison de Saville Row... Rien. La police elle-même ne savait plus ce qu'était ₇₁₀₀ devenu le détective Fix, qui s'était si malencontreusement jeté sur une fausse piste. Ce qui n'empêcha pas les paris de s'engager de nouveau sur une plus vaste échelle. Phileas Fogg, comme un cheval de course, arrivait au dernier tournant. On ne le cotait plus à cent, mais à vingt, mais à dix, mais à cinq et le vieux paralytique, ₇₁₀₅ lord Albermale le prenait, lui, à égalité.

Aussi, le samedi soir, y avait-il foule dans Pall Mall et dans les rues voisines. On eût dit un immense attroupement de courtiers, établis en permanence aux abords du Reform Club. La circulation était empêchée. On discutait, on disputait, on criait les cours du ₇₁₁₀ Phileas Fogg, comme ceux des fonds anglais. Les *policemen* avaient beaucoup de peine à contenir le populaire, et à mesure que s'avançait l'heure à laquelle devait arriver Phileas Fogg, l'émotion prenait des proportions invraisemblables.

Ce soir-là, les cinq collègues du gentleman étaient réunis ₇₁₁₅ depuis neuf heures dans le grand salon du Reform Club. Les deux banquiers, John Sullivan et Samuel Fallentin, l'ingénieur Andrew Stuart, Gauthier Ralph, administrateur de la Banque d'Angleterre, le brasseur Thomas Flanagan, tous attendaient avec anxiété.

₇₁₂₀ Au moment où l'horloge du grand salon marqua huit heures vingt-cinq, Andrew Stuart, se levant, dit :

« Messieurs, dans vingt minutes, le délai convenu entre Mr. Phileas Fogg et nous sera expiré.

– À quelle heure est arrivé le dernier train de Liverpool ? demanda Thomas Flanagan.

– À sept heures vingt-trois, répondit Gauthier Ralph, et le train suivant n'arrive qu'à minuit dix.

– Eh bien, messieurs, reprit Andrew Stuart, si Phileas Fogg était arrivé par le train de sept heures vingt-trois, il serait déjà ici. Nous pouvons donc considérer le pari comme gagné.

– Attendons, ne nous prononçons pas, répondit Samuel Fallentin. Vous voyez que notre collègue est un excentrique de premier ordre. Son exactitude en tout est bien connue. Il n'arrive jamais ni trop tard ni trop tôt, et il apparaîtrait ici à la dernière minute, que je n'en serais pas autrement surpris.

– Et moi, dit Andrew Stuart, qui était, comme toujours, très nerveux, je le verrais, je n'y croirais pas.

– En effet, reprit Thomas Flanagan, le projet de Phileas Fogg était insensé. Quelle que fût son exactitude, il ne pouvait empêcher des retards inévitables de se produire, et un retard de deux ou trois jours seulement suffisait à compromettre son voyage.

– Vous remarquerez, d'ailleurs, ajouta John Sullivan, que nous n'avons reçu aucune nouvelle de notre collègue et cependant, les fils télégraphiques ne manquaient pas sur son itinéraire.

– Il a perdu, messieurs, reprit Andrew Stuart, il a cent fois perdu ! Vous savez, d'ailleurs, que le *China*, le seul paquebot de New York qu'il pût prendre pour venir à Liverpool en temps utile, est arrivé hier. Or, voici la liste des passagers, publiée par la *Shipping Gazette*, et le nom de Phileas Fogg n'y figure pas. En admettant les chances les plus favorables, notre collègue est à peine en Amérique ! J'estime à vingt jours, au moins, le retard qu'il subira sur la date convenue, et le vieux lord Albermale en sera, lui aussi, pour ses cinq mille livres !

– C'est évident, répondit Gauthier Ralph, et demain nous n'aurons qu'à présenter chez Baring frères le chèque de Mr. Fogg. »

En ce moment l'horloge du salon sonna huit heures quarante.

« Encore cinq minutes », dit Andrew Stuart.

Les cinq collègues se regardaient. On peut croire que les battements de leur cœur avaient subi une légère accélération, car enfin, même pour de beaux joueurs, la partie était forte ! Mais ils n'en voulaient rien laisser paraître, car, sur la proposition de Samuel Fallentin, ils prirent place à une table de jeu.

« Je ne donnerais pas ma part de quatre mille livres dans le pari, dit Andrew Stuart en s'asseyant, quand même on m'en offrirait trois mille neuf cent quatre-vingt-dix-neuf ! »

L'aiguille marquait, en ce moment, huit heures quarante-deux minutes.

Les joueurs avaient pris les cartes, mais, à chaque instant, leur regard se fixait sur l'horloge. On peut affirmer que, quelle que fût leur sécurité, jamais minutes ne leur avaient paru si longues !

7170

« Huit heures quarante-trois ! », dit Thomas Flanagan, en coupant le jeu que lui présentait Gauthier Ralph.

Puis un moment de silence se fit. Le vaste salon du club était tranquille. Mais, au-dehors, on entendait le brouhaha de la foule, que dominaient parfois des cris aigus. Le balancier de l'horloge battait la seconde avec une régularité mathématique. Chaque joueur pouvait compter les divisions sexagésimales[1] qui frappaient son oreille.

7175

« Huit heures quarante-quatre ! » dit John Sullivan d'une voix dans laquelle on sentait une émotion involontaire.

7180

Plus qu'une minute, et le pari était gagné. Andrew Stuart et ses collègues ne jouaient plus. Ils avaient abandonné les cartes ! Ils comptaient les secondes !

À la quarantième seconde, rien. À la cinquantième, rien encore ! À la cinquante-cinquième, on entendit comme un tonnerre au-dehors, des applaudissements, des hurrahs, et même des imprécations, qui se propagèrent dans un roulement continu.

7185

Les joueurs se levèrent.

À la cinquante-septième seconde, la porte du salon s'ouvrit, et le balancier n'avait pas battu la soixantième seconde, que Phileas Fogg apparaissait, suivi d'une foule en délire qui avait forcé l'entrée du club, et de sa voix calme :

7190

« Me voici, messieurs », disait-il.

---

1. **Divisions sexagésimales** : les 6o divisions en secondes
d'une minute.

XXXVII

Dans lequel il est prouvé que Phileas Fogg n'a rien gagné à faire ce tour du monde, si ce n'est le bonheur

Oui ! Phileas Fogg en personne.

On se rappelle qu'à huit heures cinq du soir – vingt-cinq heures environ après l'arrivée des voyageurs à Londres –, Passepartout avait été chargé par son maître de prévenir le révérend Samuel Wilson au sujet d'un certain mariage qui devait se conclure le lendemain même.

Passepartout était donc parti, enchanté. Il se rendit d'un pas rapide à la demeure du révérend Samuel Wilson, qui n'était pas encore rentré. Naturellement, Passepartout attendit, mais il attendit vingt bonnes minutes au moins.

Bref, il était huit heures trente-cinq quand il sortit de la maison du révérend. Mais dans quel état ! Les cheveux en désordre, sans chapeau, courant, courant, comme on n'a jamais vu courir de mémoire d'homme, renversant les passants, se précipitant comme une trombe sur les trottoirs !

En trois minutes, il était de retour à la maison de Saville Row, et il tombait, essoufflé, dans la chambre de Mr. Fogg.

Il ne pouvait parler.

« Qu'y a-t-il ? demanda Mr. Fogg.

– Mon maître... balbutia Passepartout... mariage... impossible.

– Impossible ?

– Impossible... pour demain.

    – Pourquoi ?

    – Parce que demain... c'est dimanche !

    – Lundi, répondit Mr. Fogg.

    – Non... aujourd'hui... samedi.

7220   – Samedi ? impossible !

    – Si, si, si, si ! s'écria Passepartout. Vous vous êtes trompé d'un jour ! Nous sommes arrivés vingt-quatre heures en avance... mais il ne reste plus que dix minutes !... »

    Passepartout avait saisi son maître au collet, et il l'entraînait avec
7225 une force irrésistible !

    Phileas Fogg, ainsi enlevé, sans avoir le temps de réfléchir, quitta sa chambre, quitta sa maison, sauta dans un cab, promit cent livres au cocher, et après avoir écrasé deux chiens et accroché cinq voitures, il arriva au Reform Club.

7230   L'horloge marquait huit heures quarante-cinq, quand il parut dans le grand salon...

    Phileas Fogg avait accompli ce tour du monde en quatre-vingts jours !...

    Phileas Fogg avait gagné son pari de vingt mille livres !

7235   Et maintenant, comment un homme si exact, si méticuleux, avait-il pu commettre cette erreur de jour ? Comment se croyait-il au samedi soir, 21 décembre, quand il débarqua à Londres, alors qu'il n'était qu'au vendredi, 20 décembre, soixante-dix-neuf jours seulement après son départ ?

7240   Voici la raison de cette erreur. Elle est fort simple.

    Phileas Fogg avait, « sans s'en douter », gagné un jour sur son itinéraire, et cela uniquement parce qu'il avait fait le tour du monde en allant vers *l'est*, et il eût, au contraire, perdu ce jour en allant en sens inverse, soit vers *l'ouest*.

7245 En effet, en marchant vers l'est, Phileas Fogg allait au-devant du soleil, et, par conséquent les jours diminuaient pour lui d'autant de fois quatre minutes qu'il franchissait de degrés dans cette direction. Or, on compte trois cent soixante degrés sur la circonférence terrestre, et ces trois cent soixante degrés, multipliés par quatre

7250 minutes, donnent précisément vingt-quatre heures, c'est-à-dire ce jour inconsciemment gagné. En d'autres termes, pendant que Phileas Fogg, marchant vers l'est, voyait le soleil passer *quatre-vingts fois* au méridien, ses collègues restés à Londres ne le voyaient passer que *soixante-dix-neuf fois*. C'est pourquoi, ce jour-là même,

7255 qui était le samedi et non le dimanche, comme le croyait Mr. Fogg, ceux-ci l'attendaient dans le salon du Reform Club.

Et c'est ce que la fameuse montre de Passepartout – qui avait toujours conservé l'heure de Londres – eût constaté si, en même temps que les minutes et les heures, elle eût marqué les jours !

7260 Phileas Fogg avait donc gagné les vingt mille livres. Mais comme il en avait dépensé en route environ dix-neuf mille, le résultat pécuniaire était médiocre. Toutefois, on l'a dit, l'excentrique gentleman n'avait, en ce pari, cherché que la lutte, non la fortune. Et même, les mille livres restant, il les partagea entre l'honnête

7265 Passepartout et le malheureux Fix, auquel il était incapable d'en vouloir. Seulement, et pour la régularité, il retint à son serviteur le prix des dix-neuf cent vingt heures de gaz dépensé par sa faute.

Ce soir-là même, Mr. Fogg, aussi impassible, aussi flegmatique, disait à Mrs. Aouda :

7270 « Ce mariage vous convient-il toujours, madame ?

– Monsieur Fogg, répondit Mrs. Aouda, c'est à moi de vous faire cette question. Vous étiez ruiné, vous voici riche...

– Pardonnez-moi, madame, cette fortune vous appartient. Si vous n'aviez pas eu la pensée de ce mariage, mon domestique ne 7275 serait pas allé chez le révérend Samuel Wilson, je n'aurais pas été averti de mon erreur, et...

– Cher monsieur Fogg..., dit la jeune femme.

– Chère Aouda... », répondit Phileas Fogg.

On comprend bien que le mariage se fit quarante-huit heures 7280 plus tard, et Passepartout, superbe, resplendissant, éblouissant, y figura comme témoin de la jeune femme. Ne l'avait-il pas sauvée, et ne lui devait-on pas cet honneur ?

Seulement, le lendemain, dès l'aube, Passepartout frappait avec fracas à la porte de son maître.

7285 La porte s'ouvrit, et l'impassible gentleman parut.

« Qu'y a-t-il, Passepartout ?

– Ce qu'il y a, monsieur ! Il y a que je viens d'apprendre à l'instant...

– Quoi donc ?

7290 – Que nous pouvions faire le tour du monde en soixante-dix-huit jours seulement.

– Sans doute, répondit Mr. Fogg, en ne traversant pas l'Inde. Mais si je n'avais pas traversé l'Inde, je n'aurais pas sauvé Mrs. Aouda, elle ne serait pas ma femme, et... »

7295 Et Mr. Fogg ferma tranquillement la porte.

Ainsi donc Phileas Fogg avait gagné son pari. Il avait accompli en quatre-vingts jours ce voyage autour du monde ! Il avait employé pour ce faire tous les moyens de transport, paquebots, *railways*, voitures, yachts, bâtiments de commerce, traîneaux, éléphant. 7300 L'excentrique gentleman avait déployé dans cette affaire ses merveilleuses qualités de sang-froid et d'exactitude. Mais après ?

Qu'avait-il gagné à ce déplacement ? Qu'avait-il rapporté de ce voyage ?

Rien, dira-t-on ? Rien, soit, si ce n'est une charmante femme, qui – quelque invraisemblable que cela puisse paraître – le rendit le plus heureux des hommes !

En vérité, ne ferait-on pas, pour moins que cela, le tour du monde ?

Jules Verne, *Le Tour du monde en 80 jours*, 1872.

Le Tour du monde en 80 jours

LE DOSSIER

Le Tour du monde en 80 jours

Un roman d'aventures pour la jeunesse

Quand la littérature pour la jeunesse apparaît-elle ?

La littérature pour la jeunesse regroupe des œuvres conçues pour satisfaire les diverses classes d'âge qui composent l'enfance et l'adolescence. C'est au XIXᵉ siècle qu'elle prend son essor. Jules Verne a beaucoup écrit pour ce public et des générations d'enfants ont dévoré ses Voyages extraordinaires.

● LES TOUT DÉBUTS : UN GENRE CONFIDENTIEL

La littérature pour la jeunesse s'est longtemps résumée à des adaptations d'œuvres originellement destinées à un public adulte. La tradition orale des légendes, des fables, des contes populaires, des comptines a ainsi constitué un premier réservoir d'œuvres susceptibles de toucher les jeunes.

Avec l'avènement de l'imprimerie, au milieu du XVᵉ siècle, des ouvrages à vocation pédagogique destinés aux enfants commencent à paraître. Ces ouvrages non illustrés se caractérisent par leur visée moralisatrice : le *Télémaque* de Fénelon (1699) en offre un bon exemple.

> *Au XVIIᵉ siècle, Jean de La Fontaine avec ses fables et Charles Perrault avec ses contes sont apparus comme des précurseurs du genre.*

● L'INSTRUCTION OBLIGATOIRE ET LA NAISSANCE DU ROMAN POUR LA JEUNESSE

La littérature de jeunesse n'apparaît véritablement qu'au XIXᵉ siècle, sans doute pour des raisons littéraires et sociales.

– Littéraires parce que depuis l'*Émile* de Rousseau (1762), des auteurs réfléchissent à la meilleure éducation à donner à un enfant.

– Sociales parce que diverses lois au XIXᵉ siècle permettent à l'enfant d'acquérir un statut à part entière : la loi Guizot (1833) et les lois Ferry (1881) prônent une scolarité gratuite et obligatoire. En faisant obligation à chaque commune d'avoir une école élémentaire, la loi Guizot crée un énorme public potentiel de lecteurs. L'instruction s'étend, la presse, les journaux et les romans pour jeunes se développent.

Un classique de l'école laïque

Le Tour de la France par deux enfants (1877) de G. Bruno fait marcher deux garçons sur les routes de France, chaque événement donnant lieu à une leçon. Il s'agit avant tout d'instruire la jeunesse de France et de lui transmettre des valeurs morales.

● L'ESSOR DE LA LITTÉRATURE POUR LA JEUNESSE GRÂCE À DEUX ÉDITEURS

Pierre Jules Hetzel et Louis Hachette sont deux éditeurs qui vont jouer un rôle clé dans l'essor de la littérature pour la jeunesse. S'insurgeant contre la qualité médiocre des ouvrages s'adressant à la jeunesse, ils font appel à des romanciers professionnels : la comtesse de Ségur, Jules Verne mais aussi Hector Malot, George Sand, Alexandre Dumas, Charles Nodier...

Cet auteur montre de jeunes enfants parcourant les routes pour échapper à un triste destin : Rémi dans Sans Famille ou Romain dans Romain Kalbris traversent la France en se frottant à divers milieux sociaux (saltimbanques, ouvriers, artistes, riches industriels...). À la fin, la chance leur sourit et ils accèdent aux joies de la vie en famille.

● LOUIS HACHETTE, LA « BIBLIOTHÈQUE ROSE » ET LA COMTESSE DE SÉGUR

La Librairie Hachette crée en 1856 la collection « Bibliothèque rose », destinée aux jeunes, qui propose des livres à couverture rose disponibles partout à bas prix, y compris dans les gares. Louis Hachette conclut notamment un contrat avec la comtesse de Ségur, qui s'engage à écrire deux romans par an jusqu'en 1871. Son succès s'explique d'abord par la nature des intrigues qui composent ses romans : l'univers évoqué est réaliste et permet à l'enfant-lecteur de s'identifier aux enfants-héros.

Elle connaît le succès avec de nombreux livres (Les Petites Filles modèles, Les Malheurs de Sophie, Un bon petit diable...), romans dans lesquels la vertu est toujours récompensée et le vice puni. Mais personne ne se souviendrait de ses œuvres moralisantes si elles n'étaient si agréables à lire !

● **JULES VERNE, AUTEUR POUR LES ENFANTS ?**

Définir Jules Verne comme un auteur pour la jeunesse est un peu réducteur. Il s'est en effet toujours adressé à un public familial, un double public.

– Les adolescents, d'une part, lisent *Le Magasin d'éducation et de récréation* (magazine que l'éditeur Pierre Jules Hetzel publie depuis 1864 et où paraissent les textes de Jules Verne avant d'être publiés en romans) attirés par les aventures de héros en quête d'inconnu.

– Les adultes, d'autre part, se passionnent pour les aventures scientifiques des héros. Arthur Rimbaud s'inspirera de *Vingt mille lieues sous les mers* pour écrire son célèbre *Bateau ivre*. En 1936, J. Cocteau et M. Khill se transforment en P. Fogg et Passepartout pour entreprendre le « tour du monde en 80 jours », d'après l'itinéraire du roman.

> *Le physicien J. Bertrand, par exemple, refait les calculs que Jules Verne propose !*

Enfin le conteur gagne tous les cœurs grâce au ton ironique et gai qui est le sien ! L'humour, dans *Le Tour du monde en 80 jours*, emporte l'adhésion de tous, fait sourire les jeunes et les moins jeunes lecteurs.

Hetzel : un éditeur inventif

Républicain convaincu et proscrit par Napoléon III, Hetzel fut compagnon d'exil de Victor Hugo et auteur pour la jeunesse. Il est surtout connu pour avoir été l'un des éditeurs les plus audacieux du XIXe siècle. Le 24 décembre 1862, Hetzel publie le premier roman de Jules Verne, Cinq semaines en ballon. *Pendant une quarantaine d'années, 62 romans intitulés* Les Voyages extraordinaires *paraissent avec succès sous diverses formes.*

● **ET AUJOURD'HUI ?**

Il faut cependant attendre le XXe siècle pour que les auteurs commencent à concevoir leurs œuvres en fonction d'une tranche d'âge spécifique et pour que se développe le livre illustré. Après la Seconde Guerre mondiale, les ouvrages pour la jeunesse suscitent un engouement exceptionnel, dû à l'essor des éditions de poche et à l'accroissement du nombre des bibliothèques. Aujourd'hui, la production de littérature pour la jeunesse est extrêmement diversifiée.

Comment définir le genre du *Tour du monde en 80 jours* ?

Le Tour du monde en 80 jours *appartient à un genre littéraire : le roman, œuvre narrative en prose. Mais comment définir plus précisément la forme de ce roman ?*

● UN ROMAN D'AVENTURES ?

Quels points communs peut-on trouver entre *L'Ile au trésor*, *Robinson Crusoé*, *Tom Sawyer* et *Le Tour du monde en 80 jours* ? Ce sont tous des romans d'aventures !

> *Le genre d'une œuvre se définit par son sujet, sa structure, sa visée.*

Ce genre présente plusieurs caractéristiques.

– Un récit d'action : les péripéties s'enchaînent sur un rythme très vif et les personnages courent d'aventure en aventure.

– Un espace/temps lointain, mal connu, voire inconnu du lecteur : Passepartout et Fogg traversent des territoires exotiques (le Japon, l'Inde, les États-Unis...) suscitant la curiosité du lecteur qui s'émerveille de tant de diversité géographique et humaine.

– Des personnages nombreux (on voit défiler un guide parsi, un prédicateur mormon, un colonel, un capitaine de bateau...), mais qui présentent une psychologie sommaire (le Parsi a « une figure intelligente », le mormon est persuasif, le capitaine de bateau est bourru) ; les héros semblent réductibles à des types (Fogg apparaît au début du roman comme un homme-machine, rigide et réglé comme une horloge, indifférent au monde qui l'entoure, tandis que Passepartout est curieux, enthousiaste, d'humeur changeante).

– Le but est de distraire le lecteur, de lui proposer une évasion grâce à la fiction.

● UN ROMAN DIDACTIQUE QUI MET L'ENCYCLOPÉDIE À LA PORTÉE DES ENFANTS

L'éditeur Hetzel, dans l'Avertissement des *Voyages extraordinaires*, indique que le but de J. Verne est de « résumer toutes les connaissances géologiques, géographiques, astronomiques, amassées par la science moderne, et de refaire, sous la forme attrayante qui lui est propre, l'histoire de l'univers. » Il s'agit, pour Jules Verne, toujours selon Hetzel, de prodiguer au lecteur « l'instruction qui amuse, l'amusement qui instruit ».

Étape I • Étudier l'*incipit*

SUPPORT : Chapitre I (p. 12 à 18)

OBJECTIF : Présenter les héros.

As-tu bien lu ?

1 Les passe-temps favoris de Phileas Fogg sont :
☐ chanter des airs d'opéra et jouer au golf
☐ peindre des natures mortes et lire des romans
☐ jouer au whist et lire des journaux

2 Phileas Fogg a renvoyé son premier domestique parce qu'il a :
☐ volé des couverts en argent
☐ apporté pour sa barbe de l'eau à 86 degrés
☐ séduit son épouse

3 Pourquoi Passepartout veut-il devenir le domestique de Phileas Fogg ?

Une pause dans l'action : le discours descriptif

4 En quoi le passage de la ligne 1 à la ligne 125 est-il un texte descriptif ? Donne trois caractéristiques.

5 Relève dans ce passage une phrase qui indique que le narrateur revient à la narration.

Deux portraits contrastés

6 Quelles informations peux-tu tirer du nom des personnages principaux ?

7 Relève des mots ou des groupes de mots qui montrent que le narrateur semble en savoir peu sur Phileas Fogg.

8 Quels éléments te paraissent surprenants ou mystérieux dans le comportement de P. Fogg ?

9 Cite quelques-uns des anciens métiers que Passepartout a exercés. Quels points communs peux-tu trouver entre tous ces métiers ? Que nous apprennent-ils sur son passé ?

10 Relève dans le tableau ci-contre les différences entre les deux hommes.

	Phileas Fogg	Passepartout
Identité : nom, condition sociale, âge, expressions et pronoms qui les désignent		
Caractéristiques physiques		
Caractère		
Habitudes		
Comparaisons*		

11 Quel est l'intérêt, selon toi, pour le romancier, de proposer des personnages aussi contrastés ?

La langue et le style

12 Donne la nature et la fonction des mots ou groupes de mots suivants : « prodigue » (l. 44) ; « mystérieux » (l. 35) ; « à moustaches » (l. 12) ; « dont on ne savait rien » (l. 8-9).

13 Lis la phrase suivante : « J'ai été chanteur ambulant, écuyer dans un cirque, faisant de la voltige comme Léotard, et dansant sur la corde comme Blondin [...] sergent de pompiers, à Paris » (l. 134 à 138). comment les deux figures de style de cette phrase se nomment-elles ?

14 Donne un antonyme du mot « sédentaire » (l. 142) et la composition du mot « incontestablement » (l. 41).

Faire le bilan

15 En quoi les personnages du maître et du valet s'opposent-ils ? Aide-toi du tableau ci-dessus pour rédiger un texte d'une dizaine de lignes.

À toi de jouer

16 Fais le portrait d'un personnage timide en utilisant des expansions du nom et des attributs du sujet.

17 Fais des recherches pour préparer un exposé sur un duo célèbre dont le comique tient au contraste (ex : Sancho Pansa et Don Quichotte ; Laurel et Hardy ; Astérix et Obélix...).

Étape 2 • Étudier une scène dramatique : la cérémonie du *sutty*

SUPPORT : Chapitre XII, de « Le bruit discordant des voix » (l. 1952) à la fin
OBJECTIF : Dégager les caractéristiques d'une scène dramatique.

As-tu bien lu ?

1 Madame Aouda est :
☐ une princesse du Kerala
☐ une prêtresse de Kali
☐ la veuve d'un maharajah

2 Le supplice auquel elle est destinée est :
☐ d'être brûlée vive sur le bûcher funèbre de son époux
☐ d'épouser un autre vieillard
☐ d'être enfermée dans le temple de Krishna

3 Phileas Fogg décide de sauver Aouda parce qu'il :
☐ n'aime pas les brahmanes
☐ a quelques heures d'avance
☐ est tombé fou amoureux de la jeune femme

Une étrange procession

4 Relève dans la description de la procession plusieurs mots qui te sont inconnus. Quel effet le narrateur* veut-il susciter chez le lecteur, selon toi ?

5 Quels sont les deux sens les plus sollicités dans ce passage ? Relève quatre mots pour chaque sens.

Sens 1 = ...	Sens 2 = ...

6 Les sons qui annoncent l'arrivée de la procession sont-ils qualifiés de façon méliorative ou péjorative ? Justifie.

Un climat inquiétant

7 En quoi la description de la déesse Kâli la rend-elle inquiétante ?

8 Comment le narrateur décrit-il les fakirs ? Quel jugement porte-t-il sur eux ? Justifie.

9 Relève le champ lexical* de la mort.

10 En quoi y a-t-il contraste entre les gardes et la jeune femme ? Justifie.

L'art du romancier : instruire et plaire

11 Pourquoi le guide fait-il taire les voyageurs ?

12 Quelle est l'utilité des courts dialogues ? Selon toi, ce procédé alimente-t-il ou freine-t-il le suspense ? Justifie.

13 Pourquoi le lecteur peut-il s'étonner de la décision de P. Fogg de sauver la jeune femme ? En quoi est-ce un retournement de situation ?

14 En quoi la réaction de Passepartout atténue-t-elle l'aspect inquiétant de la scène ? Quel peut être l'intérêt de ce trait d'humour ? Relève un autre moment humoristique dans le chapitre.

La langue et le style

15 Quelle est la fonction des groupes de mots suivants : « des prêtres » (l. 1958), « une statue hideuse » (l. 1964), « un collier de têtes de mort » (l. 1968) ? Comment justifies-tu la place de ces mots par rapport au verbe ? En quoi peut-on dire que ce procédé contribue à la création du suspense ?

16 Justifie l'accord du participe passé dans « brûlée » (l. 2014) et « enivrée » (l. 2054).

Faire le bilan

17 En t'aidant de toutes tes réponses aux questions précédentes, explique comment Jules Verne parvient à ménager l'intérêt dramatique de la scène.

À toi de jouer

18 Imagine que Mrs. Aouda sort de sa torpeur et prend la parole pour implorer la clémence de ses bourreaux. Écris son discours.

Étape 3 • Étudier comment se noue une intrigue complexe

SUPPORT : Chapitre XVII, de « Ce mot laissa l'agent rêveur » (l. 3082) à la fin
OBJECTIF : Étudier le nœud de l'intrigue.

As-tu bien lu ?

1 Passepartout se confie à Fix parce que :
☐ il veut faire parler le détective
☐ il a le mal du pays
☐ il ne sait pas tenir sa langue

2 Dans la salle des machines, Passepartout est :
☐ joyeux
☐ en colère
☐ surpris

3 Phileas Fogg accomplit son périple autour du monde :
☐ rationnellement
☐ furieusement
☐ gaiement

Une intrigue* policière

4 Passepartout a-t-il deviné que Fix est détective ? Justifie ta réponse.

5 Quel malentendu ce dernier commet-il ?

6 Quelles questions se pose-t-il sur la situation ?

7 Pourquoi Fix veut-il arrêter P. Fogg à Hong-kong ?

Une intrigue amoureuse

8 Qui perçoit le premier que Fogg et Aouda pourraient s'éprendre l'un de l'autre ? Comment se fait-il qu'il est le seul à deviner la probabilité d'une intrigue amoureuse ?

9 Les autres personnages en ont-ils conscience ? Justifie ta réponse.

10 Est-ce un amour partagé, selon Passepartout ? Justifie ta réponse.

11 Relève le champ lexical* de l'astronomie. Pourquoi Fogg est-il comparé à une planète ?

Une intrigue romanesque

12 Fogg partage-t-il les centres d'intérêt des autres personnages ? Justifie. À quoi pense-t-il selon toi ?

13 Qui s'inquiète le plus de l'issue du voyage ?

14 En quoi peut-on dire qu'Aouda peut faire obstacle à l'entreprise de Fogg ?

La langue et le style

15 Comment se nomme la figure de style « un astre troublant » (l. 3130) ? Quel est le comparant ? Quel est le comparé ?

16 Justifie l'orthographe du mot souligné : « Quant aux préoccupations que les chances de ce voyage pouvaient faire naître en lui, il n'y en avait pas trace » (l. 3140-3141). Énonce la règle qui différencie « quand » et « quant ».

Faire le bilan

17 Explique pourquoi on peut considérer que ce passage met en évidence le nœud de l'intrigue, en t'aidant de tes réponses précédentes.

À toi de jouer

18 Passepartout écrit une lettre à un ami resté en Angleterre, dans laquelle il expose la situation et ses craintes pour l'avenir. Aide-toi de ce que tu sais déjà et formule des hypothèses de lecture.

Étape 4 • Analyser l'espace

SUPPORT : Tout le roman

OBJECTIF : Faire le point sur l'espace et la vision de l'ailleurs.

As-tu bien lu ?

1 La troupe des Longs-Nez à laquelle Passepartout se joint se trouve à :
   ☐ Taïwan   ☐ Bangkok   ☐ Yokohama   ☐ Djakarta

2 Passepartout est :
   ☐ drogué dans une fumerie d'opium à Hong-kong
   ☐ suivi par des narco-trafiquants à Kaboul
   ☐ enlevé par des trafiquants d'organes à Medellín

3 Passepartout compromet la réussite du voyage :
   ☐ en entrant dans une pagode avec ses chaussures, à Bombay
   ☐ en tombant amoureux d'une jolie mormone à Salt Lake City
   ☐ en faisant un scandale dans un restaurant de poissons à Taipeh

Les manifestations surnaturelles

4 En t'aidant de la carte p. 10, indique quels sont, dans l'ordre, les pays que les héros traversent et quelle est leur caractéristique linguistique.

5 Au bout de 54 jours, Fogg n'a parcouru que la moitié du voyage. Comment, dans ces conditions, parvient-il à mener à bien son entreprise de faire le tour du monde en 80 jours ?

Le regard d'un européen de la fin du xixe siècle sur le monde

6 Remplis le tableau ci-dessous pour les pays ou villes suivants.

Pays/villes	Temps passé	Peuples rencontrés	Observations sur les lieux et les peuples	Lexique (péjoratif, mélioratif)
Inde				
Hong-kong				
Yokohama				
San Francisco				
Salt Lake City et l'Utah				

7 Relève dans le chapitre XXII un passage destiné à instruire le lecteur sur des coutumes, pays, hommes et femmes qu'il ne connaît pas, et un autre destiné à l'émerveiller.

8 Évoque un passage, au chapitre X, dans lequel Passepartout agit en naïf, sans rien connaître des coutumes du pays. Quel est l'intérêt pour l'auteur de choisir un personnage un peu nigaud ?

9 Fogg est-il intéressé par la découverte des pays traversés ? Justifie, nuance.

10 Quel point de vue Jules Verne a-t-il sur la colonisation britannique en Inde ? Justifie à l'aide d'un exemple au moins. La réalité était-elle aussi positive ?

La langue et le style

11 Au chapitre X, dans les lignes 1415 à 1422, le narrateur décrit Bombay. Précise comment il décrit les chefs-d'œuvre de Bombay. Est-ce selon toi pour se moquer des personnages ? Du lecteur ? Des récits de voyage ? Justifie ta réponse.

Faire le bilan

12 Complète le texte suivant.

Les voyageurs se rendent d'abord à Suez, puis en Inde, puis à Hong-kong, après quoi ils se dirigent vers (la Chine/le Japon/l'Indonésie). J. Verne se plaît à opposer le regard .... de Passepartout et le regard .... de Fogg. Le lecteur peut s'identifier au personnage de .... car il découvre l'inconnu en même temps que lui et s'en étonne. Les personnages découvrent des coutumes, religions inconnues, prisonniers des stéréotypes de leur époque. Ainsi, Mrs. Aouda ou le guide de l'éléphant sont décrits .... car ...., alors que d'autres sont traités avec un mépris raciste, comme les .... que Verne fait mourir en masse. Mais on sera également attentifs à des moments de description dans lesquels le narrateur s'émerveille de la beauté des lieux, comme à (Zanzibar/Saint-Pétersbourg/Yokohama).

À toi de jouer

13 Imagine que P. Fogg et Passepartout soient décrits par un mormon, ou un brahmane, ou un Sioux...

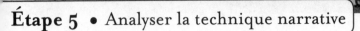

Étape 5 • Analyser la technique narrative

SUPPORT : Tout le roman

OBJECTIF : Étudier les procédés d'écriture dans le roman.

As-tu bien lu ?

1 Indique trois obstacles qui retardent les personnages.

2 Donne l'exemple de deux moments où Passepartout ralentit le rythme de l'action par une étourderie ou une initiative malheureuse, et un exemple où à l'inverse, Passepartout contribue à l'accélération de l'action.

3 Donne un exemple qui montre que Fogg accepte de perdre du temps, donc de ralentir le cours de l'action.

L'ordre, le rythme du récit et le suspense

4 Indique deux arrêts du voyage qui marquent une pause dans la narration. Pourquoi peut-on parler de pause ? Quel en est l'intérêt ?

5 En t'aidant du lexique page 350, relie comme il convient.

Sommaire* •

Ellipse* •

Scène* •

Anticipation* •

Retour en arrière* •

• « Voici ce qui était arrivé. Quelques instants après que Fix eut quitté la tabagie, deux garçons avaient enlevé Passepartout profondément endormi, et l'avaient couché sur le lit réservé aux fumeurs. »

• « Pendant cette scène qui allait peut-être compromettre si gravement son avenir, Mr. Fogg [...] se promenait dans les rues de la ville anglaise. »

• « L'honorable gentleman [...] s'absorba pendant toute la soirée dans la lecture du *Times* [...]. »

• « Le dimanche 20 octobre, vers midi, on eut connaissance de la côte indienne. Deux heures plus tard, le pilote montait à bord du *Mongolia*. »

• Le récit de l'attaque du train par les Sioux.

L'humour et l'ironie

6 Quel personnage te semble le plus joyeux ? Justifie ta réponse en t'aidant par exemple du chapitre XIX, de la ligne 3346 à 3361.

7 Quels sont les personnages vecteurs du comique ? Pourquoi ?

8 Relève dans les têtes de chapitres au moins trois titres humoristiques. Puis raconte en quelques lignes une péripétie* qui te semble comique et explique pourquoi.

La langue et le style

9 En t'aidant du lexique page 350, relie comme il convient.

Comique de caractère •	• Passepartout doit embarquer à Yokohama « les ailes au dos, et sur la face ce nez de six pieds qu'il n'avait pas encore pu arracher de son visage ! »
Ironie* •	• « Que faisait donc cet original [...] dans le *Mongolia* ? D'abord il faisait ses quatre repas par jour, sans que jamais ni roulis ni tangage pussent détraquer une machine si merveilleusement organisée. »
Comique de situation •	
Comique de mots •	• « Je m'aperçois qu'il n'est pas inutile de voyager, si l'on veut voir du nouveau. »
Comique de gestes •	• Selon Passepartout, « avec ces murs circulaires et un fort démantelé qui se dessinait comme une anse, la ville de Moka ressemblait à une énorme demi-tasse ».
Comparaison •	• Les Japonais écoutant les chants de Passepartout « ne pouvaient qu'apprécier les talents d'un virtuose européen ».
Litote* •	• « Et ce lapin-là n'a pas miaulé quand on l'a tué ? »
Citation littéraire •	• « Ainsi donc, des merveilles de Bombay, il ne songeait à rien voir, ni l'hôtel de ville, ni la magnifique bibliothèque, ni les forts, ni les docks [...]. »
Prétérition* •	• Fix reçoit le coup de poing que le colonel Proctor destine à Fogg.
	• Le barbier chinois est « le Figaro de l'endroit ».

Faire le bilan

10 Explique par quels procédés le narrateur parvient à dynamiser le récit (jeu sur l'ordre et le rythme, effets de ralentissement ou d'accélération, pauses descriptives...), tout en s'attachant à amuser le lecteur.

Étape 6 • Étudier le dénouement du roman

SUPPORT : Chapitres XXXVI et XXXVII, de « Ce soir-là, les cinq collègues du gentleman étaient réunis » (l. 7115) à la fin

OBJECTIF : Étudier l'art du retournement de situation.

As-tu bien lu ?

1 Les collègues de Phileas Fogg au Reform Club :
☐ espèrent le retour de P. Fogg à la dernière minute
☐ espèrent qu'ils vont gagner le pari
☐ ont prévu de lui faire dire une messe

2 S'il avait fait le tour du monde d'est en ouest, Fogg aurait mis :
☐ soixante-dix-neuf jours ☐ quatre-vingts jours
☐ quatre-vingt-un jours

Une si longue attente...

3 À quelle heure Phileas Fogg doit-il arriver pour gagner son pari ?
À quelle heure le dernier train de Liverpool est-il arrivé ?

4 À quelle heure le récit commence-t-il, dans cet extrait ? Pourquoi le narrateur commence-t-il son récit par l'heure indiquée par l'horloge ?

5 Relève les indications d'heures qui suivent. Combien de temps s'écoule d'une indication à l'autre ? Que peux-tu en conclure sur la progression du texte ? Pourquoi dans cette scène le temps ralentit-il autant, alors que le rythme a été rapide tout au long de l'aventure ?

... pour un retournement de situation inattendu !

6 Relève le champ lexical des sentiments, chapitre XXXVI. Que peux-tu observer ?

7 Relève au moins deux interventions du narrateur. Quel type de phrase peux-tu observer de façon récurrente ? Pourquoi, selon toi ?

8 Recherche dans un dictionnaire la définition du mot « coup de théâtre ». En quoi peut-on qualifier l'arrivée de P. Fogg de « coup de théâtre » à la fois pour les personnages et pour le lecteur ?

9 Quelle est l'utilité du retour en arrière* effectué par le narrateur ? Qu'apprend-on de décisif qui explique pourquoi P. Fogg a gagné le pari ?

Un roman d'apprentissage : « l'Odyssée » de P. Fogg

10 En quoi peut-on dire que P. Fogg a changé ? Pourquoi ? Un tel dénouement* était-il prévisible au début de l'histoire ?

11 Qui de Mrs. Aouda ou de Fogg demande la main de l'autre ? En quoi, à cette époque, est-ce surprenant ?

La langue et le style

12 Quatre mille livres ; sept heures vingt-trois ; trois mille neuf cent quatre-vingt-dix-neuf : énonce à l'écrit la règle d'accord des adjectifs numéraux.

Faire le bilan

13 Complète le texte suivant.

Le suspense, dans cet extrait, est à son comble : les parieurs attendent le retour de Fogg, convaincus qu'il n'arrivera pas à l'heure fixée, c'est-à-dire à .... L'attente est interminable et le rythme de la scène est très .... ; pour rendre sensible l'attente, le narrateur indique ...., comme si la scène était en temps réel.

À la dernière seconde, à la surprise des personnages mais aussi des ...., et aussi, semble-t-il, du ...., Fogg surgit. Persuadé qu'il arriverait le samedi, il est arrivé en réalité le .... Il s'est trompé d'un jour. Et pour accentuer encore le caractère imprévisible du dénouement, Mrs. Aouda demande à .... de ...., et Fogg n'écoutant que son cœur et non plus ses calculs, accepte !

On peut considérer que *Le Tour du monde en 80 jours* est un roman d'apprentissage car le voyage a transformé .... en .... et la mécanique a fait place à .... ! P. Fogg, qui ne vivait que pour ses habitudes, qui « ne voyageait pas mais décrivait une circonférence » (d'ailleurs, chaque jour, il se rendait à Londres à son c............) accepte de modifier son plan de route : grâce au voyage, il a appris la vie.

À toi de jouer

14 P. Fogg explique à Mrs. Aouda pourquoi c'est en perdant du temps qu'il en a gagné ! Écris son discours en une quinzaine de lignes.

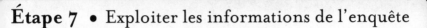

Étape 7 • Exploiter les informations de l'enquête

SUPPORT : L'ensemble du roman et l'enquête (p. 336 à 349)

OBJECTIF : Confronter les informations sur les transports dans le roman et dans l'enquête.

As-tu bien lu ?

1 Pourquoi lorsqu'un de ses partenaires de whist lui fait remarquer que la Terre est vaste, Fogg répond : « Elle l'était autrefois » (p. 30, l. 424) ?

2 Quel continent n'est pratiquement pas abordé, dans le roman ? Pourquoi ?

3 Indique le nom d'un port et d'une gare cités dans le roman. Qu'apprend-on sur eux ?

Inventaire des transports

4 Cite deux noms de bateaux à voile et deux noms de bateaux à vapeur qui apparaissent dans le roman.

5 Les trains, dans le roman, sont-ils à vapeur ou électriques ? Le train est-il encore massivement utilisé aujourd'hui ? Justifie ta réponse.

6 Qu'est-ce que :
- un « cab » ?
- un « palanquin » ?
- la « jonque » ?
- le « sampan » ?
- un « steamer » ?
- un omnibus ?
- un tramway ?

7 Classe les moyens de locomotion de la question précédente dans le tableau.

Traction animale	Machine à vapeur	Voile	Autres

Une apologie du progrès ?

8 Au chapitre IX, comment peut-on caractériser la vie à bord du *Mongolia* ? Que fait Fogg à bord du bateau ?

9 Les bateaux et navires dans le roman ont-ils le confort des grands paquebots de la fin du xixᵉ siècle ? Justifie. Donne le nom d'un grand paquebot connu pour le luxe à bord, au xixᵉ siècle. Quel paquebot célèbre s'est imposé dans l'histoire et l'imaginaire collectif pour une raison tragique ? Justifie.

10 Dans quel train du roman le confort est-il remarquable ? Compare-le avec un train célèbre au xixᵉ siècle.

11 Le franchissement du pont de Medicine Bow (p. 240, l. 5517 à 5526) est-il vraisemblable ? Justifie.

12 Quels moyens de transport ne figurent pas dans le roman, et se sont pourtant imposés dans la vie moderne ?

Faire le bilan

13 Place sur un planisphère les principales villes où Phileas Fogg et Passepartout font étape, puis relie-les entre elles en utilisant le code suivant : vert pour le train, rouge pour le bateau, bleu pour les autres moyens de circulation. Enfin, indique pour chaque trajet le temps mis pour l'accomplir.

À toi de jouer

14 Quel est ton moyen de transport préféré ? Écris un éloge, en 25 lignes environ.

15 Choisis un sujet d'exposé parmi les suivants : l'automobile ; le réchauffement climatique ; les énergies non renouvelables ; les avions.

Le voyage en Orient dans la littérature et l'art (XIXe-XXe siècles)

OBJECTIF : Comparer plusieurs documents sur le thème de la rencontre de l'Orient et de l'Occident.

DOCUMENT 1 🐾 VICTOR HUGO, « NOVEMBRE », *Les Orientales* (1829).

Quand l'Automne, abrégeant les jours qu'elle dévore,
Éteint leurs soirs de flamme et glace leur aurore,
Quand Novembre de brume inonde le ciel bleu,
Que le bois tourbillonne et qu'il neige des feuilles,
Ô ma muse ! en mon âme alors tu te recueilles,
Comme un enfant transi qui s'approche du feu.

Devant le sombre hiver de Paris qui bourdonne,
Ton soleil d'Orient s'éclipse et t'abandonne,
Ton beau rêve d'Asie avorte, et tu ne vois
Sous tes yeux, que la rue au bruit accoutumée,
Brouillard à ta fenêtre, et longs flots de fumée
Qui baignent en fuyant l'angle noirci des toits.

Alors s'en vont en foule et sultans et sultanes,
Pyramides, palmiers, galères capitanes,
Et le tigre vorace et le chameau frugal,
Djinns au vol furieux, danses des bayadères,
L'Arabe qui se penche au cou des dromadaires,
Et la fauve girafe au galop inégal !

Alors, éléphants blancs chargés de femmes brunes,
Cités aux dômes d'or où les mois sont des lunes,
Imams de Mahomet, mages, prêtres de Bel,
Tout fuit, tout disparaît : — plus de minaret maure,
Plus de sérail fleuri, plus d'ardente Gomorrhe
Qui jette un reflet rouge au front noir de Babel !

C'est Paris, c'est l'hiver. — À ta chanson confuse
Odalisques, émirs, pachas, tout se refuse.
Dans ce vaste Paris le klephte est à l'étroit ;
Le Nil déborderait ; les roses du Bengale
Frissonnent dans ces champs où se tait la cigale ;
À ce soleil brumeux les Péris auraient froid. [...]

DOCUMENT 2 LOUIS BERTRAND, *Le Mirage oriental* (1910).

La chevauchée fait halte devant Khéops. Aussitôt, dix photographes s'élancent d'une baraque, vous assiègent, vous remplissent les mains de leurs clichés les plus flatteurs : « Comment Monsieur désire-t-il son portrait ? À pied ou à cheval ? À dos d'âne ou à dos de chameau ? » Et l'on vous fait admirer l'image d'un touriste berlinois casqué de liège, cuirassé de kaki, bardé de ceintures de cuir et botté de molletières, qui surgit immense à côté d'une pyramide toute petite... Des gens, raidis dans des attitudes solennelles, sont en train de poser. Le photographe, la poire de caoutchouc à la main, rectifie la pose : « Ne bougeons plus ! » Du haut de leurs quarante siècles, les Pyramides vous contemplent !...

Horreur ! Vous vous échappez, vous fuyez vers le Sphinx, poursuivi par les âniers qui tapent à grands coups de matraque sur le derrière de votre monture... Autre supplice ! Voici maintenant les camelots qui se précipitent, les brocanteurs de fausses antiquités ! Et il faut négliger le splendide paysage désertique, pour s'occuper de scarabées et d'Osiris en toc, fabriqués à la douzaine par des mouleurs italiens. Pendant ce temps-là, les guides vous cornent aux oreilles leurs boniments. Celui-ci veut vous faire grimper au sommet de la pyramide, celui-là veut vous entraîner dans les souterrains. On est ahuri, assourdi, pris d'assaut. Impossible de joindre deux idées, d'arrêter ses yeux une minute sur tel détail singulier d'architecture, ou cette coloration délicieuse qui pâlit là-bas vers la chaîne libyque et qui va s'évanouir... Une colère vous saisit, on renonce brusquement, on abdique toute volonté devant tant d'ennemis conjurés – et l'on s'en revient mélancoliquement sur son bourricot, avec la rage impuissante de n'avoir rien vu.

DOCUMENT 3 AFFICHE AIR FRANCE, VINCENT GUERRE, AFRIQUE DU NORD, 1950.

As-tu bien lu ?

1 Où se situe précisément le narrateur (ou le locuteur) dans les deux textes ? Où se situe l'action dans chacun des textes ?

2 Dans lequel de ces textes, le narrateur (ou locuteur), perdu dans sa rêverie, ne semble pas connaître vraiment les lieux réels ? Justifie.

3 Qui parle ? À qui ?

Orient rêvé...

4 Sur quelle opposition de lieux le poème de Hugo est-il construit ? Relève dans ce poème plusieurs termes qui s'opposent.

5 Qu'est-ce qu'un « djinn », « une bayadère », un « sérail », un « minaret », une « odalisque » ? Ces mots sont-ils neutres ou connotés de façon méliorative ? Qu'ont-ils en commun ?

6 Relève le champ lexical de l'absence. Quel est l'intérêt de son utilisation, dans ce poème ?

... ou « mirage » de l'Orient ?

7 Justifie le titre du document 2.

8 À quel(s) autre(s) texte(s) cette expression pourrait-elle s'appliquer ? Pourquoi ?

9 Pourquoi dans le texte de L. Bertrand peut-on dire que le voyage est décevant ?

10 Quels sont les reproches adressés par Louis Bertrand au tourisme organisé ? Sont-ils toujours d'actualité ? Dans la dernière phrase, l'auteur emploi le verbe « voir » : que signifie-t-il selon toi pour lui ?

11 Par quels procédés narratifs les scènes racontées dans le document 2 prennent-elles vie ?

Lire l'image

12 Quel est l'angle de vue choisi par l'affichiste (plongée, contre-plongée...) ? Quel est l'intérêt de cet angle de vue ?

13 Comment sont représentés l'Orient et l'Occident ?

14 Quels sont les indices qui te font comprendre qu'il s'agit d'une affiche publicitaire ? Imagine un texte publicitaire qui pourrait accompagner cette affiche.

Faire le bilan

15 Comment l'Orient est-il représenté dans ces trois documents ? Aide-toi de tes réponses aux questions précédentes.

À toi de jouer

16 Organise un dîner réunissant V. Hugo et L. Bertrand. Fais-les parler : ils échangent leurs expériences, leurs idées... Ton texte peut prendre la forme d'un dialogue inséré dans un récit ou d'une scène théâtrale.

Dans Le Tour du monde en 80 jours, *le lecteur est saisi par la diversité et la « modernité » des moyens de transport utilisés par Phileas Fogg. Ce voyage extraordinaire est rendu possible par l'apparition au XIXᵉ siècle de nouveaux modes de transport, sur fond de révolution industrielle.*

La révolution industrielle, c'est la transition d'une économie fondée traditionnellement sur l'agriculture à une économie industrielle, basée sur la production mécanisée et à grande échelle de biens manufacturés. Dans cette enquête, tu découvriras que les effets de cette révolution se répercutent massivement dans les transports.

La révolution des transports au XIXᵉ siècle

L'ENQUÊTE EN 6 ÉTAPES

En quoi la machine à vapeur a-t-elle révolutionné les transports ?

Inventée à la fin du XVIIIe siècle par l'ingénieur écossais James Watt, la machine à vapeur est une invention majeure dans l'histoire des transports. Elle révolutionne en particulier le transport maritime en l'affranchissant des contraintes naturelles — vents et courants — liées à la navigation.

● **LES PREMIERS BATEAUX À VAPEUR**

En 1783, Jouffroy d'Abbans[1], architecte naval français, expérimente avec succès le premier bateau à vapeur, le Pyroscaphe, sur la Saône. Dès 1690, Denis Papin avait eu l'idée d'utiliser la détente de la vapeur d'eau comme source d'énergie. Mais c'est au XIXe siècle que les bateaux à vapeur vont connaître un réel essor. En 1807, l'Américain Robert Fulton commercialise le premier bateau à roues à aubes[2] qui relie Albany à New York. Ces bateaux se répandent alors en Grande-Bretagne et en Amérique.

● **DES LIGNES RÉGULIÈRES POUR LA TRAVERSÉE DE L'ATLANTIQUE**

Les premiers trajets des bateaux à vapeur étaient limités car il fallait emporter le combustible. Seules les

Le principe de la machine à vapeur

La machine à vapeur transforme l'énergie thermique que possède la vapeur d'eau, fournie par une ou des chaudières, en énergie mécanique. Elle a eu une importance majeure lors de la Révolution industrielle.

améliorations des moteurs permettront l'ouverture de lignes régulières entre la Grande-Bretagne et les États-Unis. Le Sirius fit ainsi en 1838 la traversée de l'Atlantique uniquement à l'aide de sa machine sans utiliser ses voiles ! Jusqu'au milieu du XIXe siècle, les roues à aubes sont actionnées par un moteur à bois puis au charbon. Les voiles servent par vents favorables.

1. Jouffroy d'Abbans : architecte naval, ingénieur et industriel français (1751 - 1832) constructeur des premiers bateaux à vapeur.

2. Roue à aubes : roue de construction particulière , munie de pales dont la première exploitation mécanique fut le moulin à vent.

● LE MÉTAL ET L'HÉLICE

Plusieurs progrès vont révolutionner les temps du transport maritime. Les vieilles chaudières sont remplacées par des chaudières à pression ; la construction en acier supplante la construction en bois ; surtout, on introduit massivement l'hélice marine. En France, la supériorité de l'hélice sur la roue à aubes est prouvée en 1841 grâce au Napoléon qui relie Marseille à la Corse à une vitesse de dix nœuds. En 1843, le Great Britain, premier vapeur britannique en métal, est aussi le premier navire propulsé par une hélice à une vitesse de douze nœuds (22 km/h).

● VOILE ET VAPEUR

Tout au long du XIXe siècle, la navigation à vapeur se développe donc, mais sans supplanter brutalement la navigation à voile qui reste courante.

Une seconde révolution

Au XXe siècle, la navigation maritime a connu une seconde révolution technique, plus ample que la première, marquée par la disparition du trafic océanique régulier de voyageurs, le gigantisme des navires et leur spécialisation dans le transport d'un type de marchandises.

Vers 1850, le port du Havre est à la tête de vingt lignes régulières de voiliers. Pourtant, la navigation à voile présente d'évidentes limites et la polémique[3] qui oppose les partisans de la voile aux tenants de la vapeur donne raison à ces derniers, car il apparaît que les navires à vapeur sont plus fiables et ponctuels, à la fois dans le transport des hommes, des marchandises et du courrier. Il faut tout de même attendre 1885 pour que le tonnage[4] mondial des navires à vapeur atteigne celui des voiliers.

Le Franklin, *bateau à roue dont la propulsion est à la fois à voile et à vapeur.*

3. Polémique : dispute, débat violent.

4. Tonnage : quantité de marchandises exprimée en tonnes.

2

Quand et comment le chemin de fer s'est-il développé ?

Le chemin de fer moderne est né grâce à l'association de ces trois éléments : la voie ferrée, la traction à vapeur et les horaires réguliers.

● **LA NAISSANCE DU CHEMIN DE FER**

Les premiers chemins de fer sont nés au XVIIe siècle dans les mines pour transporter le charbon entre les puits d'exploitation et les voies navigables les plus proches ; leurs rails sont alors en bois et les trains tirés par des chevaux. Cependant, progressivement, les rails en bois sont remplacés par des rails en fonte[1].

Le premier brevet de locomotive à vapeur est déposé en 1802 et, en 1830, R. Stephenson crée une ligne de voyageurs reliant les villes de Liverpool et de Manchester.

Une vraie révolution

Le chemin de fer bouleverse la vie économique en France. Un exemple : dans les dix ans qui suivent la création de la ligne Saint-Étienne–Lyon, la production de charbon double et les implantations industrielles s'intensifient.

En France, c'est en 1832 qu'est ouverte la première ligne de chemin de fer à traction vapeur : elle relie Saint-Étienne et Lyon.

144 km/h

Vers 1850, les locomotives Crampton atteignent 120 km/h ; elles réalisent des vitesses moyennes de 60 km/h en remorquant des trains de 60 tonnes. L'une d'elles atteint la vitesse de 144 km/h en 1890.

● **LA CONSTRUCTION DE RÉSEAUX DE VOIES FERRÉES**

À partir de 1840, les chemins de fer se développent très rapidement dans tous les pays qui disposent de charbon, essentiellement en Europe et aux États-Unis. Les voies ferrées les plus importantes sont mises en

1. Fonte : alliage de fer et de carbone.

place au cours des années 1840-1890. En 1881, à l'époque de Jules Verne, on compte déjà 363 000 km de chemins de fer dans le monde, dont 172 000 en Europe et 165 000 aux États-Unis.

Le développement du transport collectif

On peut dire que le transport collectif est né avec la révolution industrielle du XIXe siècle sous des formes qui vont évoluer : ainsi, les navires à vapeur et chemins de fer du XIXe siècle laissent la place, au XXe siècle, aux autocars puis aux compagnies aériennes ; mais tous ces modes de transport ont en commun de faire appel à des entreprises utilisant un parc ou une flotte (pour les transports aériens ou maritimes) de véhicules collectifs.

La disparition des locomotives à vapeur

Pendant près d'un siècle, la machine à vapeur a régné en maître sur toutes les voies ferrées. Cependant, en 1879, W. Von Siemens fait circuler à Berlin la première locomotive électrique. Dès le début du XXe siècle, le monopole des locomotives à vapeur est battu en brèche par la traction électrique. Elles ont aujourd'hui totalement disparu en Europe.

Première locomotive de T. Crampton, 1852.

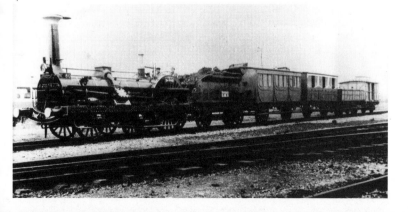

3

Comment et où le trafic des voyageurs et des marchandises s'organise-t-il ?

L'apparition de nouveaux moyens de transport entraîne l'essor du trafic des voyageurs et des marchandises, et la construction ou l'aménagement de lieux adaptés à ce trafic.

● DES PORTS DE PRESTIGE

En France, le XIXᵉ siècle voit la création de nouveaux ports : Saint-Nazaire, par exemple, est créé sous le règne de Napoléon III comme port avancé de Nantes sur la Loire. Les navires de gros tonnage ne pouvant plus remonter jusqu'à Nantes, on en fait un port de substitution.

Enfin, d'anciens ports comme Le Havre sont aménagés pour que de grands navires puissent y aborder.

● L'ARCHITECTURE DES GARES : UN ÉLOGE DE LA VIE MODERNE

Apparues en Angleterre vers 1820, puis en France et enfin dans les autres pays touchés par l'industrialisation, les gares ont progressivement acquis une importance historique, sociologique et esthétique qui dépasse largement leur fonction initiale.

Les choix architecturaux dans les gares permettent de mettre en valeur l'identité et la puissance de compagnies ferroviaires. Parmi les ornements sculptés sur les façades, on repère souvent des statues allégoriques[1] ou des écussons représentant les emblèmes des diverses villes desservies.

L'architecture ferroviaire se caractérise également par la recherche du prestige et de l'aspect monumental : la gare de Budapest imite le style des arcs de triomphe antiques, tandis que la tour de l'horloge de la gare de Lyon évoque la vitesse et la ponctualité des chemins de fer.

La révolution industrielle a donc permis l'invention de nouveaux lieux, emblèmes de la modernité. On peut même dire que le train et le bateau acquièrent une dimension mythique.

---

1. Allégorique : qui appartient à l'allégorie. Une allégorie est la représentation d'une idée par un être animé, qui est souvent un personnage.

Le port du Havre, un peu d'histoire

François Ier décide en 1517 de créer un port au nord de l'estuaire de la Seine. Une ville nouvelle est née : Le Havre. D'abord militaire, ce port connaît très rapidement un essor commercial considérable lié au développement des colonies et à l'installation de la Compagnie des Indes. Au XVIIe siècle, les armateurs sont surtout attirés par la pêche à la morue et, jusqu'à la fin du XVIIIe siècle, l'activité est dominée par les préoccupations militaires. Toutefois, la ligne régulière Le Havre–New York est inaugurée dès 1784 et le port abandonne son aspect militaire avec le transfert de son arsenal. Le XIXe siècle marque alors l'apogée du Havre. La mode est aux grandes croisières transatlantiques rendues plus rapides et plus confortables grâce à la navigation à vapeur. La liaison ferroviaire Paris–Le Havre est achevée en 1847 ; Le Havre devient la « porte vers l'Amérique ». Aujourd'hui encore c'est le deuxième port le plus important de France.

Port du Havre.

Orsay : une gare devenue musée

À la fin du XIXe siècle, la Compagnie des Chemins de Fer d'Orléans rachète un terrain en ruines : le Palais d'Orsay. L'architecte, Victor Laloux, en fait une majestueuse gare inaugurée le 14 juillet 1900 pour l'Exposition universelle. Bâtiment monumental (une nef de 32 mètres de haut et de 138 mètres de long) et novateur (monte-charges et ascenseur à l'intérieur), les structures métalliques de sa verrière sont masquées élégamment par de la pierre de taille : la gare s'harmonise ainsi avec l'architecture du Louvre et des Tuileries. L'activité ferroviaire décline à la seconde guerre mondiale, on envisage même dans les années soixante de tout démolir mais un musée voit le jour en 1986. Après neuf ans de travaux sous trois Présidents de la République, François Mitterrand inaugure un lieu de culture consacré à la période 1848-1914. « La gare est superbe et a l'air d'un Palais des Beaux-Arts... » écrivait prophétiquement le peintre Édouard Detaille en 1900 !

4

Quelle est la vie à bord d'un paquebot ?

Dans la seconde moitié du XIXe siècle, l'intérêt postal devient secondaire et le transport des passagers passe au premier plan : les navires deviennent plus sûrs et plus rapides.

● DES CROISIÈRES QUI S'AMUSENT

Le mot « paquebot » apparaît au milieu du XIXe siècle pour désigner les premiers navires à vapeur, orientés vers le transport de masse. Ce mot prend rapidement le sens, dans la langue française, de « navire de grande taille plutôt luxueux ». Certains paquebots se distinguent par un luxe inouï, en vue d'attirer une clientèle fortunée, tels le *Normandie*, l'*Île de France* ou le *France II*, surnommé le « Versailles de l'Atlantique » parce qu'il est

La vie à bord d'un paquebot

À bord, les passagers mènent une vie de rêve. Dans de somptueux salons, des spectacles rythment les soirées : concerts, défilés de mode, représentations théâtrales. Sur les ponts ou dans des salles réservées, plusieurs activités sportives les attendent : tennis, gymnastique, natation, jeu de palets... Un personnel nombreux (un pour deux passagers) est à l'écoute des moindres désirs des voyageurs.

doté d'un escalier monumental et de copies de mobilier d'époque. Ce luxe ne s'adresse qu'aux passagers de 1re classe, « happy few », élite fortunée et minoritaire. À bord du paquebot, tout est organisé pour que les différentes classes de voyageurs ne se rencontrent pas.

Salle de bal du paquebot transatlantique le *Normandie*.

● LES PASSAGERS DE 3ᵉ CLASSE

Ces paquebots permettent également à de nombreux hommes, femmes et enfants, de gagner le Nouveau Monde. Entre 1820 et 1920, l'essor de l'émigration pour les États-Unis est tel qu'il permet à 34 millions d'Européens en route pour le « rêve américain » de commencer une nouvelle vie.

● LES NAUFRAGES

Afin de les protéger du mauvais sort, les paquebots sont bénis avant leur entrée en service. Cette pratique hélas ne les rend pas insubmersibles et n'empêche pas le naufrage de plusieurs de ces magnifiques paquebots. La Compagnie générale transatlantique connaît une série de catastrophes qui entame la confiance des passagers. C'est ainsi que le *Ville du Havre*, en 1893, à cause d'une collision avec un grand voilier de fer, sombre en mer avec ses 236 passagers. Quant au *Titanic*, il heurte en 1912 un iceberg, pour s'enfoncer dans la mer avec les 1 600 passagers qui n'ont pu être secourus.

Le *Titanic* appartient désormais à l'imaginaire collectif : le film *Titanic*, de J. Cameron, avec L. di Caprio et K. Winslet (1997), est l'un des plus grands succès de l'histoire du cinéma : il a reçu 11 oscars et reste à ce jour en tête du box-office mondial en ayant fait le plus grand nombre d'entrées dans plus de cinquante pays.

Un témoignage bouleversant : *America, America* (1963)

En 1886, un jeune Anatolien fuit un pays où Grecs et Arméniens sont persécutés par les Turcs. Il désire émigrer en Amérique, mais s'aperçoit bien vite que ce périple vers la terre promise est un parcours semé d'embûches.

America, America, d'Elia Kazan, 1963, avec Stathis Giallelis.

5 Voyager dans un train à vapeur : le summum du confort ?

Dans la seconde moitié du XIXᵉ siècle apparaissent les trains de légendes destinés à une clientèle riche et élégante.

L'Orient-Express

L'Orient-Express *voit le jour en 1883 sous la direction de Nagelmackers, jeune Belge passionné de chemin de fers qui s'inspire des trains luxueux de l'Américain Pullman, l'inventeur des voitures-lits. Le trajet initial allait de Paris à Giurgi en Roumanie en passant par Strasbourg, Vienne, Budapest et Bucarest. Le voyage d'origine s'effectuait en quatre jours puis, en trois dès 1906, grâce à l'ouverture de tunnel du Simplon. Les voyageurs ne s'en plaignaient pas : ce train proposait un raffinement gastronomique digne des plus grandes tables et un art de vivre légendaire dont se sont emparés artistes et écrivains. Pas moins de 19 livres lui sont dédiés : Agatha Christie et Alfred Hitchcock l'ont immortalisé dans notre imaginaire commun. Les grands personnages de l'Histoire côtoyaient l'intelligentsia artistique.*

Toutes les intrigues dont il fut l'objet participent aussi à son mythe : attaqué par des pillards, mis en quarantaine en raison d'une épidémie de choléra, immobilisé dix jours durant par une tempête de neige… Depuis 1982, un nouveau train de luxe régulier, le Venise-Simplon-Orient-Express *emprunte le trajet Paris-Istanbul via Venise ou Vienne.*

L'Orient-Express, *voyageurs dans le wagon-restaurant, vers 1884.*

● **DES CONVOIS ENCHANTÉS...**

L'*Orient-Express*, le *Train bleu*, le *Transsibérien* circulent à travers l'Europe et vers l'Orient mystérieux, dans un tourbillon d'élégance et d'intrigues. Têtes couronnées, stars, réfugiés, marchands d'armes, espions voyagent tour à tour dans ces merveilleux convois.

● **... ET DES TRAINS DE LA MORT**

Plusieurs catastrophes ferroviaires ont marqué le XIXe siècle. La plus meurtrière a lieu à Meudon, en 1842 : un train déraille, les wagons chevauchent la locomotive et finissent par prendre feu avec les passagers enfermés à l'intérieur (à cette époque, le chef de gare fermait les portes à clef). Le bilan est très lourd puisqu'il s'élève à 55 morts.

En 1895, un autre accident se produit, moins meurtrier mais absolument spectaculaire, à la gare Montparnasse : le train, qui n'a pas ralenti suffisamment avant d'entrer en gare, défonce un mur de façade de la gare, et sort littéralement de l'autre côté !

Accident à la gare Montparnasse en 1895.

Pourquoi faire le tour du monde devient-il plus facile ?

Au XIXᵉ siècle, de nouvelles voies d'accès voient le jour : c'est un gain de temps pour les voyageurs.

● L'AMÉNAGEMENT DE NOUVEAUX TERRITOIRES

En 1872, les grandes explorations amorcées à la fin du Moyen Âge ne sont pas encore terminées : l'Afrique demeure mal connue et l'ouest des États-Unis n'est relié à l'est par chemin de fer que depuis trois ans. Cependant, les puissances coloniales, comme l'Angleterre et

L'impératrice Eugénie assiste aux cérémonies données à l'occasion de l'ouverture du canal de Suez, 1869.

la France, développent les explorations pour des raisons politiques (dominer de nouveaux territoires) et commerciales (créer de nouveaux échanges commerciaux, rattacher la métropole aux colonies[1]). C'est ainsi que la France assure depuis 1861 un service régulier avec la Chine et qu'elle construit en Europe et en Inde des lignes ferroviaires.

De plus, en raison de la difficulté de la machine à vapeur à gravir les fortes pentes, sont construits des viaducs et souterrains qui permettent de concilier les contraintes du terrain et les exigences de la voie ferrée.

● LE CANAL DE SUEZ

Relier la mer Méditerranée à la mer Rouge en perçant l'isthme de Suez est une idée qui, présente dès l'Antiquité, se concrétise au XIXᵉ siècle grâce aux progrès techniques. Saïd Pacha, vice-roi d'Égypte, accorde à Ferdinand de Lesseps[2] une concession de la zone du canal pour 99 ans.

---

1. Colonie : groupe de personnes parties d'un pays pour s'établir dans un autre.

2. Ferdinand de Lesseps : ce diplomate et entrepreneur français (1805-1894) est surtout connu pour avoir fait construire les canaux de Suez et de Panama.

Le diplomate et ingénieur français envisage d'y créer une route maritime entre les deux mers et crée la Compagnie universelle du canal maritime de Suez qui dirige la construction de l'ouvrage de 1859 à 1869.

Le 17 novembre 1869, le canal de Suez est inauguré en présence de l'impératrice Eugénie, épouse de Napoléon III, et de l'empereur d'Autriche François-Joseph. La première de l'opéra de Verdi Aïda est donnée pour l'occasion.

D'une longueur de 162 km, sur 54 mètres de largeur et 8 mètres de profondeur à sa création, il abrège de 8 000 km la navigation entre Londres et Bombay en évitant de contourner le continent africain. Aujourd'hui, le canal est la propriété de la Suez Canal Authority.

● **LE PERCEMENT DE TUNNELS**

Le xixe siècle est l'âge d'or du développement ferroviaire en Europe. Mais celui-ci se heurte aux montagnes qu'on contourne parfois ou qu'on perce de grands tunnels soit à l'intérieur d'un pays, soit entre deux nations.

À la fin du xixe siècle, les progrès technologiques permettent de gagner du temps dans la réalisation de ces ouvrages. Les techniques de construction se modernisent : les marteaux à air comprimé sont remplacés par les foreuses hydrauliques. En 1861, Alfred Nobel invente la dynamite qui remplace la poudre noire utilisée jusque-là. Explosif beaucoup plus puissant, il limite le nombre de trous à percer. Les techniques de perçage progresseront encore beaucoup au courant du xxe siècle en limitant les risques d'effondrement.

● **LE TUNNEL DU MONT-CENIS**

Le tunnel ferroviaire du Mont-Cenis (également nommé tunnel ferroviaire du Fréjus) relie Modane en France à Bardonèche en Italie. Les travaux de percement commencent en septembre 1857 mais sont pénibles et dangereux. Ce tunnel s'enfonce à une profondeur de plus de 1 600 mètres sous terre et la température s'élève régulièrement au fur et à mesure que l'on s'enfonce. De 1857 à 1861, le travail traîne en longueur et s'accélère dès janvier 1861 grâce à l'utilisation de la nouvelle perforatrice hydro-pneumatique de Sommeiller. Grâce à elle, les équipes italiennes et françaises percent le tunnel des deux bouts et se rejoignent en décembre 1870 au milieu du tracé. Le tunnel est inauguré en 17 septembre 1871.

Il est à son ouverture le plus long tunnel ferroviaire au monde, et le reste jusqu'en 1882, avec l'ouverture dans les Alpes Suisses du tunnel du Gothard long de 15 kilomètres.

Petit lexique littéraire

Anticipation	Elle consiste à évoquer un événement avant le moment où il se situe normalement dans l'histoire.
Champ lexical	Ensemble des mots qui se rapportent à une même réalité ou une même idée.
Comparaison	Image qui rapproche un comparé et un comparant à l'aide d'un outil grammatical (comme, tel que, pareil à, ressembler à...).
Dénouement	Fin de l'intrigue, où s'effectue la résolution du nœud (du conflit).
Description	Action de représenter quelque chose ou quelqu'un en détail.
Ellipse	Période passée sous silence.
Incipit	Le début d'un texte, l'entrée en matière.
Intrigue	Ensemble des événements qui forment une histoire, et qui ménagent l'intérêt du lecteur. Le nœud de l'intrigue est un moment où un obstacle entre en conflit avec le projet initial du personnage principal.
Ironie	Elle consiste à faire comprendre au lecteur que ce qu'écrit l'auteur est en décalage avec ce qu'il pense vraiment.
Litote	Procédé d'expression qui consiste à dire moins pour faire entendre plus.
Narrateur	Celui qui raconte l'histoire, voix anonyme ou personnage identifié.
Péripétie	Événement imprévu, retournement de situation.
Portrait	Représentation d'une personne.
Prétérition	Consiste à parler de quelque chose après avoir annoncé que l'on ne va pas en parler.
Retour en arrière	Il consiste à raconter après coup un événement antérieur. Le retour en arrière a souvent une fonction explicative : il permet par exemple d'éclairer le passé du personnage.
Scène	On parle de scène lorsque le temps de l'histoire est à peu près égal au temps du récit ; autrement dit lorsque le narrateur donne au lecteur l'illusion que la durée des événements racontés équivaut au temps qu'il met à lire le texte.
Sommaire	Période de l'histoire résumée brièvement.

lire et à voir

● **POUR MIEUX CONNAÎTRE JULES VERNE**

Jules Verne, le rêve du progrès ⎯⎯⎯⎯⎯⎯⎯⎯⎯⎯⎯⎯

J.-P. Dekiss, DÉCOUVERTES GALLIMARD (1991)

> Une biographie historique claire et très bien illustrée,
> qui retrace les grandes lignes de la vie de Jules Verne.

Dictionnaire Jules Verne ⎯⎯⎯⎯⎯⎯⎯⎯⎯⎯⎯⎯⎯⎯⎯

F. Angelier, PYGMALION (2006)

> Un dictionnaire complet et agréable à lire, qui te rendra
> familier l'univers de Jules Verne.

Musée Jules Verne (Nantes) ⎯⎯⎯⎯⎯⎯⎯⎯⎯⎯⎯⎯⎯⎯⎯

> Si tu vas à Nantes, tu ne regretteras pas ce détour…

La maison de Jules Verne (Amiens) ⎯⎯⎯⎯⎯⎯⎯⎯⎯⎯⎯

> Jules Verne se retira dans cette maison de 1882 à 1900, car il ne
> supportait plus « l'agitation stérile » et le « bruit insupportable » de
> Paris. Dans cette maison, tu pourras admirer le cabinet de travail de
> l'écrivain, sa bibliothèque, et certains produits dérivés de son œuvre
> (des jeux de l'oie, des figurines, des assiettes à dessert, et du papier
> peint inspiré des héros du *Tour du monde en 80 jours* !).

Jules Verne le mystérieux ⎯⎯⎯⎯⎯⎯⎯⎯⎯⎯⎯⎯⎯⎯⎯

C. Cerf et M. Paintault (2005)

> Un documentaire coproduit par la SCÉRÉN-CNDP et France 5, dans
> lequel les auteurs font parler des lecteurs devenus des personnages di-
> gnes des romans de Jules Verne, comme le navigateur O. de Kersauson,
> vainqueur du trophée Jules Verne, ou B. Piccard, auteur du premier
> tour du monde en ballon sans escale.

● **FILMS ADAPTÉS D'ŒUVRES DE JULES VERNE**

Le Tour du monde en 80 jours de M. Todd ⎯⎯⎯⎯⎯⎯⎯⎯
avec D. Niven en P. Fogg (1956)

Vingt mille lieues sous les mers de R. Fleischer ⎯⎯⎯⎯⎯⎯
avec J. Mason en capitaine Nemo (1954)

> C'est le premier film dans lequel Disney fit jouer des acteurs. Il contient
> des scènes sous-marines d'une grande beauté.

● LIVRES, FILMS ET MUSÉES SUR LA RÉVOLUTION DES TRANSPORTS

Moby Dick de H. Melville (1851) ⸻

Le Crime de l'Orient-Express d'A. Christie (1934) ⸻

La Vie quotidienne dans les chemins de fer au xixe siècle ⸻
de H. Vincenot, HACHETTE (1975)

La Bataille du rail de R. Clément (1946) ⸻

La Bête humaine de J. Renoir (1938) ⸻

Musée de la Marine (Paris, Rochefort et Toulon) ⸻

La Cité du train, ou *Musée français du chemin de fer* (Mulhouse) ⸻

Table des illustrations

Iconographie : Hatier Illustration
Principe de maquette : Marie-Astrid Bailly-Maître & Sterenn Heudiard
Suivi éditorial : Jeanne Boyer
Illustrations intérieures : Martin Maniez
Mise en pages : Facompo

Achevé d'imprimer par Grafica Veneta à Trebaseleghe - Italie
Dépôt légal : 93970-9/13 - Juillet 2022

s'engage pour l'environnement en réduisant l'empreinte carbone de ses livres. Celle de cet exemplaire est de : 1kg éq. CO_2 Rendez-vous sur www.hatier-durable.fr

PAPIER À BASE DE FIBRES CERTIFIÉES